時代を超える生き方
花岡眞吾
湘南社

プロローグ

心豪胆にして
世に水の如く
道美しきこと
義を以て尊ぶ

若かりし日より、自分の信条だとか思いを言葉にして後生に遺したい。そう考えながら人生を歩んできて、十年前に、ようやく自分なりの生き様を言葉で表現することができた。四十路を前にして、初めて人生の第一歩を踏み出せたような気がした。

世情は、暴力団排除という社会的風潮がさらに深刻化して、その組織に属しているだけで犯罪と同義、というところまで進んでしまった。

また、一般社会では、勝ち組、負け組といった語をさほど耳にしなくなったものの、急激な変化への対応や時代の先取りが問われる社会にあって、あらゆる企業が自由競争を展開しながらも、その結果として生まれた負の遺産はおろか、ニートやネットカフェ難民というような副産物に至っては、もはや諦め感に満ちた社会問題として君臨し、多くの企業においては変革の必要性が叫ばれて久しい。企業の社風も、時代と共に移りゆくものではあるが、創業者の理念が失われた企業では衰退が始まるという。私が属していた極道社会においての理念とは何か。

それは、「弱きを扶け、強きを挫く」任俠の精神に他ならない。任俠という言葉が死語のように扱われている昨今、若い世代の人達にしてみれば、どこか古めかしい漠然とした印象しか持てないのかもしれないが、決してそうではない。難しいことでもない。人として正しい行いをする。ただそれだけのことである。

他者を軽んじること勿れ。

右は私が創作した言葉だが、仏教では誰人にも等しく仏性が具わっていると説いている。人を軽んじることは、仏を軽んじることに他ならない。

年長者を敬い、若い人を慈しむ。互いの個性を認め合い、困った人を見かけたら手を差し延べる。ありがとう。ごめんなさい。

理想の社会とは、ごく当たり前のことが素直に言えて実践できる、相互理解の絆を深めることではないだろうか。国定忠治が自らの身命を投げ打ってまで村人達を救済したように、決定的な大事だけが任俠の精神ではないということを、今時の若い人達にもまずは知ってもらいたい。すべては些細なことの積み重ねである。

かつては人気稼業と言われたほどの極道社会ではあったが、今では多くの組員がそのあり方に疑心を抱き、自らが進むべき道に迷っている。何がそうさせたのか。

その一つは、主我的要求による束縛多きヤクザ社会の必然的関係が、個々の精神生活を停滞させてしまっているからだろう。

私が渡世の道に賭けたのは、些細なことがきっかけだった。幼い頃に、近所のヤクザのおっさんから、「おう、めし食ったか」。いつも何気ないそのひと言が嬉しくて、思春期の私に例えようのない勇気と温もりを与えてくれた。

空腹だった訳じゃない。何かが欲しかった訳でもない。少年の心で創り上げた節義は、言葉では尽くせない優しさに満たされていた。

そうやって思い起こせば、他人から小遣いを貰ったり贈り物をされたり、そのような物質的なことよりも、心に深く残っている温かい思い出というものは、ほんの些細な出来事ばかりである。

もし、この世の闇を救えるものがあるとするならば、それはやはり人の心でしかない。今、時代が何を求めて何を目指しているのか、私にはわからない。ではあるが、私にも私なりの思いというものは持っている。

幼い頃から荒んだ境遇で育ち、行き場を失った人達が、他者との関係性の中で自らの生き方に目覚め、曲がりなりにも人としての道を学んでゆく。

私は、義侠心を種子とする精神活動を通して、互いの不幸を分け合い、それぞれが持っている明るさや豊かさをも分け合うような善なる連帯感を高めてゆくことで、一人でも多くの善知識を育て上げてみたい。

とはいえ、今の私には、自らの思想や哲学を論じたり、調子に乗って大風呂敷を広げるようなことはできたとしても、他者を導き、集えるほどの器量が備わっていない。だからこそ、共に学びたいと思っている。

この度、この本書を出版するにあたり、私にはとても勇気がいる決断だった。私のような名もなき素人の物書きが、無知のなせる誤ちを棚に上げ、拙ない表現力で世の中に何が伝えられるのだろう。大きな不安もあった。

しかしながら、この夢への挑戦をきっかけに、新たな出逢いであったり、辛辣な批評やお叱りの声でも構わない。賢明な読者の皆さんと語り合える機会にでも発展してくれたらと思い、敢えて愚見を披露させていただいた次第である。

時代はすでに変わったのか、それとも変わろうとしている途上なのか。今、武士道が見直されている時代背景などを考えると、やはり新たな価値観が生じていることは間違いない。

そのような時代であればこそ、これからは裏も表もなく、地域、職業、年齢、性別など、あらゆる枠組みを超えたところで、互いに交流したり遊行したり、意見や情報を交換しながらも、新しい世の中の仕組みを模索することも必要ではないだろうか。

冒頭の言葉には、何事にも動じない心を培い、世の中にあっては、水のごとく、なくてはならない人であること。正しきを以て尊しを為す。美しき人生とはそういうものだ。という思いを込めている。

どんなに些細なことでもいい。私のような人間に、誰かに喜んでもらえるような生き方ができたなら、私は人生に悔いを残さないだろう。男として人として、強く正しく尽くしてゆきたい。いつも心からそう思っている。

【注記】

この拙書の中でも、徳川家康や坂本竜馬の史実を引用していますが、彼等とて、誰かが実名で記録を残していたからこそ、その足跡や偉業を後世の私たちが知ることができています。

本書におきましては、真実を正確に伝えるために、難色を示す出版社に無理なお願いをして。実名表記とさせていただきました。万が一ご迷惑をおかけすることがありましたら、その責に就きましては、筆者である私がすべて負わせていただきます。

花岡眞吾

目次

プロローグ……3
第一章　理知と本質……13
桜花のごとき人生　14
人格の陶冶　18
己を知る　22
眼を養う　28
心のあり方　34
第二章　人間練成……41
教育　42
人材の育成・前編　50

人材の育成・後編　59
一は万の母　67
人は人に因りて人となりて　77
少年時代　87

第三章　静と動……99
勇を極めて無に帰す　100
八風吹不動・前編　106
八風吹不動・後編　116
機に臨み　変に応じる才　128
韜晦　140
勢いの妙　150
権力闘争　160

第四章　組織学……171

リーダー論 172
組織造り・前編 183
組織造り・後編 193
危機管理 201
変革 209
先人の足跡を偲ぶ・前編 218
先人の足跡を偲ぶ・後編 226

第五章　道

醜は美を兼ねる 234
男伊達 245
我を美しく 255
罪と罰・前編 265
罪と罰・後編 277
無頼の果て 289

最終章　悟達…… 301
報恩抄　302
善学菩薩道　311
宗教観・前編　322
宗教観・後編　332
花岡流禅風　343
生と死について　355
妙法人を制す　365
あとがき…… 376

第一章　理知と本質

桜花のごとき人生

私は、桜の花が大好きだ。なぜかと言うと、桜には美しさ、気高さ、力強さ、儚さ、潔さ等々と、様々な魅力を凝縮しているからだ。

もし桜が年中咲いている花だったなら、人はさしたる関心を示さないだろう。咲くべき時に美しく咲き誇り、散るべき時には潔く散ってゆく。一年の内にたった一週間しか咲いていない花だからこそ、見る人の心に感動を与え誰もを魅了してしまう。

ヤクザ社会にも、その桜のような天寿を全うした大親分がいた。周囲よりも随分と遅い渡世入りだったにも関わらず、型破りな生き方で颯爽と表舞台に躍り出て、瞬く間に頂点まで駆け昇った。そして、今からという脂が乗り切った年齢を迎えた時に、多くから惜しまれながらも潔く身を引いて百年の計を託された。

私はその比類なき生き様を目の当たりにして、まるで桜大樹のようだと少年のような憧れを抱き、唯々遠いところから眺めていたものだ。御大の死後、当時の住吉会の理事長がその人柄を偲び、百年に一人の不世出の逸材だった、と称讃していた言葉が今でも忘れられない。

人の生き様と花の咲き様、いや、人間社会と自然の有り様は本当によく似ていると思う。植物の種子も納屋にしまっていたのでは、いつまでたっても芽が出ないのと同じで、人の一生もどこかで行動を起こし、何かを示さなければ、ただぼんやりと立ち止まっていても、そこからは何も生まれやしない。厳しい現実や人間関係という土地を耕し、努力という肥料を畑全体にゆき届かせながらも、徳という名の種子を蒔く。そうした心の積み重ねがあればこそ、花も実もある道を為す。

また、一方では芽が出てからの方向性によって、大きくも小さくもなるのが人生ではないだろうか。利を欲する者は枝だけを長く伸ばし、徳を心掛ける者は根っ子を太めてゆく。細き根に細き幹あり、太き根に太き幹あり。急いで花開く人生もあれば、咲くべき時に、咲くべき場所で鮮やかに立ち上がる遅咲きの人生もある。

「春夏秋冬」、それぞれの季節にはそれぞれ異なる色や音、あるいは匂いといったものがあり、それぞれの美しさがある。

私は、どちらかというと春に咲き誇る花々が好きだが、そんな春の艶やかな美しさも深まる秋のそれには到底及ばない。

何より、四季の心というものは、桜前線が北上することで春の温もりや優しさ、そして華やかさを途上の人々に伝え、その心によって新緑を育み、秋にはまるでその返礼でもするかのように、紅葉前線として南下してゆく。互いの心が交わるからこそ深まる秋の美しさには重みがある。そうした自然の営みに絆みたいなものを感じるのは私だけだろうか。

私には、心の琴線に触れるこの世の中でもっとも好きな場所がある。それは、京都の嵐山だ。渡月橋の背景に広がる景色には、追憶の甘さと懐しさとが入り混じった色彩を帯びていて、あの川べりに立つと訳もなく涙が溢れるような思いがした。

ある日、一枚の写真を見て気付いたことがあった。それは、空が映っていない風景は美しさが半減するという思いだった。もしかすると私だけがそう感じることなのかもしれないが、私にはそのように思えてならなかった。

なぜだろう。私はその答えを探しに渡月橋の上に立ってみた。そして、澄み切った青空を見上げた時、空は希望だと思った。途方もなく雄大で果てしなく広がる大空には、希望が溢れている。この大空の下で様々な人生劇場が生まれ、それを演じ切った人々の魂の慟哭が、過去、現在、未来へと幾千もの時代と夢を繋げてきた。希望を持たない人の心には、どんなに美しきものでさえ決して美しく映ることはないだろう。

私にとっての希望とは、強くなることである。幼い頃からその一念を胸に抱いて生きてきたつもりだ。ゆえに、毎日が戦いの連続だった。どこまでも尽きることのない劣等感と、どこまでも平凡な日々の中で、自分を見つめ、他者を見つめ、壁にぶつかっては自問自答を繰り返しながらも、様々な葛藤と戦った。どんなに戦っても決して満たされることのない心は、絶えず逃れようのない虚しさに支配されていた。

それでも挫けずに、諦めずに生きて来れたのは、仲間がいたから。素晴らしき仲間との出逢いが私に希望という名の種子をくれた。心ある人は、自分で育てた果実を自分では食べないということを、皆が教えてくれた。そうした掛け替えのない人達との絆が他人のものではなく、自分のものであるというところにいっそうの誇りを感じ、その誇りを力に変えて歩んで来た今日までの半生だったと思う。

そもそも人間というものは、弱くなれば弱くなるほど卑怯になってゆき、強くなれば強くなるほど自分以外の誰かのことを気遣えるようになるものだ。だからこそ、私は強くなりたいと思った。この世の中の幸も不幸も他人の人生さえも、その一切を自分一人で背負ってみたい。いつしかそう思うようにまでなっていた。

私が思うに、男が生きてゆく上で己の型となり、個性となり、道筋となるのが、心の幹となる部分ではないだろうか。志をどこに定め、迷わず生きてゆくために何を信条にするのか。そのような揺るぎないものを持たない人は、他者からの共感を得ることなどできない。

そして、その心の幹を支える根っ子となる部分こそが、人が人である限りもっとも大切なところだと私は信じている。

〝仁〟それは、人としての優しさだとか思いやり。それが大きければ大きいほどに、より大きな志が持てるようになるし、人としての器量も大きくなる。男であれ、女であれ、人生をうわべだけで生きてはいけない。

樹木を見ればいい。まず根っ子を張るのに時を要する。形としてすぐに表れる訳ではない。それと似たようなもので、熟成された優しさでなければ、本当の意味で仁愛の境地に達することなどできないだろう。

人の世に咲き誇る大輪の花というものは、どんな逆境にも負けない力強さと、大きな優しさの中でしか咲き誇れないものだ。

人格の陶冶

なぜ日本人が世界で一番心が豊かな民族だと言われているのか。それは、四季があるからだといつか何かの本で読んだことがある。つらい冬を耐え忍ぶことで暖かい春を迎える。そういうことの繰り返しが人の心を豊かにするのだという。

確かに、世の中で大業を為す人々は必ずと言っていいほど耐え難きを耐え、苦難を糧にしている。忍耐は、人格を寛容にするのだろう。

そういう私も、逆境という師を得たことで生きる道を見付けた。つらいことや苦しいこともたくさんあったが、そこから学んだものは限りなく大きかった。

人は不運ゆえに胆力を練り、知恵を育てる。そう思えた時には不遇の中に立っている自分が、そんなにも苦にはならなくなった。一を学んで喜び、二を悟ってさらに実践することの素晴らしさを知る。百計が尽きても苦悩の果てが一計を生む。人生とはそういうものだ。

昔の人は、よく旅をした。歩くことは人を育てる。孤独に耐え、風雪にもめげず、艱難辛苦を求めることで心胆を培い、異郷の文化や人情に触れることで道を学ぶ。そうして改めて人生を振り返った時には、今まで気付かなかったようなことが見えるようになる。

私も、若い頃には親分に付き添い、随分と旅をさせていただいた。決して苦難の旅ではなかったが、見聞を広げ、感性を磨くにはすごく有意義な経験だったと感謝している。

また、私にはもう一つ大きな旅がある。それは、少年院や刑務所での獄舎生活だと言えるだろう。獄《ひとや》とは、人間社会の究極の縮図である。獄中で費やす歳月にしろ対人関係にしろ、日々逃れようのない境遇の中で人生の負の連鎖を断ち切るには、様々な葛藤と戦いながらも新たな人生に向かって立ち上がるしかない。

そこでまず最初に経験することは、孤独という経験である。その孤独な時間をきちんと過ごせるか否かによって、獄中での心構えが決まる。

しかし、獄中での心構えさえできてしまえば、自分自身と真摯に向き合えるようになる。それと同時に、自らと向き合うことによって、己の至らなさを知る。そして、自分に欠けているものを素直に受け止めることができたなら、そこからは学ぼうという意識が芽生える。また、学ぼうとする意欲が湧けば、今度は耐えるという概念が身に付くようになる。

人が成長する過程においても、やはり忍耐が基礎でなければ、大きな成果を得ることなどできないだろう。耐えることは、人を大きくする。その苦しみや悔やしさ、様々な思いがやがて人を飛躍させる。

試練というものは、よりたやすくて安易なところを選んで乗り越えるのではなく、自分を大きくすることで乗り越えたほうがいい。それが、今日までの獄舎生活を通して培った私なりの哲学である。

私が今刑の事件で逮捕された半年後の平成十七年八月九日に、父が他界した。癌を患い、闘病生活の末に五十七歳の若さだった。

当時、私は警察署の留置場で接見禁止の身分だったこともあり、私が父の訃報に接したのは、小倉拘置所に移監になった九月十六日のことである。

親孝行どころか、息子としての役目を何一つとして果たせなかったばかりでなく、呑気にも父が死んだことすら知らず、葬儀をして供養すらしてあげられなかった自分の不甲斐なさに、途方もなくうんざりした。その後にも、僅かな期間に伯母が死んで、親友が死んで、女が死んだ。

日々同じことを繰り返し、単純そうに見える獄舎生活ではあるが、様々な思いが消えてゆく。お世話になった恩人、苦楽を共にした仲間、毎年毎年掛け替えのない人達の命が、失われてゆく時間と共に消えてゆく。獄中の私にとって身近な人達の不幸事ほど、つらく耐え難いものはなかった。

そのように、人生では本人が望む望まないということに関係なく、様々な出来事に遭遇してしまう。

そして、それらの物事を自分なりの感情で割った時、往々にして割り切れないことがある。また、そうして割り切れずに余り出た物事を、理性で処理することができるのかと言えば、そんなに簡単なものでもない。

と、少しばかりわかりにくい言い方をしてしまったが、例えば、プロスポーツの世界では、よく選手の去就について注目が集まる。その選手をこよなく愛する地元のファンは、チームに残留し、骨を埋める覚悟で活躍して欲しいと願っている。だが、その選手の家族は、故郷に帰ることを切望している。そのような難しい問題に直面した場合、ファンに対する思いと家族に対する思いとでは、どちらの方が重要で、より大切なのか。それは比べようのないものであり、比べてはならないものでもある。

そうした割り切れない問題を解決するには、経験を備えに知性を用いるしかない。そこに、人間学の真髄があると言えるだろう。人は、他者との間でしか人間にはなれないように、そういう経験もまた、人間社会の中で揉まれて学んでゆくしかないのだ。

よく人生の挫折なり、どん底を味わった人達の多くが「生まれ変わる」という言葉の魔法にかかる。だが、忘却や安易な方向に再起を委ねてはいけない。後悔であれ、良心の呵責であれ、自らが犯した責任は生涯にわたり背負うべきものであり、それを併せ呑むことで心を大きく育ててゆく。

自らの過失や旧悪にしても、それをリセットしてしまえば、その人はそれだけの人生で終わってしまう。過去を消し去るのではなく、今の自分に不足しているものを継ぎ足しながら生きてゆくことが、人としての正しい生き方だと私は信じている。罪を犯したことが悪いのではない。正しく生きようとしなかったことが悪いのである。

人が何かを逃れようとすると、必ず災いを招く。人間の成長を妨げるものは、決して無知ではない。それは、そこから逃れようとする自分自身の心なのだ。

無論、人が生きてゆくということは、楽しいことばかりであるはずがない。つらいこともあれば嫌な思いだってするだろう。しかし、そのすべてを人格向上のための肥やしだと思い、克服するしかない。苦難を求めることで強くなるしかない。自らに厳格であればこそ、その心は、他者に向かっては自然と寛容になってゆくものだ。それ以上に素晴らしい生き方はないだろう。

今の世の中、何でもお金で得られるような時代になってしまった。そのような世情を顧みて、歯を食い縛り、つらい思いをしながら得られる達成感だとか人としての思いやり、そういった純真な喜びを追い求めて生きてゆくことが、もっとも人間らしく、もっとも幸福に近い生き方ではないだろうか。

己を知る

ある時、獄友から相談を受けた。

自分は、組のことやそれ以外のことでも、与えられた仕事なら一〇〇パーセントやり遂げる自信を持っているが、他人からそういうものを用意してもらったり、指示を仰がなければ、自分が何を為すべきなのかよくわからない。とその彼は悩んでいた。

私は、その話を聞いて、それなら心配ないと思った。なぜなら、目の前に仕事があっても意欲が湧かないと言うのであれば救い難いが、仕事さえあれば十二分に結果を出せる訳だから、要は、為すべきことを見付けるだけの話だ。私はその彼に対して、まずは己を知ることから始めた方がいい。と答えた。

人生は、自分という人間を正しく知ることで新たに可能性が広がる。ならばこそ、より良い人生を望むのであれば、まずは己を知ることから始めるべきだろう。

中国の兵書『孫子』は、今から二五〇〇年もの昔に書かれた古典であるにもかかわらず、現代社会に至るまで幅広く活用され、軍事ばかりでなく、スポーツやビジネスの世界でも多くの成功者を出している。

その『孫子』の中でもっとも有名な言葉が、「彼を知り己を知れば、百戦殆《あや》うからず」という教えだ。私がこの言葉を聞いて真っ先に思い浮かべたのは、ソフトバンクの創業者・孫正義社長の顔だった。別に、〝孫〟つながりというくだらない洒落で言っている訳ではない。

孫さんが自らの人生でもっとも影響を受けた書物として、司馬遼太郎の『竜馬がゆく』と『孫子』

の二冊を挙げているように、孫子の戦略と自身の思想を重ね合わせた〝孫の二乗の兵法〟という法則をつくり上げ、次の五項目にまとめていることも有名な話だ。

道天地将法　頂情略七闘　一流攻守群　智信仁勇厳　風林火山海

この二十五文字は孫さんの経営哲学であり、様々な決断をする際に指標にしてきたと言われている通り、随所に企業家らしさが窺えるが、確かに孫さんがいかに孫子に精通しているかについては、孫さんの今日までの軌跡を辿れば明らかである。やはり、現代社会において孫子を応用している第一人者だということは認めざるを得ないだろう。

私が思うに、孫さんの素晴らしさは、何事にも誠実なところである。信義を確立することで努力が実る環境をつくり出し、より高いレベルで攻守の均衡を保ちながらも、機を見れば果断に挑み、一切妥協をしない。将来の展望もはっきりと、かつ大胆に描いているし、先見性、決断力、規模、スピード等々と、他にも特筆すべきものをたくさん備えているが、孫さんの行動原理はすべて右の五項目に裏打ちされている。

中でも、私がもっとも凄いと評価している点は、己をよく知り、一見博打のように見える大それたことであっても、リスクの範囲を冷静に見極めているところだ。

二〇〇六年にボーダフォンの日本法人を一兆七千五百億円で買収した際には、巨額の有利子負債を抱えたことで、企業の格付けも大きく下落したことから、多くの経済評論家はこぞってソフトバンクの将来性を危惧していたものだが、孫さんはそんな周囲の不安を嘲笑うかのように着実に成長を遂げてきた。

また、孫正義という人は、すでに世間でも承知の通り、言うことが途轍《とてつ》もなくでかい。雲を掴むようなスケールの大きな話をして、まず聞く人の度肝を抜く。それでいて現実的な話に切り込んでゆくところに、孫さんのしたたかさや論法の特徴があることも事実だが、いずれにしても、孫さんが今日まで公言してきたことをことごとく有言実行している点については、疑いようのない真実である。

かつては小泉純一郎を筆頭に、巧みな話術で世論を熱狂させて、人々の心を自在に操っていた人物をたくさん見てきたが、その彼らが社会に何を還元しただろうか。自分にどれ程の実力があり、どれ程のことができるのか、それがわかっていないからこそ結果が伴わない。そのような観点から断じても、孫さんの人間力は水際立っていると言えるだろう。

すべては己を熟知しているからこそ為せる戦略であり、結果でもあったし、大言壮語で終わらないところに信が芽生え、孫さんの生き様に凄味をましていることも事実だ。

禅語では「脚下照顧」という言葉がある。これは、分を超えたことなど考えず、脇目も触らずに自分にできることを、精一杯に取り組むという意味合いの教えだが、ファッションにしても、まずは足下からと言うように、己を知るということは足下を意識するということでもあり、それは人が堅実に生きてゆくための基本である。

プロ野球界には、犠打で世界記録を樹立した元読売巨人軍の川相昌弘という選手がいた。〝送りバント〟とは、自分を殺すことで走者を活かす。チームを勝利に導く上で欠かせない戦略の一つではあるが、地味な役割だけにほとんど脚光を浴びることはない。

一般的にプロ野球選手を志す人達の多くは、大谷やダルビッシュのような豪速球を投げて、往年の清原や松井のようにホームランを打ちたい。あるいはイチローのようなスーパースターに憧れを抱くのではないだろうか。

だが、もし川相がホームランを打つ素質もなく打席を迎える度にホームランを狙っていたとするならば、一体どのようなことになっていただろうか。

当然、結果など出せる道理はない。それどころか、そのような間違った姿勢を改めなければ、試合にすら出してもらえなかっただろうし、最悪の場合には、ベンチに坐ることすら叶わなかったかもしれない。

しかし川相という選手は、自分にどれ程の素質や技術が備わっていて、どの程度の役割を果たせるのか、ということを誰よりも知っていた。だからこそ、生き残るために一芸を磨いた。それが送りバントだった。

川相にイチローや松井のような華やかさはなくても、イチローや松井が川相になることもできない。つまり川相の生き様には、自分にしかできない生き方の真髄があると私は思っている。

人は、誰にでも他人より秀でたものが必ずある。例え目立たない役割であったとしても、自分にしか坐ることのできないその場所で、ひと際輝きを放てばいい。組織にとってなくてはならない存在になりつつある自分を自覚した時、その責任が人を大きく成長させる。自分が変わることで周囲の人達の見る目が変わり、心が変わる。結果、今までできなかったようなことでさえ、できるようになってしまう。

水呑み百姓から天下人に成り上がった豊臣秀吉も、元は織田信長の草履取りだった。その身分の低さから、才知を試みる機会もなければ武勇を競い合うことさえ許されなかった。

それでも秀吉は、自らが置かれている境遇の中で今の自分にできること、今の自分にしかできないことを懸命に考えた。それが信長の草履を懐で温めるという行為だった。

今時の若い人達に言わせると、失笑を招くような処世術なのかもしれないが、その笑止が信長の心を捉え、やがて秀吉に天下を取らせるのである。

この時代の身分のことを思えば、現代社会の人達は、秀吉よりも遥かに高い可能性の上に立っていることは間違いない。生まれ落ちる場所は選べなくても、自分の生き方は自分の意志で決めることができるはずだ。

自分には何もないと諦めている人は、努力が足りないだけである。己を知ったことで自分の才能や実力に限界を感じたのであれば、例え秀でた結果は出せなくても、他人よりも体や時間を使うなりしなくてはならない存在になるために、秀でた心を見せる方法はいくらだってあるだろう。そうやって、苦労を厭わずに新たな自分を探求する経験もまた、己を知るということである。

眼を養う

他人の仕事や能力、あるいは人物を正しく評価できないことほど、不幸なことはないだろう。人間の外見は鏡に映るが、内面は周囲の人達に映る。その人の周りにどのような人がいて、どのような心を寄せているのか。それを見ればだいたいの人柄が見えてくる。

それと同様で、人の上に立つ人物も、左右にいる人間を見れば、だいたいの器量が見えてくるものだ。いつの時代でも、優れた大将は常に人心を把握して、適材適所に優れた人材を用いた。

それとは反対に、無能な大将ほど自分の好みや近い者ばかりを周りに置きたがる。中国史上最強と恐れられた項羽が、自らの配下にいた韓信の才を見抜けずに、のちにその韓信を将軍として用いた劉邦に滅ぼされた故事が、その典型的な例だと言えるだろう。

また、すべての物事には対立する二つの事柄がある。善と悪だったり、表裏であったり、陰陽、清濁、真偽、正邪、強弱等々と様々ではあるが、人間の場合はさらに複雑で、十人いれば十色の人間がいる。人にしても物事にしても、やはりその本質を見極めなければ、人を活かすことも己の道を切り拓くこともできない。

具眼の士たる者は、常に相手の性根の底まで見透かしているものだ。何を考え、どのような不平を抱き、何に重きを置いているのか。それと同時に、自分の能力の限界を描き出すことができる。知恵というものはその次に生じるものであり、底なしの能力を誇るものではなく、限りある能力を見極める眼識のことをいう。

何かを選択するには必ず決断がいる。机上の勉強ができて、知識が豊富だから頭が切れるのではない。例えどんなに博識であったとしても、先が見えて、人や物事が正しく見えなければ、実践社会では無能に等しい。ゆえに〝眼〟を養うことが肝要である。

では、その眼を養うにはどのようにすればよいのだろうか。私は、歴史を学ぶことを人に勧めている。歴史は教養の基礎であり、教材がなかった古代の人々は、歴史を学ぶことで思考と感情の重心の置き方だったり、現実の人と世界とを分別した。

人は得てして、書物の字面上の意味のみを理解しようとする読書に停まりがちで、書物が伝えようとしている真理や精神にまで触れようとしないものだが、史学を志す者は、文章の裏側にある何ものかを洞察しなければならない。

例えば、三引く八は⁉　と問えば、ほとんどの人がマイナス五と答え、それ以外の答えには目をくれようともしない。

だが、世の中には三引く八は七という答えも存在する。これは時計算で、三時の八時間前は七時だということである。それと同様で、人生の答えはひと通りではない。

私は、そのような意識と捉え方で書物を繙《ひもと》くようになってから、自分なりの史眼を培い、それによって世界観が大きく広がった。

良き人として尋ねるべき先賢の教訓、新しきを知る要諦、人生訓、処世訓、経営訓などにも通じる人が生きてゆくための普遍的な知恵というものは、先人の足跡を顧みて、自らも及ばずながら歩まんとすることに努め、例え一足でも、それににじり寄ろうとする先にこそ生じるものであり、それが真実の哲学だと私は思っている。

いつだったか、ＮＨＫ大河ドラマ「天地人」のある場面の是非について、獄中で物議を醸したことがあった。それは、次のような話である。

関ヶ原の合戦を前にして、石田三成と同盟を結んだ上杉景勝が、会津で反徳川の旗を挙げた。それに対して徳川家康は、すぐさま上杉討伐の軍を起こし、小山まで攻めのぼる。

ところが、今度は西方で石田三成が蜂起したことで、会津を目前にして引き返すことになった。それを知った上杉の参謀直江兼続は、今なら家康を討てると追撃の必要性を訴え、進言するが、主君である上杉景勝は、「背中を見せている敵を背後から襲うのは、武士の義に反する」と言い、断固として動かなかった。

結果、石田三成率いる西軍は敗れ、上杉家は会津百二十万石から米沢三十万石に削減転封となった。その上杉景勝が執った采配の是非についてである。

私は、おもしろい話になってきたと思い、興味深く耳を傾けていた。そして、それぞれが自分なりの意見を言い合い、話がひと段落着いた時に、私は「大義を果たすためには、例え背後からでも家康を討つべきだった」と主張した人に対して、政治の世界では選挙戦の度に、小泉チルドレンだの小沢ガールズだのと、よく刺客を送り込んだりしているが、そのやり方についてどう思うかと尋ねてみた。

すると、その彼は「いくら議席を得るためだからと言って、政治とは縁もゆかりもない人達まで担ぎ出すのはどうかと思う」と答えた。しかし、やっていることは同じだろう。対組織による、政権を賭けた権力闘争に違いはない。

上杉景勝が執った采配の是非については、後々の章で改めて語るつもりだが、戦のない泰平の世の中を築きたいという大義を胸に秘めていたとしても、政権を取らなければその大義を果たすことはできないし、減税だの社会福祉だのと立派な政策はあっても、やはり政権を取らなければ実現することは難しい。

無論、政権を取った後の運営に支障をきたすようなやり方は慎しむべきだが、そういった例外を除けば、ある意味、権力闘争には何が正しく何が間違いということはないのかもしれない。

ただ、私が声を大にして訴えたいことは、時代背景や置かれている状況こそ違えど、まったく同じことをしているものがまるで違うものに見えたり、それに対する答えが異なるということは、人が生きてゆく上で深刻な問題である。それは物事を洞察する眼が曇っている証拠であり、その曇りが判断を誤らせるのだ。

人間には大きく分けてふた通りの生き方がある。それは、観念で生きるタイプと打算で生きるタイプである。

戦国武将の中で人を操縦することに定評がある人物を挙げるなら、豊臣秀吉と徳川家康の二人がその最たる存在だと言えるのではないだろうか。

私は、秀吉も家康も好きではないが、この両者を比較して、どちらのほうが優れているのかと言えば、家康のほうが格段に上だと思っている。

彼らは、打算でしか動かない者に対しては利害損得を以て動かし、観念で生きる者に対しては信義を以て応えた。また、士魂が旺盛な侍だと看破した場面では、時に俠気を煽るような御膳立てもしている。

では、その家康の洞察力は何によって培われたものなのか。私は、家康の場合、自らを育てた境遇が、あのたぐいまれに見る神眼を開花させたのではないかと考えている。

家康は、幼少の頃に人質として出された。そうした環境の中で、常に他人の顔色を窺いながら生きてきたことで、人情の機微を察したり、物事の先が見えるようになったと想像することは難しくない。

ある立場にいる人は、その立場でしか人や物事を見ようとしない。しかし、意識の中でその立場を変えてみると、思いがけないものが見えたりする。マンネリ化した日常をただぼんやりと生きていても、毎日同じような景色しか見えないのと同様で、家康は為されるがままの不安の中で懸命に一抹の光を見ようとした。

人は、眼に映るもの、形あるものだけを信じようとするが、実は、眼には見えない善行ほど尊いものはなく、眼には見えない怨根ほど恐ろしいものはない。

何より、人生には素通りできない処世の要がある。それは、対人関係を円満に処理する能力の有無だ。

確か、山岡荘八先生の何かの時代小説にもおよそ同じような件があったと記憶しているが、これが欠如していると、知らず知らずのうちに破滅の道を辿ることになる。織田信長による明智光秀の遇し方、浅野内匠頭と吉良上野介の確執、例を挙げればきりがないが、見えぬものを見えぬままに生きていた人々の果ての姿は、あらゆる歴史上の事実が証明している。

徳川家康は、決して礼節や徳義を第一義として貫くような好人物ではなかった。特に、晩年においては信義にもとるところさえ、多分にあったことは間違いない。

そんな家康が、強大な権力を手にしながらも、人に欺かれたり、さして生命を脅かされるような危機もなく、徳川幕府三百年の礎を築き上げた要因はどこにあったのか。私は、家康の生涯を通して幾多の局面において、その符合を一つひとつ照らし合わせながら、自らの余生の教訓とした。

眼識というものは、決して才能の優劣から生じる差ではない。自分なりに意識改革をして、人を深く知ることに努め、あらゆる角度から物事を想定すれば、見えぬものが見えるようになる。

人にしろ、物事にしろ、正しく評価できない人を信頼することは難しい。ゆえに、眼は人を活かしも殺しもする、諸刃の剣だということを胆に銘じるべきである。

心のあり方

「裕福さで負けても心根だけは絶対に負けるな」。幼い頃にはよく言われたものだ。心貧乏するな、ということである。

心が貧しい人は、何をやっても中途半端なことしかできない。正しい心を持って懸命に生きてさえいれば、例え不遇の時はあっても、いつかどこかで上向きに転じることがあるだろう。

振り返る記憶を持たなかった少年時代には、世の中の何もかもが新鮮に映っていただけに、目の前のことにしか興味を持てなかったが、人は歳を重ねるにつれて、回顧の念に執着するようになるのかもしれない。

獄中で、懲罰を受けた受刑者からよく耳にする言葉がある。独居房で終日一人になり、考える時間を得たことで、自らの半生を顧みては、あの時、ああしていれば良かった。こうしていれば……。というように、後悔の念ばかりを回想していたと、誰もが不思議なほどに似たようなことを考えていることを知り、驚きもした。

しかし、後悔がない人なんているのだろうか。人生は、その受け止めようによって道が分かれる。心ある人は己の至らなさとして、心底から悔やむことができる。悔やんだのちに励むことができる。悔やむことを知らない人は、励むこともできないのではないだろうか。

そもそも、人が正しい行いをしようとするのなら、後悔であれ、挫折であれ、立ち上がるきっかけは何だっていいと思う。大切なのは〝心から始める〟ということだ。

また、人が生きてゆく上で必要なものがいくつかある。現代社会では、お金もその一つだと言わざるを得ないだろう。

もちろん、お金がすべてではない。一番であってもいけない。だが、人が生きてゆくための必要なアイテムの一つであることは間違いない。問題は、お金を得ることが目的なのか手段なのか、その心の持ち方一つで道が分かれるということである。

私が、公私にわたり誰よりもお世話になっていたある組織の若頭は、川筋と呼ばれる決して恵まれない立地に身を置いていたにもかかわらず、海外に目を向けたり、まるで東京のヤクザのように大きな事業を手掛ける人で、その圧倒的な存在感や影響力にはいつも舌を巻いていたし、様々なことを学ばせていただいた。

私が、その若頭からつくづく感じていたことは、人格を基礎にした金儲けをしているという印象で、確か「菜根譚《さいこんたん》」にも似たような言葉があったかと思うが、人格を基礎にした金儲けでなければ、例え一時的には成功を収めても、末永く堅実な隆盛は誇れないということなのだろう。

そして、人格形成という基盤の次には、人脈や情報力といった要素が求められる。それらに関しても、良き情報を得るために信義を重んじて、何事にも誠実であり、守秘義務を徹底している。

また、より良い人脈を築くという点においては、相手に対して見返りを期待することなく惜しみなく与えることで、絶大な求心力を得て、他者には利益を提供しながらも、その若頭の元には多くの心が集まっている。

私は、その人徳に触れる度に、この人は経済活動を通して人格を磨き、若い者を教育しているのだろうと、共感もしていたし感服もしていた。何もかもがスケールの大きな人物で、あれほど心あるヤクザ者を私は他に知らない。

人生では、誰かと共通のことをしていても、前提にするものが違えば、まったく意味合いの違う物事に変わってしまう。

例えば、二人の料理人が飲食店を経営したとする。前者は、自らの店舗をフランチャイズ化して、大きなグループ企業を築き上げることを目標に、あらゆる経営学を学び、立地などの研究もしている。かたや後者は、お客さんに少しでも喜んでもらいたいということを念頭に、美味しいものを提供したい一心で料理の腕を磨いている。どちらの店で食事したいと思うだろうか。

もっと言えば、幼い頃から総理大臣になることが目的で必死に勉強をしてきた人と、総理大臣になることは、幸福な社会を実現させるための手段だと考えている人とでは、どちらの人物を支持するだろうか。

そのように、人生では自身の心のあり方が問われる場面が往々にあり、そうした際に動機が不純だと他者の共感を得ることなどできない。

いつだったか、政治家の蓮舫さんが「二番じゃ駄目なんですか」発言をして物議を醸したことがあったが、確かに、競争の世界では結果が求められることや一番でなければ意味がないこともあるだろう。だが、人生においては一番でなくてもよいことのほうが圧倒的に多いはずだ。先を争うよりも譲り合うことのほうが尊い。今一歩退くことは、やがて大きく前進する時の手本となる。

以前、ソフトバンクホークスの王貞治会長が「人に気を遣うと書いて人気者と読む」と言っていた。真心を配り、慈悲を施せる人物は、いつも自分のことよりも他者のことばかり気に掛けているものだ。

人を思いやり、譲り合うということは決して恥ずかしいことではない。私よりも他者、利己よりも利他。それは、人が福徳を築いてゆくことにおいての基本だと私は思っている。

二〇一一年三月、東日本大震災に襲われた日本に、諸外国から多くの支援金や救援物資と共に送られてきたものは、日本人のマナーに対する賞讃の声だった。自らが極限の状態であるにもかかわらず、周囲を思いやり、気遣う心に改めて譲り合うことの尊さを学んだ思いがした。

実は、私自身がこの熊本刑務所での服役中に被災した、平成二十八年熊本地震においても、次のような美談があった。

とある避難所で、四歳の女の子が、全員に配給されたおにぎりを受け取った際に、母親に対して、みんなの分はあるの？　と尋ねたのだという。

母親が、周囲を見渡して、確認した上で、みんなの分もあるから、心配しないで食べなさいと言うと、よほど腹を空かしていたのだろう。その一つのおにぎりを一気に食べほしたそうだ。

そして、さらに母親が、お母さんの分も食べなさいと言って勧めると、その女の子は、「ううん、私はもうお腹一杯、お母さんが食べて」と答え、微笑んだという。なんと温かく、なんと優しい思いやりだろうか。

かつて関ヶ原の合戦を制した徳川家康は、大将が家来よりも美味しいものを食べるという法はないとして、大将が先に美味しいものを喰らうような組織では、その兵は弱くなるばかりといった戦場哲学を持っていたらしく、先の合戦では傍らに控えていた柳生宗矩に対して「大将は、いつも腹を空かしているくらいが丁度よい。大将が満腹していると、つい家来どもには体力の限界を越える無理を命じてゆくものじゃ」と笑って語り、自らは飢えを紛らわせるため、干飯を用意させていたとさえ伝えられている。こうした戦場での習慣や心掛けが、世紀の決戦の勝敗と無関係だったとは言えないだろう。

正直、私は右のような逸話に触れる度に、現代ヤクザの世界には、そういう心が欠けているように思えてならなかった。

私は、生まれてこの方、歳下の子から金品を取り上げたという経験が一度もない。少年の頃からそのような恥ずかしい真似だけは絶対にしてはいけないと心に固く誓っていた。

ゆえに、親分から盃をいただいてヤクザ稼業を歩み始めた時に、この世界には下の者から金品を吸い上げる心卑しき人物が数多く存在していることに、少なからず失望したことも事実だ。

ただ、私はそのような心卑しき人物に仕えたことがなく、その点では幸運だったとも苦労が足りなかったとも思っているが、社会の底辺で生きているヤクザ者が、その集団の中でさえ後ろ指を差されながらやり過ごしていることに、恥らいを覚えなくなってしまったら終わりだろう。

近年、ヤクザ社会では組員の離脱が相次いでいる。中には、永年にわたり組織のために絶大な功績を残している幹部組員の存在も少なくない。

男としての筋を通し、低頭陳謝、暇乞いをしているにも関わらず、辞めてもいいが、堅気になっても金だけは持って来い、と吐き捨てる親分がいる現実は、もはや畜生道である。

現実社会の本質や道を探求しようとする者は、我執を取り除かなければ必ず眼識が曇り、自己を見失う。人の心が何を以て達観に至るのか、私にはわからない。ではあるが、何を以て人生を集大成するべきか。その答えは自分自身で見付けるものである。

ある哲学者は、失敗を成功に変えることよりも、言い訳を成功に変えることのほうが難しいと言った。意義のある人生を望むのであれば、公明正大に心を表現すればいい。どんな時にでも、揺るがない心を培えばいい。正しい心があればこそ、日々の捉え方や人生の展望も変わってくる。

「貧者の一灯」という言葉を知っているだろうか。御仏の在世時、阿闍世王が釈尊の説法を聴聞するために、万の灯を献じたことを知った老女が、自分の髪の毛を売って一つの灯を献じたところ、王の万灯の光が消えたあとも、老女の灯は残って輝いていたという話である。

伝教大師最澄は「己を忘れて他を利するのは慈悲の極みなり」と言った。

「乏しき時に与えるは、富みて与えるに勝る」という言葉があるように、今が不遇で貧しいから、あるいは実力がないからといって、何も為せないということではない。自らが乏しい時に他者を思いやり、真心を配っていればこそ、利害を超越した満たされる何ものかが生じるのではないだろうか。人の心とは、無限の力である。

第二章　人間練成

教育

人は、誰にでも生まれながらに底なしの煩悩が備わっている。足るを知らない者は満足することを知らず、満足することを知らない者は感謝の念を持たない。だが、教養があればその本質を制御することはできる。

昔、京都の偉い坊さんからこんな話を聞いた。「暑い時には涼しいと言い、寒いかと聞かれたら寒くないと答える。つらいことや苦しいことがあっても笑って過ごす。それは、この上なく不自然なことではあるが、それが究極の教育だ。暑いも寒いも、つらいも苦しいも、それは五感に備わっている感覚でしかない。そんなものはわざわざ人から教えてもらわなくても、生まれながらに身に付いているものだ。ゆえに、避けられないものとわかれば克服することを教えるより他にない。それが不自然の中から学ぶ本質である」と、私はそういう考え方が実に好きだ。

教育と育成という言葉がある。広辞苑を引くと、前者は「教え育てること」とあり、後者は「養い育てること」と訳してあるが、机上の学識と生活の知恵は違う。頭がよくて、勉強ができるから処世術に長じているという訳でもない。

私が思う〝教育〟とは、端的に言えば道を教えることであり、その中で学んだことを実践しながら自分なりの型を悟らせることを〝育成〟だと分別している。そして、そうした個を形成する過程において他者との交わりの中で磨き上げるのが、私流の人間練成だ。

では、まず最初に、人を教育し、成長を促す上でもっとも大切なことは何だろうか。知識や経験か、それとも向上心か。いずれも大切なものではあるが、答えは否である。それは、一にも二にも信頼である。

相手の反感を買いながらその人自身を変えることはできないように、人を育て、伸ばし、導くためには、信頼関係という拠り処があって然るべきで、喜怒哀楽を共有し、共に学ぶ環境を築かなければ、教養のある健全な人物を育てることなどできない。

また、教育というものは認識の場であるのと同時に、創造の場でもある。一人の百歩よりも百人の一歩を、という戦後を象徴する徹底した教育が、教育の現場から個性を奪ってしまったように、詰め込み教育などで個性を殺してしまっては、未来を創造しようとしている者にとって苦しみでしかない。

確かに、人が生きてゆく上で絶対の方法論というものは存在しないだろう。だが、絶対の基本論はあるはずだ。現代の帝王学の三本の矢として「原理原則を教えてくれる師を持つこと」という旨が謳ってあるように、人としての原理原則がそれである。

そして、その原理原則を教示し、創造力を育んでゆく中で、例えば、道に迷いし者に対しては、先人の足跡を辿らせることで知的好奇心を刺激してみたり、答えを見出すことができずに悩んでいる者に対しては、あらゆる立場において経験を通した知識を蓄積させるなり、努力の方向性を悟らせながらも考える力を向上させてゆく。

いわばその辺の指導力こそが、指導者たる者に求められる重視すべき特性ではないかと私は考えている。さらに裏返して言えば、その時々の適性や個人の能力、あるいは本質といったものを洞察する力を持たない人は、決してよき指導者だとは言えない。

野球界では精神野球の権化みたいな人は、よき指導者にはなれないと言われている。いや、それは野球界に限ったことではないだろう。要するに、技術論や方法論を教えるのではなく、精神論や根性論ばかりを唱える指導者のことを指している。

事実、心理学的な見識においても、頑張れだの負けるなだのと根性論ばかりを押し付けられて、精神が充実するというような人は極めて少なく、逆に、精神的な苦痛しか感じない、という人のほうが圧倒的に多いことも証明されている。

幼い頃のクリスマスの時に「いい子にしていないと、うちにはサンタさんがやって来ないよ」と、そう言われた記憶がないだろうか。この場合も、幼い子供にただ漠然と「いい子にしていなさい」と言ってみたところで努力の方向性などわかるはずがない。

だが海外のある国では、クリスマスの日に子供におもちゃを片付けさせるという風習があるそうだ。その理由は「サンタさんがおもちゃを踏んで足を怪我したら、よその家に遊びに行けなくなってしまう」という、なんとも可愛らしい教えである。こちらのほうが、ただ漠然と「いい子に」と言われるよりもずっと胸に沁みるのではないだろうか。

そのように、例え幼子であっても努力の方向性さえ示してやれば、自らが行うべき未来が何に繋がるのかを創造することができるようになる。

そして、そういう体験や学習から得た知識を組み立てながら、さらに情報を取り入れ、繰り返し思考することで培われてゆくものが教養であり、個人の価値観である。

一方で、個々の能力を伸ばすには責任感を養うことも肝要である。結果だけを重視して責任を軽視するような人は成長しない。

そもそも人間の行動や導き出す答えには、必ず責任が生じるものであり、それを放棄して、仕方ないと言い訳するような人は、生き方的にも潔いものだとは言えないだろう。

私には、一つ疑問を抱いている言葉がある。それは「失うものがない者は強い」という考え方である。果たして、本当にそうなのだろうか。私には健全な考え方だとは思えない。

例えば、プロ野球の指導者には選手に対して結婚を勧める人が多く、その狙いは、栄養の管理や生活面をサポートしてもらうことで、野球に専念できる環境をつくり出すところにある訳だが、事実結婚を機に、選手としても社会人としても一皮剝けて成功したという例は少なくない。

この場合、失うものを得たことで成長したと言えるのではないだろうか。つまり、人間は何かを背負うことで責任感を養い、その責任感によって生産的な人間へと変貌を遂げる。ゆえに、私の理論では、失うものを持たない人よりも、何かしらの責任を背負い、何かのために戦っている人のほうが断然強いという答えになっている。

右のことでもわかるように、私は何らかの壁にぶつかったり、創造力の限界を感じたような時は、通説や常識を疑って思考することを主眼にしている。仮に正しい答えであるにしても、疑って突き詰めることでより深く理解することができる。それが、考える力を向上させることにおいての私流の哲学だ。

昔、武士の世の中には追い腹という習慣があった。主君の死に際し、腹を切って殉ずることが誠忠の証だと言われ、主君が死してなお生に執着するような者は、不忠不義の臣として罵られるような時代である。

しかし、そのような世の中で、果たして追い腹を切って殉ずることが真の忠義だろうかと、常識を疑って思考した人がいたからこそ、人間社会は絶えず成長を遂げてきた。人類の成長の源というものは、そういう常識の裏側にも隠されているものだ。

余談になるが、近年巷ではよく体罰に関する問題が取り沙汰されている。

この体罰について私なりの見解を言うと、例えば、親子の信頼、生徒と教師との信頼、または生徒の父兄と教師との間での信頼、この三角形が信頼関係で成り立っているのなら、私は、体罰は有りだと思っている。

今時の問題になっている体罰というのは、この三角関係のいずれかが破綻しているからこそ、そういう問題へと発展してゆくのではないだろうか。私には、体罰云々よりも、もっと根本的な問題があるように思えてならない。

無論、我々の時代にも体罰はあった。しかし当時の体罰は、愛情表現の一つであり、教育の一環として受け止められていた。私自身にしても、体罰を受けたことで嫌な思いを経験したことなど一度もなかったし、そうした出来事が問題になるようなことも皆無だった。それどころか、今となってはむしろそういうことのほうが温かい思い出に変わっている。

それが今の時代ではどうだ。体罰と聞けば重箱の隅をつついたような大騒ぎになってしまう。いや、それは体罰に限ったことではない。昔から一般的な共通認識としてごく当たり前に習慣化していたようなことでさえ、今の世の中では非常識だと非難されるような事柄も多く、さらに皮肉なことには、この体罰問題が取り沙汰されるようになった時期と前後して、右の動きと正比例する形で少年犯罪の凶悪化が進んできた。

事実、私の少年時代には未成年者が人を殺すというような凶悪事件など、ごく稀にしか記憶にないが、近年は戦慄するような少年犯罪が後を絶たない。僅か二十余年の過渡期の中で、なぜ社会のあり方はこれほどまでに変わってしまったのか。現代社会を生きる人々は、そうした謎の解明に、もっと精力的に取り組むべきである。

では、その上で最後に教育の本質について考えてゆきたい。そもそも人は何のために学ぶのかと言えば、生きてゆくためであり、では〝生きる〟とはどういうことなのか。教育の本質を論ずるには、まずそこと向き合わなければならない。

人生とは、人それぞれの価値観の上に成り立っているものだ。ゆえに、人生の意義や目的が人によって異なることは当たり前のことだが、その違いをどのように受け止め、処理してゆくか、教育の根本はそこから始まっている。

もし、すべての人間の価値観が同じなら、能力の優劣や結果の成否、あるいは大小などを見ていれば、あとは自分の物差しだけで生きてゆける。

だが、実際にはそうはいかない。なぜなら、世の中には様々な人間がいるからだ。だからこそ、学ばなければならない。そして、その異なる人同士がいかに調和して、社会を成り立たせてゆくか、その道標となるものが教養である。

実際問題、人間には打算で生きるタイプと観念で生きるタイプとがあるように、人や物事に興味を持つにしても、理性で好きになるタイプと本能で好きになるタイプとがいる。ある意味、人間とは実にわかりにくく、ややこしい生き物であることは間違いない。

ただ、どのような性質の人であるにせよ、すべての人々に共通して言えることは、道徳観念が欠如していれば、必ずや道を誤る。ということであり、この理論に例外はない。

ゆえに、時には自分の人間性や価値観さえも疑って思考することが大切で、そうすることで人生とも真摯に向き合えるようになるし、さらには他人のことがより深く理解できるようにもなる。

ある名門野球部の監督は「高校の三年間はあっという間に終わる。だが、人生のスコアボードはずっと続く。だから私は、甲子園に出場することよりも、人を育てることを目指している」と語っていた。

私は、すごくいい話だと思った。いくら才能や実力が秀でたものであったとしても、人として正しい行いができない人は、他人から認められることもなければ、協調することさえできないだろう。

だが、しっかりとした倫理的習慣の中で教養を高めてゆけば、正しい価値観を以て正しい優先順位が付けられるようになるし、蓄積した知識を正しく応用できるようにもなるはずだ。詰まるところ、人それぞれの〝個〟というものは、教養があって初めて輝きを放つものである。

私自身の義務教育時代を振り返ってみると、中学生の頃の担任の教師は、三人が三人共文句の付けようがない素晴らしき人達だった。情熱があり、感性が豊かで、何より人としての魅力に溢れていた。

私は、そんな教師と出逢いながらも、悪さをしては迷惑を掛けた思い出しかなく、その先生達の教師人生の中で私という人間は、もしかすると一番の失敗作だったのかもしれない。今もこうしてくだらない生き方をしていることにしても、申し訳ない気持ちでいっぱいだ。

だが、それでも私は、あの頃の教えを忘れたことがない。人生の至るところでいつも思い浮かべてきたものは、あの頃の日々だった。なぜなら、その先生達の優しさや厳しさが真心だということを誰よりも知っていたから。歳を重ねてから気付かされたこともたくさんあった。それでいて、少しも応えることのできない自分は一体どんな人間なのだろうかと、うんざりしたことが何度もあった。心底、救い甲斐のない男だと思っている。

しかし、人生はそれで終わる訳ではない。今からでも遅くはないだろう。先生達の教育が間違いではなかったということを、一番の失敗作である私が証明しなければならない。

昭和の最後に中学校を卒業してから三十余年の月日が流れた。それでもなお、あの頃の言葉や思い出が、まるで昨日のことのように鮮明に心に残っている。どんなに時を超えても、決して色褪せることのない言葉やこの思い出こそが、教育の本質であり、道を学ぶということではないだろうか。

人材の育成・前編

京都の銀閣寺から若王子神社までの疎水に沿って延びる小路は〝哲学の道〟と呼ばれている。哲学者の西田幾多郎という人が、その道を散策しながら思索にふけったことから、右の名称が付けられたのだという。

私は、花と山と雪が好きで、趣味は散歩と風景を眺めることだと言うと、よく意外だとか地味だといって笑われることもあったが、南禅寺を訪れた時にはいつもその哲学の道を歩いていた。洗練された情緒と、四季折々に自然が見せる様々な姿とが調和したそれは、古都ならではの風情を醸し出す。偉大な哲学者は、歳月の歩みによってつくり上げられた情景や、その道を往来した先人の足跡を照らし合わせながら、壮大な哲学を完成させていったのだろうか。ついそんなことを夢想してみたくなる道だった。

不健全な心の持ち主から健全な思想が生まれることは考えにくい。その健全な心を育むには、生活環境も大切だという観点から言えば、人それぞれに特別な場所というものがあったほうがよいのかもしれない。

私の獄友にも哲学が好きなヤクザがいた。いつも大河ドラマや時代小説などを見る度に、この場面をどう思うか。もし自分がその立場だったなら、どのように対処するか。というような問いかけを好む男で、私も随分と刺激を受けていたし、彼と互いの思いをぶつけ合った日々は掛け替えのない時間だった。

ある日、その彼から「自分は、哲学が好きでずっと勉強してきたのだが、自分なりの言葉というものを何ひとつとして持ち合わせていない。他人と議論をしても、読書で学んだことや、他人から教わったことをそのまま受け売りするばかりで、自分自身にもの足りなさを感じる」と、そういう悩みを打ち明けられたことがあった。

私は、彼があらゆる葛藤の中で自分をつくるために懸命に戦っていることを知り、微笑ましく思ったものだ。

哲学とは、ある意味、連想ゲームのようなものだと私は考えている。一つの問いに対して複数の事柄を連想し、何が最善であるのかその時々の状況に応じた答えを選択する。そこで肝心なことは、何を選ぶにせよ、それを実践できるか否かということであり、どんなに優れた知識や手段でも、それを実践できなければ所詮言葉遊びでしかない。

しかし、逆に言い換えるなら、他人の真似事や受け売りであったとしても、それを自分が実践することで自分の道に変わる。刺青だってそうだろう。他人と同じ龍の絵柄を入れてみたところで、完璧に同じ龍に仕上がることはない。その人自身の体の大きさや皮膚の色だったり、何かしらの違いが生じるものだ。

それと同様で、自分の道は自分の色によって描くべきものであり、他人とまったく同じことをしてもその人なりの個性が表れるのが人生である。

詰まるところ、大切なのは、誰がその方法を考えて最初に取り組んだのか、ということではなく、誰がその方法を実践して役立てたのか、ということに尽きるのではないだろうか。いくら自分が考案して真っ先に取り組んだことであっても、それで成功しなければ何の意味も持たない。

ゆえに、他人の真似事をして、パクリだと揶揄されようが笑われようが、気にすることも恥じる必要もないと思う。正しいと思うことは、どんどん取り入れて役立てるべきである。

育成とは、「自分の型をつくること」だということは前の項ですでに述べた。私はその型について、今日まで様々な人達と議論したこともあったが、自分なりの個性を何らかの形にして表現したいと思ってはいても、ただ漠然としたイメージしかできずに悩んでいるという人が実に多かった。

では、こんな風に考えてみてはどうだろうか。自分の人生という物語を紐解いた時、その物語のどこを他人に見てもらいたいのか。それは、自分がどんな人間でありたいのかということであり、人は、それを自覚した時に、初めて人生の目的を見出したと言えるのではないだろうか。

例えば、哲学にしろ、どんなに素晴らしい書物であったとしても、そのすべてが共感できるというものは稀有に等しい。一冊の本の中から自分の価値観と合うものだけを拾い集め、その一つひとつを自分なりの優先順位で並べてゆくのが人間の思考法だ。

ただ、私の場合は他人の教えに自らの知恵を上積みしながら試行錯誤したことで、やがて雁字搦《かんじがら》めになってしまった。

なぜなら、私の思想は裏社会の歪んだ価値観の中で培われたものであり、それは、世間一般からすれば理解に難く、ぎりぎりの自己主張でしかない場合が多かったからだ。

それでも、自分の人生において絶対に曲げてはならないことを決めて、必死さの中で自分らしさというものを追い求めているうちに、いつしかそれが〝型〟と呼ばれるようになっていたし、自らの人生を支える礎石に変わっていた。

無論、そこに至るまで様々な人達と出逢い、他人との交わりの中で多くを磨かれたことは言うまでもない。

また、人材の育成に着手し、仕上げてゆく上で、個々の本質や適性といったものを観察することも極めて重要なプロセスだと言えるだろう。

人間には右脳タイプと左脳タイプがいて、誉められて伸びる人間と怒られて伸びる人間など千差万別である。その対応にしても、悲観論者やマイナス思考の相手にいちいち同情したり共感していたのでは、いつまでたっても問題の解決には至らないし、自我の強い一徹者ともなれば、他人の知恵や好意ですら近付けようとしない。

そういう気難しい相手の自尊心から何かを得ようとするのなら、根気強い忍耐が必要であり、激しやすい相手には、常に冷静な対応に努めることが肝要である。

さらに物事の判断について考えた場合、方法論で解決できることもあれば、方法論がまったく通用しないということもよくある例だ。なぜなら、個々の本質や習慣が多分に影響を及ぼすからである。

例えば、部下の過失を処理するにしても、責任を取らせる。庇ってやる。組織の方針に委ねる。等々といくつかの方法はあっても、結局その人自身のためにならなければ、その失敗を活かすことはできない。

ゆえに、私が人材の育成に着手する際は、相手がどのような考え方の持ち主であり、何を信条にしているのか。その行動の原理や価値観、優先順位の付け方などを見極めた上で、その本質や習慣を注意深く観察するようにしている。

海や小川に流れがあって芝生に道筋があるように、人間にも何らかの傾向といったものが必ず存在する。とすれば、そういうものを見極めることで、ある程度の事柄が限定できるようになる。

よく、過去を振り返ることはできても、未来を覗き見ることはできない。と言っている人がいる。だが、私はそうは思わない。

例えば、車を運転する前に喉が渇いていたとする。目の前に冷えたビールとミネラルウォーターとがあればどちらを手にするだろうか。健全な考えの持ち主なら、車を運転する前にビールを飲むことはないだろう。

これは宮城谷昌光先生から教わった考え方だが、右の例と同様で、目的さえ限定していれば誰もが似たり寄ったりの未来を描き、同じような手段を選択する。片意地を張っては周囲を困らせている人にも妥協しやすい方向性があるように、やる気がなくて消極的な人にも、妥協できない背景があったりする。

ゆえに、個々の本質や習慣に基づく限定した物事の中であらゆる挑戦をさせてゆけば、それぞれの適性といったものが判断できるようになる。ならばこそ、その適性に応じた役割を与え、経験を重ねることで、その人なりの立ち位置だったり〝型〟を形成させるように努めるといい。右のように個を看破する人物眼さえ持ち合わせていれば、自らが望んでいる方向に他人を誘導することも、決して難しいことではない。それが、個の本質を活かすということである。

一方で、我々の世界では、懲役刑の経験のない者が獄中での苦労を軽視していることがよくある。しかも、それに対して腹を立てる人は、決まって待つ身の苦労を知らない人達だった。

そのように、考え方や価値観が異なる者同士がわかり合えない時は、言葉など何の意味も持たないものであり、そうした問題を克服するには自らの行いで示さなければならない。では「行いで示す」とは、どういうことなのか。そこに人材の育成においての一つの課題がある。

インドの国に、とても甘い物が好きな男の子がいた。七歳位の少年だった。甘い物を食べ過ぎて、全身に湿疹ができていた。親がどんなに言い聞かせてもダメだった。隠れて甘い物に手を出してしまう。

悩んだ母親は、インド独立の父、マハトマ・ガンジーに相談しようと思い、男の子を連れて、ガンジーのいた研修道場にやってきた。母親から事情を聞いて、ガンジーは言った。「わかった。私がお子さんに話してあげよう。ただし、十五日だけ待って欲しい。十五日経ったら、また来なさい」。母親は、訳がわからなかったが、言われた通り、十五日後にやってきた。

するとガンジーは、男の子だけを自分の側に呼んで、何か耳打ちしていた。ほんの短い時間だった。

それだけでガンジーの話は終わった。にもかかわらず、どうしたことか、男の子はそれ以来、ぴたりと甘い物を食べなくなった。母親は、驚いて狂喜した。

ガンジーさんは、いったいどんな魔法を使ったんだろう。後日、母親はガンジーの元に行って、何を話したのか、聞いてみた。ガンジーは答えた。

私は別に魔法なんか使ってないよ。私は自分ができないことを、人に命じることはできない。だから、お子さんに甘い物を食べないように、と話す前に、私自身が十五日間、甘い物を食べなかった。そのために、あなたに十五日待って欲しいと言ったんだ。お子さんが来た時、私は「あれから十五日間、私も甘い物を食べなかったよ」と教えた。そして、「君の病気が治って、君がまた甘い物を食べられるようになるまで、私も甘い物は食べない」と、そう言っただけだよ。

つまり、私も頑張る。だから君も頑張れ。そこに男の子に対するガンジーの真があり、成功の秘密があった。男の子の家では、家族みんなが甘い物が好きで、いつも食べていた。それで子供だけに食べるなと言っても、聞く訳がない。この時のガンジーのように、自ら模範を示して初めて、人を導くことができるのである。

もう一つ紹介しよう。

中国史で周の文王の時代に〝虞芮の争い〟として有名な虞と芮という国があった。虞と芮はいつも国境のことで争い、その争訟を西方の覇王である文王の元に持ち込んだ。

ところが、周の国に足を踏み入れた両国の訴訟人は、田を耕す者がみな畔を譲り合い、民はみな長者に譲り合っている姿を見て、互いに赤面し、大いに恥じた。

そして「我々の争いは、周人の恥とするところである。どうして訴えにゆくことができるだろう。ゆけば恥をかくだけである」と言って、逃げるように帰国したという。

後日、その話を聞いた諸侯が「文王こそ受命の君である」と称えていたことも伝えられている。まさに、この一事に勝る教導はないだろう。

右の故事でも証明されているように、指導者たる者が正しい価値観を持って人々を薫陶してゆけば、それと似たような価値観を持つ人材が育つ。つまり、人材の育成は、指導する側の人間力の大きさに比例するということである。

その中で、相手の価値を高めることは自分の価値を高めるということでもあるが、逆もまた真なり、指導する側の人間力が乏しければ小人物しか育てられないものだ。

ゆえに、後姿で範を示すということは、人材育成においての真髄である。

人材の育成・後編

中国には、火と水に例えた政治の話がある。それは、厳格な政治とは火のようなものであり、寛大な政治とは水のようなものだという話だが、火は熱くて激しいから、民は恐れて近付かない。それだけに焼け死ぬ者が少ない。ところが、水は親しみやすくて優しいから、民は水を以て遊びかねない。すると、水死者が多く出る。だから寛大な政治は難しい。というものである。

人材の育成もそれと似たようなもので、単にいい人が優しさを示すだけでは、人生の荒波を自力で乗り越えてゆくような、頼もしい人材を育てることなどできない。厳しさの中で自由を与え、その自由を最大の規律にできるような者だけが、人生の勝者に成り得るのであり、その厳しさの中でいかにして己の真を示し、信頼関係を築いてゆけるか。その辺がもっとも大切なところだと言えるだろう。

東北楽天イーグルスの野村克也名誉監督の著書に「人間は、無視・賞讃・非難の順で試される。これは野球のみならずすべての分野で共通することであり、人材育成の原理原則である」という旨が説いてある。

即ち箸にも棒にもかからず、まったく話にならない状態の時は〝無視〟少しでも見込みがでてきたら〝賞讃する〟、そして、組織の中心を担うような存在になったと認めたら、今度は〝非難する〟と、私にはこの原理原則がすごく感じ入った。

三国誌の英雄の一人である諸葛孔明の没後、彼が残した文章や関連した記録を集め、清代に再編成された『諸葛亮集』という兵法書にも、「言葉でやり込めて、相手の態度がどう変化するかを観察する」というくだりがある。

実は、私自身も他人との繋がりに強固な絆を築いてゆく上で、若い頃から右のような考え方に重きを置いてきた。事実、私が深い付き合いをしている人達の多くは、喧嘩沙汰で出逢ったり、何かしら過去にひと悶着あった人ばかりである。

そもそも、他人との絆というものは、相手の良いところだけを見て好きになり、悪いところが見えたから嫌いになる、というようなことであってはならない。相手の良いところも悪いところもそのすべてを受け入れた上で、共に協調するためにどのようにして心を合わせるか。そこに向かって互いに努力することが、正しい絆のあり方だと私は信じている。

確かに〝自我を殺す〟ということは大切なことである。大切なことではあるが、何もかもを押し殺して常に自分を偽っていたのでは、いざ大きな難題に直面したり、人生の窮地に立たされたような時に、人は私の何を見て判断し、頼りとするだろうか。そんな私に対して、自らの人生を賭してまで委ねる覚悟ができるのだろうか。少なくとも私にはできない。人生とは、そんなに軽いものではない。

例えば、普段は短気で気難しい男が、自分に対しては我慢に我慢を重ねて寛容に受け止めてくれる。あるいは小心者の後輩が、誰かを助けようと懸命に根性を見せている。そのように、相手の短所や欠点を熟知しているからこそ、身に沁みて伝わることだってたくさんあるはずだ。

他人との衝突を避け、解決すべく問題もなく、誰もがずる賢く上手に立ち回る事なかれ主義になってしまったら、この世の中はなんともやり甲斐のない疑心暗鬼の闇へと変わるだろう。

ゆえに、時にはありのままの心を激しくぶつけ合うことも必要であり、人が他人と一番深く濃く交わる瞬間とは、そういう時を言うのではないだろうか。他人との衝突を恐れて何もしない人は、周囲から批判されることもなく、いい人のままで人生を終えることができるのかもしれない。

しかし、所詮それだけの人生である。その程度の人物は、それ以下に成り下がることはなくても、それ以上の存在にも成り得ないだろう。より高い基準で何かを目指すためには、もう一段踏み込んだ人間関係を築いてゆくことが不可欠である。

一方で、人は歳を重ねるにつれて、思想や感情の圭角が取れて丸くなると言われている。それは同時に、人の世の清濁や善悪を併せ呑む器量ができたという誉め言葉ではあるが、〝丸くなる〟ことと〝他人の欠点を見て見ぬ振りをする〟こととは大きく意味が違う。

私が他人から相談を受けてきた事柄の中で、「自分のことを棚に上げる」という罪悪感に悩まされている人が実に多かった。確かに人は誰しもが完璧に生きている訳ではないのだから、他人に対して助言や叱咤激励をする際にも、時には自らの過去を省みて後ろめたいこともあるだろう。

しかし、相手のことを心底から思っているのであれば、自分の過去はどうであれ、すぐさま行動に移すべきである。

例えば、プロ野球のコーチと選手との関係にしても、現役時代の実績では自分のほうが劣るからといって、選手に対して遠慮していたのではコーチとしての職責は果たせない。

無論、他人に対しては偉そうなことを言っていながらも、自らが同じ誤ちを繰り返すような愚を犯すことは論外であり、話にもならないが、人を正すことで己の過去を反省し、戒めるのであれば、それは「自分のことを棚に上げる」ということには該当しない。

そもそも〝育成〟という観点からいえば、相手とは常に相乗効果を図ることが望ましく、人材育成の主たる目的は、知的にも精神的にも互いが成長するところにあったほうがいい。その中で、相手を正すことで己を正し、相手を育てることで自らを大きく育ててゆく。切磋琢磨という概念も、人材育成の最たる側面でなければならない。

余談になるが、私は仏教徒なので少しばかり仏教に関する話をしたいと思う。

我々日蓮信者は、「南無妙法蓮華経」の題目を第一に、人生におけるあらゆる諸事情と向き合っている。希望に向かって突き進む時にも題目。迷いが生じたり、挫折した時にも題目。何かのため、誰かのために行動を起こす時にも題目。日々題目三昧である。それを信心という。

しかし、それはただ祈っていればいいという観念論ではなく、日蓮仏法の生命線は師弟不二の実践であり、信行学が一体でなければ自他共の幸福な境涯を開くことなどできない。

フランスの作家アンドレ・モロワは「はじめに行動があった」というエッセーの中で、「もっとも深い革命は精神的なものである。精神革命は人間を変革し、今度はその人間が世界を変革する」と綴っている。

では、次にその実践と行動について考えてゆきたい。

ある経済学者が、江戸末期の大儒学者・佐藤一斉の代表的著作である『言志四録』を解説した著書の中で「企業経営は学んで知を得る場所ではなく、知を具体化して成果を得る場所だから、言い換えれば知を具体化して成果を得られるのが経営者である」ということを語っていた。確かにそうだろう。だが、人生においては成果だけがすべてではない。というよりも、人生においてもっとも大切なことは、むしろそこに至るまでのプロセスであり、その成果を得るためにどのような手段を選択したのかということである。

例えば、幸福を満たしたいと思った時に、札束と作業衣とがあればどちらを選択するだろうか。過去の私は、迷わず札束を選ぶような人間だった。だからこそ、道を誤ってしまった。

もし、社会に出たその時から作業衣を選び、汗水流しながら生業に従事する人生を歩んでいれば、もっと違った境涯が開けていたはずだ。そのように、手段とは、結果を浄化するものである。

無論、札束を選択した人達にも言い分はあるだろう。その使い方にしても、衣食住などで浪費してしまってはそれで終わりだが、中には、その札束を資本に、ひと財産稼いでしまうほどの才覚の持ち主だっていると思う。私は、他人の才覚を否定するつもりはない。

また、ホリエモンのような異質の存在を熱狂的に支持した若者がいたことでもわかるように、日本人が古くから培ってきた勤勉イコール美徳、という概念が失われつつあることもまた事実である。

そういう私自身も、勤勉イコール美徳だという考え方は、人間の素晴らしき姿だと思ってはいるが、その一方では、マネーゲームをしたり、不労所得で生計を立て、本来労働すべき時間を、何かのため、誰かのために役立てることができるのであれば、それはそれで素晴らしいことだと思っている。

問題はその中身であり、心の持ち方である。なぜなら、楽をして得る幸福と、苦しみながら得る幸福とでは、他人に及ぼす影響が大きく異なるからだ。

私の場合は、札束を選択したところでお金を活かす術を知らない。何より現実の問題として、私が覚醒剤の密売や法を犯して生計を立てていた頃は、お金に不自由したことはなかったし、湯水のごとく浪費していたものだが、その結果、私の半生に恥辱と挫折の烙印しか押さなかった。だからこそ、私は札束を選ぶべき人間ではないことを自覚している。

しかし、その札束を活かし、自他共に幸福な境涯を開いてゆける人であれば、それも一つの方便である。

実社会では、論や利の魅力は知っていても、その根底に信を持たない人は通用しない。法華経においても、この信こそが仏道修行の出発点であり、帰着点だと説いている。ゆえに、人間通の釈尊は、すべての衆生の信をより深いものにさせるために、聴く人の素質を見ながら教えを説き、人それぞれに適した方便を用意した。

前述の人材育成の原理原則も方便なら、良き人として尋ねるべき先賢の教訓、新しきを知る要諦、この世の中に存在する、ありとあらゆる知恵は方便である。

人の師たる者は、どの方便を用いるにせよ、人それぞれに応じた創意工夫をし、実務経験を積ませながらも、慈悲を説き、愛を説き、正義を説き、調和を説き、他者と同苦して、他者との関係性の中で、自らの価値体系を見出してゆく人生観を形成させるように努めなければならない。

そして、その根本となるものが信であり、その信を育むための最強の方便となるものが、厳しさだと私は考えている。

中国史上最初の軍師と言われている伊尹は、王子が蒙昧であったため国外に追放した。しかし、他の王を立てず、王子が後悔するのを待って王位に迎えた。

伊尹が、王子を国外に追放するという、極めて厳格な処置を行ったにもかかわらず、王子がそうした境遇を、憎悪、確執、報復、破滅といった負の連鎖で受け止めるのではなく、自らを反省し、正道に目覚めた理由は、その厳しさに、伊尹の、王子に対する、嘱望、誠実、慈眼、義心、といった真があったからであり、厳しさを受け入れることで、信が芽生えるという真実がそこに息づいている。

確かに〝厳しさ〟というプロセスに人材育成の成果を委ねるのであれば、時には戸惑いを覚えることもあるだろう。だが、犬や猫でもそれが躾なのか、あるいはただの折檻であるのかを感じ取ることができるように、人間が示す厳格さにしても、それが建設的な厳しさなのか、あるいは人情や温もりを持たない厳しさなのかは、往々にして伝わるものである。

ゆえに、その厳しさが、相手に対する己の真であるとするならば、その相手から嫌われることなど考える必要はない。恐れてもいけない。無論、他人に厳しく接する以上は、自らに対しても厳格であるべきだから、時にはストレスを感じるようなこともあるだろう。

だが、そういう煩わしさを共有するからこそ互いが磨かれるのであり、それに耐えるからこそ強固な絆が生まれるのだ。そうやって、人材の育成を通して絆を培い、自らを大きく育ててゆけば、互いが苦もなくそのすべてを呑み込めるようになる。

ある哲学者は、人に影響を与えることの根本は情熱から生じると言っていた。「鉄は熱いうちに打て」という言葉があるように、人材の育成もそれと同様で、純真な気持ちが萎える前に鍛えなければ成長が止まってしまう。

ゆえに、人材の育成においては、いかにして純真な心を持続させるか、ということを念頭に置かなければならず、そのためには、指導する者が情熱を持つことが肝要である。

揺るぎない心、力強く無限に広がる境涯、豊かな知恵、思いやりのある人柄、そういう堂々たる人間力の根本に溢れんばかりの情熱があればこそ、皆が安堵して、希望を見出すことができる。誤解を理解に、対立を信頼に、分断を結合に変えることができる。

では、是非思い起こしてみて欲しい。自らの人生に多大なる影響を与えてくれた人達のことを。果たしてその中に、情熱を持たない人が一人でもいるだろうか。

一は万の母

一という数字は、何をするにも限りなく小さな数ではあるが、すべての物事の起点でもある。一を知らぬ者が二を知るはずはなく、二を得たいと思うのであれば、一を避けて通ることはできない。ゆえに、いかに一と向き合い、積み上げてゆくか。そこに成功への秘訣があると言えるだろう。

刑務所では、日に何度も人員を確認するための点検がある。その度に、いつも指先をちゃんと伸ばし、軍隊のごとき姿勢で点検に臨んでいる青年ヤクザを見かけたので、ある日、本人に対してどのような心掛けでいるのかを尋ねてみた。

するとその彼は「自分にとって点検とは、初心を忘れないための儀式みたいなものだ」と答えた。

私は、すごくいい話を聞かせてもらったと思い、その日から見習うようになった。

人間は、一つひとつの動作にその人自身の人間性が表れるもので、私の経験上、刑務所ではどうしようもなくだらしなくて、社会ではきちんとしているというような人に、未だに出逢ったことがない。

もし自分が組織の中で要職を拝命し、人選をするような立場にでもなった時に、刑務所ではだらしない務め方に終始して、無駄に時を過ごしてきた人と一所懸命に作業や勉学に励んだり、節度ある務め方をしていた人とがいた場合には、どちらの人間性を信頼し、または必要とするだろうか。無論、前者を抜擢するような管理職は即刻クビにしたほうがいい。

そもそも、なぜ私が右のようなことを強く意識するようになったのかと言うと、それには理由がある。その一番の理由は、例えば、受刑者の大きな関心事の一つに、獄中で切磋琢磨した人達が、出所後にそれぞれの組織で自分の組を立ち上げたり、一家を継承したり、幹部に昇進するなどして、よくアウトロー系の雑誌に登場することがある。

その際に、意外な人物が出世したりすると、「あんなどうしようもない男が執行部では、あそこの組織もたかが知れている」等々と首を傾けられたり、時には誹謗や嘲笑へと発展してゆく有り様を何度となく眺めてきたからだ。

事実、ある地方では伝説のヤクザと呼ばれているような、本来なら、器量あり人情ありの人格者であるべきはずのいわゆる大物たちが、めしが堅いだの少ないだのと、官に対してしょうもない文句を言ってみたり、信義も知らず、度量も糞もないわがまま三昧の振る舞いを目の当たりにして、私自身そういう人達と衝突したことは一度や二度ではなかったし、失望したこともたくさんあった。

ただでさえ受刑生活を余儀なくされて、親分や組織のために尽くすことのできない境遇であるにもかかわらず、なおかつ親分の顔に泥を塗るような振る舞いをする。断じて救い難い親不孝ではないだろうか。

私がヤクザ修行の駆け出しの頃は、親分の姐さんから「引き金は誰にでも引ける。人を殺すことは自慢にはならない。懲役で恥をかかない男になりなさい」と教育されていた。

昔、その姐さんが若かりし頃に、たまたま居合わせた事務所がガサ入れの最中だったらしく、多量の覚醒剤が摘発された。

姐さんは、持ち主の幹部が外出中だったこともあり、また、女房の代わりは他にもいるが、その若い衆の代わりは他にはいないという思いから、摘発された覚醒剤を自らの所持品だと主張して、確か五年前後の懲役刑で服役したのだという。

そして、ある会長の音頭により、その組織の永い歴史の中で、女性で唯一盛大な放免祝をしてもらった人だということを、古参の幹部から何度も聞かされていた。

とにかく、腹が据わった姉御肌の人柄で、私は実の母親のような思いで慕っていたし、私の人生において特筆すべき恩人の一人である。

現在私が服役しているＬＢ熊本刑務所（以下、熊刑）には、約百五十人の無期囚がいて、右を向いても左を向いても殺人犯ばかりだ。中には、有名な抗争事件で躰を懸け、日本のヤクザ史にその名を刻んだ極道や、世間を騒がせた凶悪犯も少なくない。

私が、その熊刑に実際に服役してみて思ったことは、噂と人物はかならずしも一致しないということである。

正直なところ、熊刑に服役する以前の私は〝LB〟つまり、長期刑の刑務所には海千山千の大物ばかりいて、運命的な出逢いや勉強になることがたくさんあるだろうと期待していた。それだけに、理想と現実との違いにひどく落胆したし、特に、組織のために躰を懸けて、事件を起こしただけで英雄気取りになっているヤクザ者がたくさんいることには、ほとほとうんざりさせられたものだ。

我々の世界で〝男の勲章〟と呼ばれているようなものは、ただ事件を起こし、組織のために懲役刑に服役すればいいというようなことではない。事実、事件後の警察での取調べや裁判を通して、男を下げたヤクザ者を私はたくさん知っている。

要するに、大切なのは事件を起こした後のことである。警察での取調べにどのような対応をして、裁判でどのような心を見せたのか。獄中でどのような振る舞いをしているのか。そして、自らが犯した罪とどのように向き合っているのか。本来なら、それらをトータルして評価すべきことではないだろうか。

「引き金は誰にでも引ける。人を殺すことは自慢にはならない。懲役で恥をかかない男になりなさい」。私が駆け出しの頃に、姐さんから教わったことの本当の意味を、私は熊刑に服役して初めてわかった思いである。

人は口にこそ出さずとも、他人の一挙手一投足を見ているものだ。たかが刑務所の作業、たかが坐作進退なのかもしれないが、そうした小事が大きな差に繋がるということも、決して忘れてはならない。

だから私は「一を笑う者は一よりも劣る」と自分に言い聞かせ、胆に銘じている。人生は、些細なことの積み重ねである。

もう一つ刑務所での話になるが、以前に、私よりも十歳程若年の人から、次のような相談を受けたことがあった。

受刑生活を有意義に過ごすために、何かしら勉強をしたいと思っているのだが、簿記や宅建の資格を取得するにしても、ヤクザ者が表に立てるような時代ではなくなったし、あれもこれもと考えている内に、とうとう自分が何をすればよいのかわからなくなった。という悩みである。

実を言うと、私も二十代の始めの頃は、この時の彼とまったく同じような心境だった。何かを学びたいと思ってはいながらも、いざ机に向かってみると何をすればよいのかわからない。当然、日々の生活に充実感などあるはずがなく、ただいたずらに時間だけが過ぎていた。

だが、そんな私にも一つだけ自覚していることがあった。それは、懲役刑を務める苦労よりも、社会で待つ身の苦労のほうが、何倍も大きいということである。

ゆえに私は、とり敢えず就寝時間になるまでは、横にならないように心掛けていた。というのも、刑務所では通常は夕方の点検終了後から、また、冬季処遇の期間であれば、感冒対策の一環として、舎房にいる間は随時布団を敷いて横になっていることも可能だが、私は待つ身の苦労を思えばこそ、自らの行状を反省し、せめて就寝時間になるまでは何があっても布団を敷かずに起きていようと、自分の中で最低限のルールをつくった。

とはいえ、最初の内はただ起きているというだけで、テレビを見たり雑談に終始しては、内容のない日常を過ごしていた訳だが、ある時期からは歴史小説を貪るようになっていた。

しかし当時の私には、単に本を読むということでさえ大変な作業である。余談ながら、私事で恥ずかしい話ではあるが、私は少年院から勘定すると、人生の二十七年超を獄舎で過ごす計算になり、すでに費やした約二十余年の間には、数千冊単位の書物を読んではいるものの、始めは読めない漢字がほとんどで、少し読んでは辞典を開き、なかなか先にも進まずにストレスだけが募っていた。

それでも、悪戦苦闘の読書を根気強く続けてゆく中で、私は歴史を学ぶことの素晴らしさに気付き、自分が学んだことを、誰かに伝えたいと思うようにもなった。それと同時に、正しく伝えるために〝書く〟ということを意識するようになり、そこからは執筆に関する学習が始まる。それがまた苦難の連続だった。

私は元々、暴走族時代に意外なところで文学に興味を持つきっかけがあり、少年院では詩や短歌を覚えて言葉遊びをすることが趣味になっていたし、そのため、友人からは詩人と呼ばれてからかわれていたこともあったが、所詮は無学である。中学しか出ていない私に特別な知識などあるはずがなく、文章を書いては壁にぶつかり途方に暮れた。

だからと言って、妥協したり、執筆活動を諦めることはできなかった。むやみやたらに書きまくり、いい文章や自分の生き方に合致する表現を見付けてはノートに書き写し、他人の言葉に自分の知恵を上乗せする習練を繰り返した。すると、いつしか書くことに喜びや楽しさを見出し、さらには自分の世界観を書籍にし、世の中に出してみたい。と思うようになっていた。その思いを叶えることが私の夢であり、以上が今日までの軌跡である。

私が思うに、人間の本質というものは、どこまでいっても決して変わるものではないが、価値観さえ変えることができるなら、人生は変えられる。そしてその価値観を変えるためには、何よりもまず習慣を変えるべきだと私は考えている。

自分が変われば相手が変わる。
相手が変われば心が変わる。
心が変われば言葉が変わる。
言葉が変われば態度が変わる。

態度が変われば習慣が変わる。
習慣が変われば運命が変わる。
運命が変われば人生が変わる。

右の言葉は、私が二十代の頃に、よく遊びに行っていた寺院の境内の掲示板に書いてあったもので、それ以来、人生の至るところでそれと似たような言葉を目にしてきた。

数年前に読んだ野村克也監督の著書にも、この言葉を短くしたものが書いてあり、その時に初めてインドのヒンズー教の教えであることを知ったものの、未だにその原型すらわからない。だが、何であるにせよ、心が変わったことで習慣が変わり、やがて人生が変わるというくだりについては、すこぶる共鳴し、感動を覚えたものだ。

事実、私が前述の相談を受けたように、獄中でペン習字をしたり文学や何かを学んでみたところで、それを生業として生きてゆける訳でもなければ、社会では役には立たないこともたくさんあるだろう。だが、ただ寝転がってくだらない時間を過ごすよりも、とり敢えずは何だっていいと思う。自分が興味を持ったことや、思いついたことをやってみて、まずは習慣を変えられるように努力する。そして、その習慣性を継続してゆく中で、自分が本当にやりたいことを見付ければいい。

そういう私とて、最初の頃はただ単に起きているというだけでしかなかった。そこから読書を始め、歴史を学び、書くことを覚え、明けても暮れても凡筆をふるい続けたことで、書籍を出版するという夢へと繋がった。また、その過程では新たな価値観が芽生えたし、その価値観を確立できたからこそ、継続することができたのだろう。

もし、義務教育時代の私を知る人達が、この拙書を手にするようなことがあるとするならば、恐らく、ほとんどの人が「本当に、あの男が書いたのだろうか」と、誰もが目を疑うに違いない。私には、その程度の学力しかなかったし、健全な生き方とも無縁だった。

そのような低俗な男でさえ、文才の有無や作品の評価は抜きにして、少なくとも夢への挑戦ができる舞台には、なんとか辿り着くことができた。決して平坦な道のりではなかったが、すべては小事を継続したことの結果である。

確かに、日々の努力というものは、その成果にしても、事が小さければ小さいほどにわかりにくいものだ。ゆえに、努力を結果ありきで捉えれば、苦しみを伴うことは必然である。時には、自分がやってきたことが本当に正しかったのかと疑問に思うこともあるだろう。

しかし、人生はすべてがプロセスである。その時々の結果であれ何であれ、その大小を問わず、すべては人生の中でのプロセスに過ぎない。

ゆえに、努力を結果ありきで捉えるのではなく、継続することに喜びを見出す価値観を確立することができるなら、人生は必ず一変する。そして、その喜びを一度味わってしまえば、そこから先に起こりうる苦渋や失敗、あるいは挫折といったものでさえ、それまでに積み重ねてきたことを投げ出してしまうほどの根拠にはならない。

私が若い頃から傾倒してきたアドラー心理学には、人生とは連続する刹那だという考え方がある。アップルの創業者、スティーブ・ジョブズもこの考え方に大きな影響を受けた一人だが、人生を線として捉えるのではなく、点として捉えるということ。つまり〝いま〟という刹那の連続だという考え方である。

また、我々仏教徒流に言えば、三世永遠を凝縮した一瞬、その今を生きることを大切にして、最善を尽くすということだろうか。その今を積み重ねてゆくと、ついに山のような大きさになる。小事を疎かにせず、改革を外ではなく内なる努力に求めることによって、おのずと自らを取り巻く環境が変わり、境涯が変わる。小事を継続することの強さがここにある。

人生、このままでは終われない。と思ってはいながらも、できないのではなく、やらない人のほうが多いのではないだろうか。

方程式というものは、公式を知らなければ答えを出せないが、一を積み重ねることで数が増えるという理屈なら、誰もが知っているはずだ。しかも、それ以上に堅実な答えなどない訳だから、その一を地道に積み重ねてゆくことで、いつかは自分なりの人生の法則を完成させればいい。

とにもかくにも一である。「一を笑う者は一よりも劣る」そのことを忘れないで欲しい。

人は人に因りて人となりて

縁の濃淡は、付き合った年月の長さで決まるものではない。十年間共に過ごしていてもわかり合えない人達もいれば、たった数日で結ばれる人達もいる。そこに〝縁〟というものの不思議さがあると言えるのではないだろうか。

また、人生にはその一生を左右する出逢いがある。私自身も様々な人達と出逢い、豊かな縁に恵まれた御陰で、数多くの思い出を心に刻むことができた。決して長閑に生きて来た訳ではなかったが、それでも憎む者が一人もいないということは、自らの半生を通してもっとも幸運なことだったと言えるのかもしれない。

現在、私が身を置いている刑務所という環境は、赤の他人同士が二十四時間三百六十五日、常に同じ空間を共有している訳だから、社会では例え家族であっても、それほどまでに誰かと深く濃く係わり合うことなどできないだろう。

自分が、誰と出逢い、何を学び、あるいは感化されて、そこから何を見出し、どのように体現したのか、ということを立証する上で私がいつも感じていたことは、人生では自分以外の人達との係わり方が極めて重要であり、孤独というものがいかに無力で頼りないか、という思いだった。

そして、そうした思いの中で出逢った言葉が、次の言葉である。

「人は人に因りて人となりて」

この言葉は、私が佐世保刑務所に服役していた時に、一工場の担当だったTという看守さんが他施設へと転勤する際に、皆に対して訓示した言葉で、人は、互いにないものを補い合い、支え合い、助け合って生きてゆくことが大切だということを教えていただいた。

刑務官という人達は、その職業柄受刑者に対して一線を引き、人情を秘し隠しているような人も多く、そのため、個人の器量にしろ、人間性にしろ、何かと誤解されているところが多分にある訳だが、実際には人としての魅力に差異などある筈がない。事実、どこの施設にも尊敬できる素晴らしい刑務官は必ずいるだろうし、私自身もそういう人達と何度となく出逢ってきた。

私が私なりに一流だと思える刑務官を見ながら共通して感じていたことは、刑務官としての能力と人間力は別ものであり、その人間力によって受刑者の出所後の未来にどのような影響を与えるか、ということが、本物か否かの別れ道だということである。

国家公務員として職責を全うする以上は、それぞれがプロの意識を自覚している筈だが、中には、注意することや怒ることが、刑務官の仕事だと勘違いしている人も少なくない。

例えば、ルール違反をした受刑者に対して怒りながら注意する。その際に、相手の反感をいたずらに煽るだけで、その本人は自らの誤ちを少しも反省していない。まして、その後も同じルール違反を繰り返していたとするならば、果たしてそれが仕事の成果だと言えるだろうか。

つまり肝心なのは、注意したり怒ったりした回数ではなく、その成果であり、さらに噛み砕いて言えば、いかに素直に従わせ、ルールを遵守させるか、ということである。

にもかかわらず、注意したり怒ったりしただけで仕事をしたと満足しているような人は、三流の刑務官としか言いようがないだろう。

その点、一流の人達は、受刑者の虚言を弄する傾向や、利害に対して狡猾な感覚を熟知した上で、厳しさの中にも情味溢れる柔軟性が備わっていて、個の性質に応じて扱い方を工夫しているし、何より、受刑者に腹を割らせる術にも長じていた。

逆に人間力が乏しい刑務官は、まず個と全体を洞察する能力が皆無で、規則と権限だけを頼りに自分一人で物事を進めようとする傾向が強く、もっと言えば、時に不思議なほどに見当違いの解釈をする人が多かったところに、共通の特徴を持っていた。

ゆえに、そのような人達が受け持つ工場には決まっておかしな空気が漂っていて、作業にしろ生活面にしても、その人自身がつくり出す悪循環によって、結局、いつもよくないことばかりが起きていた。

無論、右の事柄は刑務官に限ったことではなく、すべての職業に共通して言えることでもあるのだが、やはり、それぞれの分野で求められる基準を存分に満たしている人達は、自分一人の力では十分な成果が上げられないということをよく知っている。

例えば、刑務所の工場担当の立場になって考えるなら、事務と運営、あるいは対人関係を調整する能力が備わっていなければ一流の働きはできない訳だが、だからと言って、それらの能力が備わってさえいればすべてが事足りるのかと言うと、そんなに簡単なことではない。

しかし、受刑者からも職員の間でも一目置かれているような一流の担当は、自分一人では処理できない問題を、どの色の受刑者を用いて補い、かつ集団を機能させるか、という描き方を知っている。また、受刑者の間でトラブルに発展しやすい問題に関しては、規則とその人間力を以て巧みに捌き、緩急、硬軟の手腕を使い分けながらも、軸がぶれないからこそ、おかしなことが起こらない。

ゆえに、そのような人達が受け持つ工場は「この親父を男にしてやろう」という活気に満ちていて、それぞれが担当の顔を立ててやりたい一心で、声出しだとか行進のような些細なことにしても、一所懸命に取り組んでは、工場がよくまとまっていたものだ。

中でも「人は人に因りて人となりて」の言葉を教えてくれたTの親父は、私よりも四つ程年長で、当時の佐世保刑務所では一番厳しく、無類のやかまし屋ではあったが、一方では後姿で人生を語るかのごとく、男気が滲み出るような昔気質の人物だった。

LB、つまり長期刑の刑務所の場合だと、どちらかと言うと受刑者が守勢に徹している傾向が強いため、集団を管理する苦労も幾分かは少ないのではないかと思うが、佐世保刑務所は全国でも一、二を争うほどに喧嘩が多発する刑務所として有名で、特に、私が服役していた時期は，佐世保刑務所始まって以来と言われていたくらいに荒んでいた。

ヤクザ者は、常に対立抗争の様相で険悪な姿勢を崩さず、襲撃、報復、さらに報復と、終わりなき闘争は、どこかで喧嘩が起これば，必ずと言っていいほど集団での乱闘へと発展し、おまけに毎日のように非常ベルが鳴るという日常である。当然、工場担当の苦労も並大抵のものではない。

だが、そのTの親父は、何が起きても決して動じることがなかった。それでいて、受刑者を簡単に見捨てるようなこともしない。常日頃から言葉に出さずとも信頼感を示し、それぞれが果たすべき役割を悟らせ、事が起きてもすぐに工場を立て直した。

皆が腹一杯迷惑を掛けて腹一杯怒られてはいたが、皆がその人間力に触れて，少しずつ感化されていった。そして最後には、Tの親父の訓示を一人ひとりが胆に銘じるように聞いていたものだ。

日蓮大聖人の教えに、「仏になる道は善知識には過ぎず。善知識大切なり。而《しか》るに善知識に値《あ》う事が、第一の難きなり」との言葉がある。

仏法では、正法を説き、衆生を仏道に導き入れてくれる人を善知識と呼ぶ。もっと広く言えば、良き友。親しい知人などもそうだが、要するに、他者を正しい方向へと導くすべての存在を善知識だと説いている。

私は佐世保刑務所に服役した初犯の時に、福岡刑務所（以下、福刑）の分類センターを経て、最初は福岡刑務所に下獄した。

当時は、全国各地の刑務所が定員オーバーになり、福刑でも収容人員が一〇〇パーセントを超過したため、私が福刑に下獄して約二年半後の平成十三年九月、私を含めた三十二歳未満の受刑者約五十名が佐世保刑務所へと移送になり、それから約三年近くを佐世保刑務所で過ごし、前刑を終えた。

福刑時代、私は千七百名前後いた受刑者の中で二十六歳の最年少でもあったし、若気の至りというか、婆婆で喧嘩に明け暮れていた蛮勇気質そのままの勢いで下獄したこともあって、獄中でも好んで喧嘩懲罰を繰り返しては、一つの工場で三ヵ月以上持ったこともなく、くだらない問題児として扱われていた訳だが、そんな中、十一工場でMという担当部長と出逢い、道を教えていただいた御陰で、務め方が一変した。以後、佐世保刑務所に移送になるまでの僅か半年間ではあったが、最後まで無事故で過ごし、初めて進級することもできた。

このM部長は福刑時代の心の師であり、人としても刑務官としても素晴らしい人物だった。前述のTの親父と同様で、そうした善知識との出逢いがあったからこそ、私の受刑生活が、実りあるものに変わったことは間違いない。今でも心から感謝している。

私が受刑者の立場から、刑務官、あるいは刑務所という環境を考察しながらよく思うことは、刑務所では、工場や舎房の担当に就くことがエリートコースのように評価されている感は否めないが、決してそうではないということである。

事実、工場の担当であるにもかかわらず、情熱も責任感も向上心もなく、単なる事務員と化しては受刑者をいたずらに後ろ向きにさせることしか芸のない、低俗な担当も少なからず見てきたし、逆に、何の立場もない下々の看守でありながらも、受刑者にとって善知識となり、正しく導いている人もたくさん存在する。

私が熊本刑務所に服役してからこの十余年、素晴らしい幹部の人達との出逢いがあった。また、前刑でお世話になり、出世して熊刑に転勤して来た人も十名前後いただろうか。その存在が励みになっていた時期があったことも事実だ。

が、それ以上に、現場の人達が私の善知識となり、時には優しく、時には厳しく叱咤激励をいただきながらも、心に活力を与えてくれた思い出は数しれない。中には、教育課、会計課、医務課、作業課など、普段は日陰で奮闘している人達の存在もあった。

それと共に、私は若い人達が少しずつ成長しながら、日々戦っている姿を客観的に眺めていることが何よりも好きだ。その御陰で、知らず知らずの内に切磋琢磨しているところも多分にあるだろう。だからこそ、私には若い人達に対して敢えて言いたいことがある。それは、刑務官という職業は決して他者と競い合う職業ではないということである。

ゆえに、自分と他者との仕事ぶりを比較して、悩んだり落ち込んだりする必要はない。本当に大切なのは、この刑務所という環境の中で、自分に与えられた役柄ではなく、受刑者にとっても同僚に対しても善知識となることである。それが真の一流の姿だと私は思っている。

人生とは、たやすいものか難しいものかと考えた場合、他者があってこその自分と認めるにはたやすくても、他者のためになってこその人生と考えると、やはり難しい。人生では何をするにせよ、他者との関係性が極めて重要であり、互いに支え合い、助け合い、補い合って生きてゆくには、その相手と共有する何ものかを見出さなければならない。

私は、歴史上の人物で織田信長が一番嫌いである。その理由は、誰よりもたくさんの人を殺害しているからだ。

明の胡居仁も、自著である「居業録」の中で、「誠たる者は王たり、仮る者は覇たり」と言っているように、覇道は男の道にあらず。私が求める烈しさとは、己自身に向けるものであり、他者に対して向けるものではない。人生のどこかで自らが歩んで来た道を振り返った時に、路傍の草花まで踏み倒し、枯らしてしまうような足跡だけは絶対に残したくないと思っている。

一方で、人間社会には「出る杭は打たれる」といった卑しき文化があることもまた動かし難い真実だと言えるだろう。独裁政権が革命勢力を恐れるように、権力者というものは自らを脅かす存在を基本的に歓迎しない。

中国史上における王朝の建国時や、君主の交代時にもやり手だった多くの将軍が惨殺されてきた。長者の風があったとされる漢の高祖でさえ、功臣を次々に殺害している。つまり乱世の将軍とは、見方を変えれば、君主にとって最大の脅威になり兼ねない存在でもあったのだ。ゆえに、当時の偉人には功績を上げても、地位や名誉を求めない人が少なくなかった。

また、思想や政治の面では、官僚制度を創成した際に、国家運営の基本思想に刑名主義というものを樹立させたことで、それ以前の倫理を黙殺するという、およそ信じ難い分別をした。

まして、法こそが万能であると信じて依存し過ぎたがために、人材を育成し、忠誠心を教育するという肝心なことまで怠ってしまう。ゆえに、僅かな綻《ほころ》びからいったん歯車が狂い出すと滅びるのも実に早かった。

無論、国家を崩壊させた原動力は、法家主義を打倒するという意識に他ならず、その煽動者の陰では、兵家、儒家、道家、老荘の徒、あるいは縦横家と呼ばれる外交技術者等々の、いわゆる諸子百家がそれぞれを思想上の敵として対立姿勢を崩さず、各地で暗躍しては民間に大きな影響を与えていたし、特に儒教と道教に至っては、仏教が伝わる以前の中国に庶民信仰のような感情を芽生えさせていた。

余談だが、ドイツの哲学者カール・ヤスパースは、「枢軸時代」という考え方を示している。これは、右の中国諸子百家が暗躍した紀元前五〇〇年頃に、世界各地において優れた精神的指導者が生まれ、精力的な活動をしたことを元に、この時代に人類の精神性が一挙に高まったという見方である。

インドでは仏教の祖である釈迦が誕生し、ギリシャでは、ソクラテス、プラトン、アリストテレスといった哲学者や詩聖ホメロスが活躍した時代でもあり、イランではゾロアスター教のザラスシュトラが大きな影響を与え、インドでウパニシャッド哲学が登場したのもそうだが、それらの人々が遺した功績と照らし合わせると、非常に驚くべき偶然であり、事実だと言えるだろう。

話は戻るが、右の諸事を総合して結論を言うと、国家の力が衰えれば法はその実を失い、法に従う側も従うべく必要性を認めなくなるのを意味するのと同時に、何事も一方に固執して偏り排他的になっていたのでは、永続しないということを歴史が示唆しているのだ。この世の中に完全無欠の個などあるはずがない。それは、人にしろ、組織にしろ、何においても同様である。

結局、私がこの項を通して何を訴えたいのかと言うと、歴史を忘れた現代社会の人々は、歴史を学ばなければ過去の愚を繰り返すのは必定であり、歴史上の誤ちや教訓は、現代社会で活かされてこそ初めて過去が生きるのであって、現代社会を生きる我々は、自らの足跡を後生に遺し、歴史を伝えることで未来を補い、後世の人々は、過去の経験を活かし、改め、進化させることで過去に報いる。「人は人に因りて人となりて」の最終形は、そのように壮大なものであって欲しいと私は思っている。

そもそも、自らの足跡から何も生まれないことほど意義のない人生はないし、個人の才能や努力が活かされたり報われたりしないことほど、くだらない社会はない。

確かに、男が男として生きてゆく以上は、時には伝家の宝刀を抜かざるを得ない場面もあるだろう。しかし、男が用いる宝刀は、殺人剣ではなく活人剣でなければならず、他者を排除し、出る杭を打つことばかり考えることよりも、他者を認め、活かし、調和することで自らの力に転換させることができるなら、そこからは新たな可能性が無限に広がるはずだ。

ゆえに、自分一人で生きてゆこうとしてはいけない。誰かと係わるか否かによって、大きくも小さくもなる人生であればこそ、互いに支え合い、助け合い、補い合える相手を求めればいい。苦楽を分かち合える仲間を見付ければいい。そうやって他者との関係性の中で自らを創り、磨き上げてゆくことが、人間練成というものであり、人間社会の素晴らしき姿だ。

少年時代

「どんな人間でありたいのか」と、問われたならば、子供染みた言い方かもしれないが、私は太陽のごとき人でありたい。

どんなに貧しくて苦しくても、惨めで恰好悪くても、いつも太陽のごとく明るく、朗らかに、悠々と、何があっても動じない。そして周囲の人達に「この人と一緒にいれば大丈夫だ」という限りない安心感だったり、希望を与えられるような、そういう存在でありたいと常々思っている。

そういう私も、今日まで数多くの人達から支えられ、助けられて生きてきた。人の思いというものは、比べようがない。比べようがないものではあるが、人が他人を思う心が尊いことに違いはない。その思いは時として、人を強くも正しくも変えてしまう。

よく自分は不器用で口下手だから、相手に気持ちが伝わらないと言っている人がいる。だが、それは不器用で口下手だから気持ちが伝わらない訳ではない。自分の思いが足りないからこそ、伝わらないだけだ。

手紙を書く時だってそうだろう。相手に対して、自分の思いをより伝えるために、〝思う〟という漢字を〝想う〟に変えてみたり工夫をする。観光旅行に訪れた異国の人が、身振り手振りを交えて必死さの中で何かを伝えようとするように、大切なのは、自分の思いを込めたボールを相手に向かって全力で投げることだ。暴投だって何だっていいと思う。自分が投げるボールにありったけの思いが籠っていればこそ、なんらかの形で必ず伝わるものである。

例えば、ボクシングの試合で、打たれても打たれても立ち向かい、力尽きるまで壮絶な打ち合いを演じたボクサーの負けっぷりが、見る者の心に感動を与える。さらにマラソンで例えるならば、リタイヤ寸前でフラフラになりながらも、最後まで諦めずに完走したランナーに対して、惜しみない声援が贈られる。

そのように、人間社会では時に勝者よりも敗者のほうが輝きを放つことがある。何がそうさせるのか。それは、見る者の心が他人の懸命な姿に打たれるからであり、人間の心には、物事の結果や、どんなに優れた才能や論理などよりも、他人の情熱の豊かさに感動する土壌が備わっているものだ。

それと同様に、心ある人は、この世の中の真実から目を背けるようなことはしない。人間社会を取り巻く風土には、善に根差した心がある。まして、人が人である限り心を持たない人などいる筈がない。ならばこそ、自分のありったけの真心で、相手に対して誠心誠意ぶつかればいい。自分の思いが相手の思いを上回った時に、その思いは必ず報われる。人類に備わる素晴らしき特性の最たるものは、そういう心の豊かさにあることは言うまでもないだろう。

私は、ボクシングの歴代世界チャンピオンの中で、三階級を制した長谷川穂積が誰よりも好きだった。彼には強さも人格も備わっていたし、彼の夫人もまた、世界チャンピオンの妻としてふさわしい女性だった。

彼は、いつも減量に苦しんでいた。そんな彼を一番身近で支えて、見守ってきた夫人は、彼と共に苦難の道を選択する。彼女は、試合の度に長谷川の減量に付き合って、自身も毎回十キロ近く体重を落としていたのだという。

私は、獄中でテレビ観戦しながらその逸話を知った時に、世の中にはすごい女性がいるものだとすこぶる感銘を受けたし、夫人のそうした健気な思いを羨望の眼差しで眺めていた。

その日は、四ラウンドKOの圧勝だった。そして、観客席で削れたような頬をした夫人が、掌を握りしめ、涙を流している姿を見て、この人も苦しかったんだと胸が熱くなったことを今でも覚えている。夫婦揃って世界チャンピオンだと、私は心から喝采を贈った。

元々長谷川穂積という選手は、世界チャンピオンになった当初、そんなに強いという印象を与えるようなボクサーではなかった。それが試合を重ねるごとに別人のように進化していった。本人の努力もさることながら、夫人のそうした一途な思いが彼に努力以上の強さをもたらせたのかもしれない。

ともかくも、長谷川穂積というボクサーの矜持、生き様、夫婦の絆。そういうものが、私に忘れかけていたものを思い起こさせてくれた。誰かの思いが、人を強くも正しくも変えてしまう。


昭和四十八年二月三日、私は北九州市門司区で生まれた。父洋一、母末子、弟雄二の四人家族である。最終学歴は中卒で、豊国学園付属の門司瞳幼稚園を経て、萩ケ丘小学校に入学し、二年生の二学期から、家庭の事情により、福岡市東区の馬出小学校に転校した。そして、中学校に入学するのと同時に、母親の故郷である鞍手郡鞍手町で暮らすようになった。

私は小学二年生の頃から、春・夏・冬休みの度に鞍手町の祖母の元に預けられていた。いつも終業式の夕方に一人で鹿児島本線に乗り、遠賀川駅で乗り換えて、当時の室木線の終着駅へと向かった。

母には兄と五人の姉がいて、私にとって従母兄弟にあたる兄姉が九人いる。一番年長の姉ちゃんとは親子ほど年が離れていたこともあり、皆からよく可愛がってもらった。

私は、幼い頃からこの鞍手という、筑豊の変てつな田舎町が大好きだったが、少年なりに一つの問題を抱えていた。

というのも、私が祖母の元に預けられている間は、だいたい伯母さんの家で寝起きしていた訳だが、私が炬燵で寝ていると、時々伯母さんと従兄弟のあんちゃんが生活費の心配をするひそひそ声が耳に入ってきて、私はその会話を寝たふりして聞きながら、自分は、ここにいてはいけないのだろうか、迷惑な存在なのだろうか、と心配し、その想像の中に自分がいることさえ、心の重荷になるという繊細な神経を持つ少年だった。

また、その気まずさを捨てきれず、そういうものを引きずって過ごさなければならないことが苦痛で仕方なかった。気付いた時には、何事にも過剰に遠慮してしまう性格になっていた。

どこにいても、なぜか自分の居場所を実感することができない。集団の中にいて孤独を感じることすらあった。その孤独感が私の心を鋭くした。他人の言動や人情の機微など内面的なものに鋭敏になった。他人の心が見えるようにもなった。感受性が強く、そうした自分の鋭利な神経が心をさらに暗くしていた。それでいて、心を外に向かせる術を知らなかった。

私と同年代の人達なら、物を大切にする美徳として、鉛筆が短くなるまで使うように教育を受けた記憶があるだろう。だが、本当に大切なのは、ちびた鉛筆そのものではなく、その鉛筆を使って何を描くかということであり、私には物を大切にする美徳はわかっても、描くべき未来が何もなかった。何かがやたらと悲しいくせに、その悲しみを道づれに、日々をやり過ごすことで精一杯の少年時代だった。

そんな私が心の転機を迎えたのは、十六歳の時、阿部正照という親友と出逢ってからである。通称、マーテル。の愛称で周囲から親しまれていたその男は、寡黙な私とは対象的に陽気な人柄で、行動力があり、自らが経験して得た知識を、何かに向かって応用しようとする好奇心が旺盛だった。彼は、私が初めて出逢う型の人間でもあり、彼と行動を共にするようになってからは毎日が新鮮そのものだった。

私達は、出逢って程なくしてマーテルの親父さんと三人で大阪の堺へと出張に出かけた。堺のダイリン工業という鉄筋工の仕事で、私達の雇い主である星和台工業の社長は、当時の二代目工藤連合草野一家・北田組の福田政志若頭だった。

マーテルの親父さんは、堅実を絵に描いたような人で、とにかく辛抱強く、人情に富み、「太く短く生きるのもいいかもしれんが、細く長く生きるのもええ」と言うのが口癖の、厳格な父親でありながらも優しさに満ちた人物だった。

この親子との堺での生活は、私に多くのことを教えてくれた。社会に出て初めてよそ様の釜の飯を食べ、自立を自覚したことで視野が広がった。世間というものを実感したのもこの時が初めてだったのかもしれない。

マーテルとは寝起き苦楽を共にして、日々汗水を流して働いた。夜の街に出ては悪さもした。都会の喧騒も大阪の華やかさも、田舎者の私達にとっては何もかもが刺激的だった。

ある時、地元のヤクザ者と喧嘩になったこともある。相手の名刺には五代目山口組・堀内組の枝の若頭補佐という肩書きが書いてあった。無論、十六歳の少年を相手に本気になっていた訳ではないが、そのヤクザ者が「お兄ちゃん、俺達が東組やったらあんたら殺されとったで」と言っていたことを今でも覚えている。それ以来、東組の名が、私の心に強烈な印象として焼き付いていた。

少しばかり余談になってしまったが、マーテルと毎晩酒を酌み交わし、将来を語り合った日々は掛け替えのない時間だった。その御陰で、私の心はいつしか外に向くように変わっていた。また、この堺での三ヵ月の間に、マーテルとの何ものにも代え難い友情が芽生えたことは間違いない。

そして、私が友情というものをさらに強く意識するようになったのは、暴走族の世界に足を踏み入れてからのことである。

平成元年四月一日、私は鞍手町と飯塚市の不良グループで「呪桜神」というチームを結成し、暴走族としての活動を始めた訳だが、その半年後には、当時北九州で最悪、最大、最強と謳われていた伝説の暴走族「乱鬼龍」から誘われて、合流することになる。

この乱鬼龍というチームは、私よりも三つ上の世代の時に、北九州市の八幡西区、八幡東区、戸畑区、遠賀郡などの複数の中学校で頭を張っていた猛者、あるいはそれぞれの地域を象徴するような札つきのワルが多数集い、結成した、いわゆる番長連合のごとき暴走族で、不良界のオールスターといった様相を呈していた。

また、乱鬼龍には暗黙の指針があり、それを我々流に表現するならば「いも引くな」という概念である。ゆえに、根性がない者は嫌われた。喧嘩であれ、暴走であれ、悪事を重ねることにしても、とにかく傍若無人にやりっ放しに振る舞うことを誇りに思っていた。

それは、不作法極まりない子供染みた名誉心であり、歪んだ価値観でしかなかったが、そこには乱鬼龍に属する少年達の一つの心の形があった。

平成二年、私は乱鬼龍の総長を継承した。その経験が、後々の人生に良きも悪きも大きな影響を与えることになる。

何せ、黒崎中学三羽ガラスの異名で名を馳せた初代を筆頭に、錚々たる顔ぶれで北九州の一時代を築き、一世を風靡した金看板である。並大抵の覚悟で果たせる役柄ではない。

生来、目上の人に対して敬語すら使ったことのなかった私が、敬語や挨拶することを覚え、上下関係を強く意識するようになり、上下のけじめがない組織は威を損うということを学んだのもこの頃である。

その点、乱鬼龍は上下関係に厳格だった。抜群の結束力と組織としての機能性にも優れていた。ただ一つ私にとってやっかいだったことは、この乱鬼龍という集団が、鉄拳制裁ありきの暴力至上主義の体質だったことであり、年下の子に手を上げることを好まなかった私には、どうしても合わないやり方だった。

ゆえに、周囲から「下の者に甘い」と批判されていた時期もあったが、それでも私は私なりの型で乱鬼龍を築き上げたいと思っていた。とはいえ、強烈な個性派揃いの集団をまとめるのは容易ではない。目指すべき道標のない四苦八苦する日々が続いた。しかし人を導くためのヒントや答えは、意外にも身近なところにあった。

私よりも一つ上の総長で、浜崎薫という先輩がいた。その薫君は、北九州で随一の単車乗りだと私が思っていたほどに凄腕のライダーでもあったが、暴走中にパトカーから追われると、例えどんなに危険な状況であったとしても、自らがしんがりを務め、皆を先に逃がし、体を張って仲間を守っていた。いつもその際に、「俺達二人でけつ持つぞ」と、私に声を掛けてくれることがすごく嬉しかった。

その一方で、薫君は薬物に溺れる仲間とも真剣に向き合った人で、シンナー中毒だった仲間達にシンナーを止めさせるために、自らの顔を一発ずつ殴らせ、シンナーを止めることを誓わせるような熱血漢でもあったし、下の者が下手を打てば一緒に頭を下げに行くような優しい一面も持っていた。

また、私が乱鬼龍の先輩の中で一番お世話になっていた佐藤幸司という初代の特攻隊長は、その世代では北九州最強の男と噂されていた通り、筋金入りの根性者で、親分肌の人物だった。

ある時、私がヤクザ者から探されている噂を耳にした幸司君は、身近にいた連中に向かって「眞吾は、俺達の可愛い後輩や。命に代えても守ってやるぞ」と言ってくれた。涙が出るような思いだった。

この時の幸司君の男気と優しさの御陰で、上に立つ者はどうあるべきか、私はその心構えを知ることができたし、先輩方の後姿から学んだ輝かしい思い出は、他にもたくさん心の中に大切にしまっている。

　ある心理学者は、「幼い頃から愛されなかった人は、単に社会的に適応する疑似成長はできても、心理的に成長できない。情緒的に成熟できない」というようなことを言っていたが、そういう意味でも、私は心豊かな仲間達に囲まれて生きた御陰で、少年時代を過不足なく駆け抜けることができたと言えるだろう。

　無論、決して望ましいことばかりではなかったし、悲しい出来事もたくさん経験している。暴走中にパトカーを潰して逮捕され、警察署内で徹底的に警察に刃向かい、刑事から撲殺されているにもかかわらず、自殺として処理された先輩もいた。ある先輩は暴走中の事故で植物人間状態になり、一年後に亡くなった。

　また、その闘病中にはお見舞いに訪れた彼女が、煙草の箱に「ごめんなさい」と別れを告げるメッセージを書き残しているのを見付け、あまりのことに泣いたという仲間の話を聞いたこともある。シンナー中毒だった後輩が精神病院に入れられて、やりきれない日々を過ごした時期もあった。どのようにすれば仲間を守り、助けることができるのか。答えを見出せない現実と、自分の無力感に途方に暮れた記憶は数しれない。

　人はあらゆることから学ぶ。本来なら、願わしい経験から学ぶことが理想なのかもしれないが、そうでないことから学んだことのほうが、より深く人生と向き合えたことも事実だ。

苦難は、教養と真実の試金石である。荒んだ少年時代に共に誤ちを犯し、絶望したり、後悔したり、挫折という経験を分かち合ったことで、単なる友情から揺るぎない絆へと変わっていた。その痕跡の御陰で、世の中には信じるに足るものがある、ということを私は知ることができた。

そして、乱鬼龍の総長としての経験が、損得など考えずに己を捨てるのが男の美学、それを貫くのが自分らしさだと、私に誇らしい信念を持たせてくれた。私の精神性の出発点は、暴走族時代であったことは間違いない。

遥かなる　少年の日よ　顧みて
生きる力ぞ　ありがたきかな

今の私に人並みの心や社会常識が備わっているのか否かはわからないが、私のような男でも、多少なりとも反省したり感謝できたり、正しさの一端を見出すことができたのは、素晴らしい仲間達と巡り合えた御陰だと思っている。

筆者は何度でもくどく言う。誰かの思いが、人を強くも正しくも変えてしまう。

第三章　静と動

勇を極めて無に帰す

千変万化。俳優と呼ばれる人達は、様々な役柄を演じることで見る人の心を魅了する。駆け出しの頃にはぎこちない演技をしていた若い役者さんが、数々の経験と共に時を重ねてゆくうちに、いつの間にか普段の佇まいから立ち振る舞いまでもが、洗練されたものに変わっていることに、驚きを覚えた人も少なくないのではないだろうか。

特に、人気がある役者さんであればあるほど、ただそこに立っているだけでなんとも言えない雰囲気を醸し出しているものだ。やはり、その役柄になりきって演じきることで、その人自身も次第に磨かれてゆくのだろう。

ダウンタウンの地元として有名な関西のある地域には、粋なヤクザがいた。獄中で知り合った人だが、古風でありながらも、ある面では斬新でもあり、物事の捉え方にしてもすごい視点の持ち主で、側にいる者を奮い立たさずにはおかないような人だった。

私がその人との交流の中でもっとも印象に残っていることは、自らの若い衆に対して、ヤクザ稼業は役者のようなものだと。日々いかにして恰好いい自分を演じきるか。いつもその心構えで振る舞うようにと常々教えていた。と聞かされたことである。

正直、私のような田舎者には到底思いもつかない発想だったし、なんという垢抜けた考え方だろうかとすこぶる共鳴した。確かに、常に恰好いい自分を意識さえしていれば、恥ずかしいことや情けない行いを慎しみ、自らを戒める何よりの規律になるのかもしれない。

　また、ある時は、工藤會の同じ一門の後輩から、どうすれば強くなれるのかについて問われたこともあった。曰く

　自分には、胆力が備わっていない。この世界で生きていれば、喧嘩沙汰にしろ何にしろ、男としての性根を試される場面が往々にしてある訳だが、そんな時に、いくら虚勢を張ってみても、なんらかの拍子に自分の臆病なところが相手に伝わるのではないか。それは、男としてもっとも恥ずかしい欠点ではないのか。と、その彼は自分自身に劣等感を抱き、悩んでいた。

　だが、それは克服できることだと私は思っている。フランスの皇帝ナポレオン・ボナパルトは、戦巧者で知られている通り、戦争にはめっぽう強く、敵よりも戦力劣悪な条件で八割以上の勝率を上げるなど、常勝将軍として栄耀栄華を極め、稀代の英雄となった。

　ところが、その本質は実に臆病な性格だったという。少年時代、他人と争っては逃げ回り、相手がもう追ってきていないことに気付いていながらも家へと駆け込み、さらにベッドの下に隠れてしまうほどの、用意周到な徹底した小心者ぶりだったそうだ。

　それでもナポレオンは、勇者である自分を演じる術を学び、ここぞという場面で臆病な本質をひた隠して立ち上がり、果敢に戦うことで、いつしかフランス国民をも熱狂させたばかりか、いくつもの

勝利を体験することで時代の主役へと変貌を遂げる。

そもそも人間は、誰しもがそんなに強い生き物ではない。まして、最初から強かった人間などいるはずがない。大切なのは、ナポレオンのように初めの一歩を踏み出すことであり、勇とは〝動〟によって生じるということだ。

自分は臆病な人間だと決めつけて、立ち止まっていたのではいつまでたっても強い人間になんかなれやしない。強くなりたいと本心から願うのであれば、初めの一歩をいかにして踏み出すべきか、まずはそのきっかけから探してゆけばいい。

私の場合は、「やる」と決めたことに関しては必ず公言するようにしている。敢えて公言することで退路を断ち、実行しなければ恥をかくような状況をつくり出すことによって、自らを言葉で縛り、奮い立たせ、あるいは追い詰めるようにして生きてきた。

確かに、生き方的には不言実行のほうが断然潔くて恰好いい、ということは自分でも承知している。また、そうでもしなければ実行できないところに、自分の弱さがあるのかもしれない。

だが、何かを実行するきっかけとしては、嫌でもやらなければ仕方ない状況に仕向けてしまうこともまた、一つの方法ではないだろうか。

ある歴史評論家は、幕末の志士・高杉晋作を指して、虚勢も死ぬまで張り通せば虚勢ではないのかもしれない。と評していた。私も賛成だ。まったくその通りだと思う。そういう意味では、高杉晋作こその最たる人物であったと言えるだろう。

　彼は、学問では師である吉田松陰や久坂玄端に遠く及ばず、特段に喧嘩が強かったという訳でもない。しかし、他人の機微を察する能力には並外れたものが備わっていた。ゆえに、虚勢を張り通すことができたし、奇兵隊の士気を高めることにも功を奏した。つまり、その時その状況に応じた最善の自分を演じきったのである。

　何かを演じることが、虚勢だったり、偽りの姿であったとしても、それを貫くという経験を通して本物の勇に変わる。どんなに恐ろしくても勇気を振り絞り、初めの一歩を踏み出すことによって、新たな前途が広がることは間違いない。大切なことは、〝動〟によって〝勇〟を呼び起こすことである。

　阪神タイガースからメジャーに挑戦した藤川球児も、若い頃にはノミの心臓と揶揄され、中継ぎでは使えても抑えでは通用しない、とまで酷評されていたが、一試合一試合経験を重ねてゆくうちに、いつしか球界を代表するほどのクローザーへと成長を遂げた。

　私の周囲にも、そうやって、大きく変貌を遂げた人が少なからずいた。一人よりも二人、二人よりも三人いたほうが心強いこともある。誰かと励まし合うなり、あらゆる手段を用いて活路を探し求めることもまた、人生の醍醐味ではないだろうか。

　そして、この項を語る上で最後にもう一つ付け加えるべきことがある。というのも、勇は動によって生じ、静によって極まる。という考え方だ。これは、得てして矛盾した言葉のように聞こえるかもしれないが、勇が極まり無に帰した境地が、最強の勇のあり方だと私は考えている。

熱した物を冷やせば身が締まるというような単純なことではないが、焦点を絞り、集中することで視野が広がってゆくように、世の中には逆説的なことで成り立っていることも実に多い。

例えば、大勢の前で雄弁に語ることも勇に違いないが、自分に非がないにもかかわらず、周囲からの批判に晒されながらも、ただひたすらに沈黙を守っていることのほうが、もう一段高い勇の姿だと言えるのではないだろうか。本物の勇を身に付けた人が静に徹するからこそ、さらに大きな勇として磨かれるのだ。

「木鶏鳴子夜」、荘子に闘鶏を育てる名人の話がある。昔、闘鶏を訓練する名人がいて、王のために強い鶏を育てていた。

ある日、王が「もう闘わせてもよいのではないか」と、名人に催促するが、名人はまったく取り合わない。王はその後何度も闘鶏のデビューを促したが、名人はその度に「まだ虚勢を張っている。他の鶏を見ては興奮する。気負い立っている」などと言っては断わった。

数十日にして、名人はようやく王に鶏を献上した。他の鶏の鳴き声を聞いても、まるで木で造った鶏のように平然としている。もう大丈夫、問題ない。というのが、名人の答えだった。

虚勢を張ったり、威嚇したり、相手に惑わされているようでは本物ではない。いかにも強そうに見えているうちはまだまだで、どんな時にも泰然自若として無為自在、じっと構えていられるのが本物の強さだという教えである。

私の半生に於いても「この人は」と思えるほどに根性の塊のような豪傑に何度か出逢ってきたが、そういう人達は決まって表情も物腰も春風が吹いているかのように穏やかで、常に肩の力が抜けていた。周囲を威圧したり、何か特別なことをする訳でもなく、自然体の中に男としての凄みが漂っていた。そのような人物に無性に心を惹かれてしまうのは、私だけではないだろう。

かつては、戦場で必要以上に乱暴を働く者は、戦に不慣れな人間だと言われていた。現代社会でも、小心者であるがゆえに加減がわからずに、ついついやり過ぎて死なせてしまうような事件を耳にすることがある。

だが、侠勇の徒は、決して力で人を倒そうとはしない。なぜなら、人を腹で切る術を知っているからだ。それを思えば、ナポレオンももう一段高みへとのぼるべきだった。

ナポレオンの悲劇を検証したある作家が、ナポレオンは戦が強過ぎたがゆえに、乱用に歯止めがかけられず、我が身を滅ぼしてしまったのだと、その悲劇について結論付けていたが、私は、それは違うと思っている。ナポレオンは勇者にはなりながらも、心の片隅で燻っていた恐怖を拭いきれずにいたのだろう。その恐れがあったからこそ、戦争を止めることも、木鶏の境地に至ることもできなかったのである。

本物の強さを手に入れたいと願う人は、木鶏を思えばいい。勇を極めて無に帰す境地を心掛けるといい。無となって相手の痛みに耳を澄まし、大きく向き合ってゆけば、相手の恐怖がわかるようになる。相手の恐怖を思いやれるようになって初めて己の中の恐怖は消えてゆく。本物の強さとはそういうものだ。

八風吹不動・前編

時が経てば人が変わり、あるいは人の心が変わる。時の流れは、人を美しくも醜くも変えてしまう。しかし、時間という空間が人を変える訳ではない。では、人生の明暗は何によって分かれるのだろうか。それは、人それぞれの覚悟の違いに応じて比例するものではないかと私は考えている。例えば、個人の価値観にしても、その覚悟の大小と習慣性の二つによって成り立っていることは間違いない。ゆえに、何事にも揺るぎない覚悟を以て臨んでいればこそ、常に前向きな気持ちで生きてゆけるようになるし、前向きに生きてさえいれば、例えどんなに最悪な状況を招いたとしても、決して鬱屈とした現実に呑み込まれてしまうような心境に陥ることもないだろう。

事実、誰の目から見ても不幸な境遇でありながらも、逆境に負けることなく、絶えず笑顔で振る舞い、強く、正しく、清らかに生きている人が、この世の中にはたくさん存在している。そういった前向きな姿勢が、時に、見る人の心に勇気や感動を与え、そこから生じる様々な物語を通して、それぞれの人生に温もりや明るさをも刻んでゆく。

私の経験上、今まで出逢った人達の中で心が弱かった人には決まって「信」という字が欠けていた。信念の信、信義の信、信頼の信、信心の信、信条、信用、信任等々と様々あるが、生き方に対する覚悟が足りないからこそ、信念を持つことも信義を果たすこともできないのであって、他人との友情や絆を、何があっても守り抜こうという覚悟が足りないからこそ、温もりや明るさを伴う人間関係を築くことすらできない。がために、劣等感を患い、心の弱いところばかりが目立ってしまうのである。

もっと言えば、この手の人々が例え巨万の富を得たところで、結局は、幸福には成り得ないのが人の世の常だと言えるだろう。心が弱いから覚悟が持てないのではなく、覚悟が足りないからこそ心が弱いのである。

「八風吹けども動ぜず」という禅語を知っているだろうか。八風とは、利、衰、毀、誉、称、譏、苦、楽からなる人の心を惑わす八つの悪い風のことで、八風にも揺るがない確固たる不動の心を持てというのがこの禅語の真意だが、私がそういった不動心を培うために、男として揺るぎない覚悟を持つことの必要性を強く意識するようになったのは、ある親分との出逢いがきっかけだった。その親分とは、平成二十九年に現役を引退された六代目会津小鉄会々長、馬場美次親分のことである。

私は、故郷の知人が馬場組幹部だった縁で、十八歳の時に馬場組の部屋住み修行に入り、十九歳にして馬場美次親分から親子盃をいただいた。

当時の会津小鉄は二千人を超える組織力を誇り、親分は四代目会津小鉄若頭補佐の肩書きで、馬場組は京都市右京区に四階建ての本部事務所を構え、滋賀県の彦根市と長浜市にはそれぞれ支部を擁し、親分自身も五十代を越したばかりの男としてもっとも脂が乗りきっていた時代である。

平成四年九月二十日、馬場組本部事務所において、親・馬場美次、子・鍔田久志、髙田哲也、中島仁、関小田友二、岡本健一、花岡眞吾の六名で親子盃に臨んだ訳だが、後見人には四代目会津小鉄若頭・四代目中島会々長、図越利次、取持人四代目会津小鉄小頭・山浩組々長、山本浩令、見届人、立会人には四代目会津小鉄若頭補佐・三代目寺村組々長、道原利光や、のちに六代目会津小鉄会若頭・四代目いろは会々長となる四代目会津小鉄会長付・中島元成会々長、金子利典等々、大勢の四代目会津小鉄最高幹部、四代目中島会一門が列席した中での盛大な盃事だった。

弱冠十九歳ということもあり、一部では、いくらなんでも早過ぎるのではないかという反対の声もあがっていたようだが、最後には親分の鶴の一声により、栄誉ある親子盃を呑み干した時の感慨は、今でも鮮明に覚えている。

その後、二十歳の誕生日を迎えてすぐに親分付を拝命し、親分のボディーガード兼秘書的な役割としてお世話をさせていただくことになった。そんな中、私に一つの疑問が生じた。

というのも、賭場で、一億円勝った人よりも一億円負けた人のほうが語り草になるという不思議さに、私は奇妙な違和感を覚えたのである。だが、そうした答えは、後々に親分の後姿がすべて教えてくれた。

馬場の親分は元々、最後の博徒と呼ばれた波谷守之御大でさえ一目を置いていたほどの、金筋の博徒ではあったが、親分にとっての覚悟とは、どこまでも侠道に対する探究心のみがすべてであり、博打をするにしても、お金を儲けることが目的ではなく、あくまでも男を磨く上での遊びだと割り切っていたからこそ、億単位の大金を負けても顔色ひとつ変えることがない。いつだったか、信じられないほどの金額を大損したにもかかわらず、何食わぬ顔をして賭場を引き上げる親分の爽やかさに、私は筆舌尽くし難い衝撃を覚えたものだ。

私が馬場の親分との邂逅を言葉で表現するならば、どのように言えばよいだろうか。なかなか適切な言葉が思い浮かばないのだが、恐らく、坂本竜馬が黒船を見た時の心境に似ているのではないかと勝手ながら想像している。

二十歳の時に初めてフィリピンへの海外旅行の御供をした時にも、マニラの空港ではマルコス元大統領の親族らの出迎えを受け、フリーパスで別口から入国できるわ、表にはマフィアのボスがベンツを提供しているわ、挙げ句の果てには、得体のしれない大勢のボディーガードが周囲を取り巻き、親分のベンツを警察の白バイが誘導し、渋滞に巻き込まれると反対車線を逆走するという、まるで映画さながらの光景である。他にも規格外のエピソードはまだまだたくさんあるが、実に刺激的な毎日だった。

私が親分から盃をいただいた平成四年前後から平成八年にかけて、京都では、四代目会津小鉄と五代目山口組・中野会による抗争事件が頻繁に起きていたし、当時は親分付が常時拳銃を所持して親分を護衛するというような時代でもあった。

何せ、一端事が起きれば自らが先頭に立ち、「わしが頭を触ったら弾け」というような気性の人だったので、私も並大抵のことでは動じない性根に感化されていったことも事実である。

ある時、馬場組事務所に中野会から親分宛ての郵便物が届いた。親分が封を開けると、中には馬場の親分の写真が一枚入っているだけだった。要するに「あんたを的にかけたよ」という、中野会一流の暗黙のメッセージであり、中野会がよく使っていた脅しの常套手段である。

親分は涼しい顔をして「写真は一枚なんぼすんねん」と、私に向かって言った。私が「百円もしません」と答えると、「封筒と筆を持って来い」と言い、写真代と表書きした封筒に百円玉を一枚だけ入れるや、「中野はんとこに写真代払いに行って来い」と命じた。私は、親分のその粋な対応が実に嬉しかった。

というのも、その当時は、例えば会津小鉄側が先に山口組の者を殺った場合、山口組は、倍返しにするか帳尻を合わせるまでは絶対に手打ちには応じず、逆に、山口組側が先に会津小鉄の者を殺った場合は、宅見の若頭が見舞い金を持参して強引に話を付けてしまうというのが常で、完全に舐められてもいたし、会津小鉄に属する大半の人々は明らかに腰が引けていた。そうした組織としての性格と惨状が、血気ばかりが盛んだった頃の私にはどうしても受け入れ難い現実であり、やりきれない不満ともどかしさとで一杯だった。

無論、京都にも豪の者は少なからずいた。会津小鉄の親分衆の中で、私は、特に金子利典叔父貴、東谷栄一叔父貴、原田昇叔父貴の三人が好きだった。金子、東谷の両叔父貴からはよく声をかけていただいた。

馬場の親分は、抗争が始まり、小鉄本部から外出を控える旨の通達があると、決まって来るなら来んかいと言わんばかりに祇園の繁華街を闊歩するようなところがあったが、四代目会津小鉄会長付・心誠会々長の職にあった原田の叔父貴もまた、まさにその型の極道だった。

特に原田の叔父貴の場合は、若頭以下、大勢の組員を引き連れて派手にデモンストレーションを展開していた訳だが、海外のマフィアを思わせる異色の風貌と勇ましい姿に、京都にもこんな親分がいてるんやと、身震いするほど頼もしくも心強くも思ったものだ。

馬場美次という親分は、典型的な武闘派ヤクザではあったが、事業や経済的基盤も豊富で、当時から会津小鉄でもトップクラスの資金力を誇っていた。他人に貸していた債権にしても、私が把握していただけでも二十億円前後あったことは間違いない。

また、趣味は多岐にわたり、芸能人並みの都会的なセンスで、政治力と外交手腕に長け、幅広い人脈を持っていたし、その交友関係においては心配りの天才だった。

稲川会の二代目・石井進会長の晩年期には、病床の石井会長を見舞うため、わざわざ京都のフグ料理店の大将に、一日だけ店を休んで欲しいと頭を下げて大金を渡し、調理道具の一切をトラックに積んで東京へと運び、石井会長の病室でフグ料理を振る舞うという粋な計らいもしている。

無論、厳しいところはとことん厳しかったが、それ以上に、底知れぬ優しさに満ちた人柄が魅力的な親分だった。

私が部屋住み修行に入る以前には、逃げた若い衆の実父が他界したことを知り、一人息子と死に目に会えなかった父親の心情を不憫に思い、親分自らが葬儀を執り行い供養したことがあったらしく、私はその話を聞いた時、なんて情に厚く懐の深い人なのだろうかと、感嘆した日のことを今でもよく思い出すことがある。

その若い衆は、元々放浪癖があって失踪したり戻ったりを繰り返していた人物で、私が上京した時にはすでに復帰していたが、親分自らを裏切り、不義理して戻ってくるか否やもわからない行方知れずの若い衆のために、会ったこともない父親の葬儀をするような慈悲深い人が、どこにいると言うのだろうか。

かつて中華の覇者となった恒公は、後継者争いの折に、対立勢力に属する管仲から狙撃され、九死に一生を得た。恒公が落命しなかったのはまさに奇跡だったとしか言いようがない。

にもかかわらず、斉の君主になった恒公は、その管仲を宰相の地位に抜擢し、管仲を師事したことで中華の覇者となり、果てには春秋時代五覇の中でも筆頭格の名君として、後世に語り継がれるのである。

やはり、並々ならぬ覚悟を秘めて生きている人物は、他人に施す慈悲の大きさも次元が違うし、大局的な覚悟を以て道を為しているからこそ、自らの命を奪おうとした者でさえ許すことができるのだろう。

それと比較して若い頃の私は、血気ばかりが盛んで、その辺の認識が大きく欠けていた。

私は、男として人として大切なことはすべて親分の後姿から学んだ。優しさとは何か。厳しさとは何か。強さとは何か。侠道とは何か。すべて教えてくれた人。親分との出逢いがあったからこそ、自分一人では決して出逢うことのできなかった人生と巡り合うことができた。

しかし、私はその親分に対して何一つとして恩返しもできないまま、不義理をしてしまった。私が人生における大きな転換期を迎えたのは、平成八年のことである。

当時の中島会一門には、七誠会から中島会幹部へと昇進した西林博次さんと、桜井組若頭から同じく幹部へと昇進した大村洋一さんという人がいた。私は、駆け出しの頃からこの二人には随分と世話になっていたし、いつも気に掛けて貰っていた。

特に、西林の博さんからは九州九州と諢名で呼ばれ、ことのほか可愛がっていただいた。その博さんが、平成八年七月十日、京都府八幡市の理髪店において五代目山口組若頭補佐・中野会々長、中野太郎を襲撃し、逆に返り討ちに遭い、射殺されたのである。

あの事件は、中島会の図越利次会長がその日のうちに断指した上で、山口組の宅見若頭と自身の兄弟分でもあった五代目山口組若頭補佐・三代目山健組の桑田兼吉組長を伴い、山口組本家で謝罪したことで、表向きは即日手打ちという形になってはいたが、実際には事情が違っていた。

というのも、中野会は、地下に潜って連絡が取れなくなっている組員が複数名いると、暗に宣戦布告と思えるような情報を盛んにリークしていたからだ。

無論、その噂を耳にした親分もやる気満々だった。私としても博さんの仇を討ちたかったし、馬場組では藤野一秋若頭補佐を筆頭に、私が心を寄せていた先輩格の岡島到氏、松岡和彦氏共々、それぞれが今度こそは、という悲痛な思いを奮い立たせていたことも事実である。

ところが、結果的には最後の最後まで何も起こらなかった。いたずらに時間だけが過ぎ、煮えきらない組織としての性格は組員の心を堕落させ、やりきれない虚しさと、敗北感と、多くの謎を残して、何もかもがあやふやに風化されてゆくような思いだった。

そもそも、この中野太郎襲撃事件の動機については、末期癌を宣告され、余命いくばくもなかった宅見若頭が、山口組の渡辺五代目に対して、次期若頭には山健組の桑田をと進言したところ、渡辺五代目は、若頭には中野を据えると明言したのだという。

そうした事情から、桑田兼吉組長を五代目山口組若頭に据えたかった宅見若頭サイドと図越会長サイドの思惑が一致して及んだ犯行だという結論が、会津小鉄に属する人々の一般的な見方だった。

また、その襲撃が失敗した背景には、会津小鉄側に中野会寄りの寝返り者がいて、襲撃の計画が事前に漏れていたことが指摘されている。

犯行時には理髪店のドアの鍵を閉め、窓は防弾ガラス、応戦して殺人罪で服役したボディーガード役の高山博武は、我が身にも数発の実弾を食らったものの、防弾チョッキを着用していたために無傷だったとも聞いている。それだけ用意周到な備えがあったということは、右の指摘も恐らく事実なのだろう。

私が会津小鉄系組員として活動していた期間は常に殺られっ放しで、溜飲が下がるような思いは一度たりとも経験したことがない。挙げ句の果てには、慕っていた人が身内の裏切りに遭い、相手から返り討ちにされるという惨めな死に様は、悲劇という言葉で割り切れるような出来事ではなかった。

まして、事件以降、中野会の出方を静観し、ただ指をくわえて待っているだけという、あまりにもばかばかしい現状に嫌気が差していたことも事実だ。私の心の糸がプツリと切れた。私は指を詰めて親分に謝罪した上で、堅気になる決断をした。

しかし、今になって思えば、それは私の人生における最大の嘘だったのかもしれない。本当は、里心に負け、故郷で自分を試してみたいと思ったのが、嘘偽りのない本音だったと言えるだろう。

かくして、私は何一つとして為し得たものもなく、四代目会津小鉄・馬場組幹部花岡眞吾としての歩みに幕を閉じた。対中野会抗争が終結して間もなくのことである。

八風吹不動・後編

五代目工藤會直若・古本組々長、古本健二。親方は私よりも二つ年長で、昭和四十五年四月六日、福岡県直方市で生を享けた。

十六歳の時にヤクザ人生を志した親方は、北九州で一番大きくて強い組が田中組だということだけは知っていたらしく、当時の工藤連合草野一家・三代目田中組本部を訪ね、その門を叩いたが、三度門前払いをされたそうだ。

四度目、次に駄目だったらよその組に行く覚悟で臨んだところ、たまたま居合わせた現五代目工藤會の野村悟総裁から拾われ、野村本家での部屋住み修行に入る。

恐らく、野村総裁も何かしら感じるところがあったのだろう。以降平成二十六年九月十一日に野村総裁が殺人罪で逮捕されるまでの三十年足らず、途中二年余り佐世保刑務所での服役経験はあるものの、それ以外では総裁の側を片時も離れることなく、事実上の実子分として薫陶を受けながらも比類なき忠節を尽くし、絶大なる信頼を得た、いわば側近中の側近である。

会津小鉄から離脱して、堅気となり、地元で暮らすようになった私は、もう二度と極道社会に舞い戻る気などなかった。だからといって、明確なビジョンを持っていた訳でもない。正直、煩悶とした日々を過ごしていた。

そんな中、福岡県宮田町にある有限会社東樹興業の社長で、高山慶治郎さんという人が私に手を差し延べてくれた。

慶治郎さんは、私の両親とさほど歳が変わらない人ではあったが、性格的に似ているところもあり、妙に馬が合った。次第に、行動を共にするようになる。

一方、慶治郎さんの実家は大地主で、実兄は宮田町の町会議員として、力を持っていたし、自身の東樹興業は宮田町の指名業社だった。この町では、慶治郎さんが動くと大抵のことは思い通りになっていた。

ある時、慶治郎さんが音頭を取り、宮田町の大人連中に「皆で眞吾ちゃんを盛り立て、この町の名主に育てよう」と呼びかけ、挨拶回りをしてくれた御陰で、私は多くの支持者と支援者とを得ることができた。

そして、慶治郎さんからの助言を受けて、花岡総合建設という個人の会社を立ち上げることになる。

とはいえ、私の手元には現場監督を任せられる人物や技術者もなく、当面は、慶治郎さんの関連企業への人夫出しという形での起業だった。その折には、髙林建設工業の髙林登社長と、平成建設の近藤忍社長に大変お世話になり、親切にしていただいた。

その時期、宮田町では最後の公害復旧事業が発注されるようになっていた。確か、三億円程度の工事で、炭坑で地盤沈下した土地を地上げするような事業だったと記憶しているが、その工事の多くに高山家所有の土地がかかっていたこともあり、慶治郎さんは、「眞吾ちゃんの初陣として、いい仕事がしたい。いろんな経験を積ませてあげたい」と言って、やる気満々だった。

慶治郎さんは常日頃から「ゆくゆくは、東樹興業と花岡総合建設とを合併して一つの会社にしよう」というのが口癖で、自らの生涯においてやり残した何ものかを私に託したい、という思いを強く感じていたし、私を育て上げることに、ある種の使命感を持っているような優しさも痛いほどに感じていた。

ある時は夢を語り、ある時は男気や人生を語る。あらゆる手を尽くして私を焚き付けようとしていたこともわかっていた。

しかし、当の私本人は、仕事に対する情熱をあまり持てなかった。というのも、私は暴走族時代に脚光を浴びて、英雄気取りで勘違いしていたところを多分に引きずっていたし、ヤクザ稼業では、馬場の親分に付いていた御陰で、随分と華やかな世界を見せていただいた影響もあって、地元に帰ってからの暮らしぶりは何をやっても物足りず、燃え尽き症候群のような心理に陥っていたのである。

慶治郎さんが敷いてくれたレールの先には、堅実で安定した未来が待っていることは認識していたし、今が大きなチャンスだということも十二分に自覚していたが、その反面、自分が追い求めてきたものは、この程度の人生だったのかという、分不相応な見栄みたいなものがあって、なかなか腰が上がらない。現場へと足を運ぶこともなく、ギャンブルに溺れ、惰性で人を使っているような状態だった。唯一の楽しみはと言えば、週末に従業員を集め、酒を振る舞う程度のことである。

そうした恵まれた環境でありながらも、希望を見出すことのできない日々の中で、私は、奥田政文という、老年の、狂犬と呼ぶにふさわしい人と出逢った。宮田町の土建業・睦政組の社長である。

奥田さんの実弟は、太州会の有吉組で若頭を務めていたそうだが、奥田さん自身はずっと堅気として生きてきたにもかかわらず、そこら辺の組事務所に殴り込みをかけては、顔を切られ、腹を刺され、魚を突く銛で足を貫かれたり、顔から全身刀傷だらけで、それでも懲りずに暴れ回るという、まさに命知らずの凄まじい経歴の持ち主である。その激しい気性は六十を過ぎてからも健在で、暴れ出すと手がつけられなかった。

しかし奥田さんは、なぜか私の言うことだけは素直に聞いてくれた。そればかりか「わしが死んだら、会社も家も土地も、財産ちゅう財産はみな眞ちゃんにくれてやる」と言い、私を実の息子のように可愛がってくれた。

平成九年、奥田さんの睦政組が宮田町の指名業社となり、初めて町の事業を請け負うことになった。

ところが周囲の人達は、日頃から奥田さんを恐れて距離を置いていたこともあって、誰一人として奥田さんの仕事を手伝おうとしない。切羽詰まった奥田さんは、溜め息まじりに私に助けを求めてきた。

だが、私には奥田さんの仕事を手伝うことができない理由があった。というのも、慶治郎さんと奥田さんが犬猿の仲だったからである。それは、私が奥田さんと付き合い始めて気付いたことではあったが、この二人は酒を飲んで会えば、必ずと言っていいほど殴り合いの喧嘩に発展するくらいに仲が悪く、険悪な関係だった。私も板挟みになり、何度となく気まずい思いをしていた。

ただ、私は慶治郎さんに対して、例え二人が不仲であったとしても、私は私なりの奥田さんとの付き合いがあるので、そこはわかって欲しいという思いは伝えていたが、それが仕事の話となれば別問題である。

実のところ、私は慶治郎さんの御膳立てで会社を起こし、仕事にしろ何にしろ、すべて慶治郎さんにおんぶにだっこの状態だった。その上で奥田さんと手を組むということは、慶治郎さんを裏切るようなものであり、後ろめたいことでもあった。

ゆえに、私の中では最初から答えは決まっていた。決まってはいたのだが、私は、その場ではっきりと断わり切ることができなかった。初めて見る弱気な奥田さんに同情してしまい、ついつい少しだけ考えさせて欲しいと言って帰ってしまった。後になって考えれば、それがそもそもの間違いだった。

その後、奥田さんにいつ断わりを入れるかタイミングを見計らいながらも、競艇場や競馬場に入浸り、そのことについて考えたくなかったところがあったのかもしれない。気付いた時には奥田さんとの約束の期日になっていた。

私は、その翌日の夜に奥田さんの家を訪ねた。私は奥田さんの家の合鍵を持っていて、普段から奥田さんが家に居ようと居まいと鍵を開けて勝手に上がるのが常だったが、その日もいつも通りに中へと入った。

すると、奥田さんが首を吊って死んでいた。その瞬間、俺が殺した。という激しい罪悪感に襲われた。何をどうしたらいいのかわからなかった。考える余裕すらなかった。

それからというもの、私は地獄界を彷徨う亡者のようになっていた。自らの半生を通して、この頃ほどつらく苦しい思いをしたことはない。私を気遣う人達が様々な言葉を掛けてくれたが、それは、どこまでも理解できる言い訳であって感情ではなかった。

あの時、奥田さんを救ってやれたのは、間違いなく私だけだった。だが、私は奥田さんを見殺しにしてしまった。自分を責めて、責めて、責め抜いた。そして、この罪を克服することなどできないと悟った。

そうした絶望感に支配された日々の中で、償い切れない罪であるならば、せめて何か大切なものを捨てよう。自分にとって一番大切なものとは何か。それは、地元だと思った。私は地元を捨てて二度と戻らない覚悟を決めた。人を死なせておきながら、たったその程度の覚悟かと笑われるかもしれないが、何か理由付けでもしなければ、とても前へと進めるような心境ではなかった。

私は、死に装束をまとい、篠栗町にある八十八ヶ所霊場を願をかけながら歩いた。ギャンブルを止めることも誓った。会社のことに関しては、慶治郎さんのことを思うと後ろ髪を引かれる思いだったが、奥田さんがあんなことになってしまった以上、続ける訳にもいかなかった。その日を境に、私は周囲との連絡を断ち、何もかもを捨てて地元を離れた。

その後、とり敢えずは北九州市八幡西区折尾へと転居したものの、私を待ち受けていたものは、その日暮らしの生活だった。行く当てもなければ、目的や日々の糧もない。自然生活は乱れた。喧嘩に明け暮れた荒んだ毎日だった。

そんな中、古本の親方が佐世保刑務所から出所したという噂を耳にした。私は、その時期唯一連絡を取り合っていた入江純一の家を訪ねた。入江は、親方とは小学生の頃からの幼馴染みで、舎弟でもあった。私はその入江を伴い、親方の元に挨拶へと伺った。

私と古本の親方は、地元が隣町同士ということもあり、十五、六の頃に面識はあったが、次に再会したのは京都だった。

というのも、当時馬場の親分は、二代目工藤連合草野一家若頭・三代目田中組々長の職にあった現五代目工藤會の野村悟総裁と、盃こそ交わしていなかったものの、兄弟分のような付き合いをしていたからである。事実、親分は馬場組々員に対して、野村総裁のことを「九州の親方」と呼ばせていたほど親密な間柄だった。

元々、浄土宗の総本山である京都の知恩院に草野高明二代目の喉仏を供養していることから、工藤會関係者はその参拝を兼ねてよく京都を訪れていたが、野村総裁が上京する折の顔ぶれは、当時の天野義孝総長代行、野上辰之助組長と古本の親方の四人で来られることが多かった。

また、馬場の親分が小倉に遊びに行く折には、私が同行させていただいた。小倉では、現在の田上文雄会長から食事につれて行っていただいたり、数々の思い出が心に残っている。

私は、馬場の親分と親交が深かった全国の親分衆の中で、野村悟総裁と稲川会本部長・岸本一家の岸本卓也総長に対しては、憧憬の念を強く抱いていた。

ゆえに、お二人が京都に来られた時はすごく嬉しかった。特に、野村総裁からはよく声を掛けていただいた。馬場の親分との旅行に同行させていただいたり、総裁の外側の顔を客観的に拝見することができたのは、ある意味、私にとって貴重な経験だったと言えるだろう。野村総裁は、私の中では特別な存在だった。

一方、その野村総裁の腹心として、常に影のように付き添う古本の親方もまた、私にとって異色の存在であったことは間違いない。それまで他組織の秘書や親分付と呼ばれる人達を随分と見ていたが、どの組織の付人とも明らかに型が違っていた。

いつだったか、京都の全日空ホテルで野村総裁が馬場の親分に対して「これが、わしの実子分ですわ」と言って、嬉しそうに紹介していた日のことを、今でもはっきりと覚えている。その時の光景が、古本健二という人物の印象を、私の中で決定付けた。正直、羨しかった。私も馬場の親分からそんな風に言ってもらいたかった。

会津小鉄を離脱して、堅気になった私が、なぜ古本の親方の元に挨拶に行こうと思ったのか。今になって振り返れば、この人は信じるに足る人物だという確信が、その頃からあったのかもしれない。

私は、ある時期から一つ年上の入江純一と行動を共にすることが多くなり、親方ともちょこちょこ連絡を取り合うようになっていた。

野村本家の部屋住みは、当時から厳しかった。休みも不定期で、確か月に二日、多くても三日位しかもらっていなかった。親方が休みの日には、二人でよく酒を飲んだ。

しかし、組織には興味がなかった。その当時の私は、どちらかと言うと田中組よりも極政会のほうが好きだったし、親しみが深かった。親方とは、単なる個人的な思いで付き合っていた。

親方との交流が始まってからも、私の生活は変わらなかった。むしろさらに荒んでいた。めしを食べるために覚醒剤の密売に手を出し、堅気の立場でありながら、同業のヤクザ者を生け捕ったり、どこそこの組事務所に木刀を持って殴り込んだこともあった。人を刺したり、車で撥ねたりと、暴若無人でやりたい放題だった。代紋なんか関係ないと思っていた。

ある時、そうした私の悪事が、三代目田中組本部長・藤井進一組長の逆鱗に触れ、藤井組々員が私を探しているという噂を耳にした。

私は、すぐさま顔見知りの藤井組関係者に連絡し、俺はいつもどこそこにいる。逃げも隠れもしない。来るならいつでも来い。と、逆に居直っていた。それを聞いた藤井組長は、そのガキを殺せと言ったそうだが、結局は何も起こらなかった。親方が藤井組長に頭を下げ、話を付けてくれていたことを後になって知った。他にも似たような出来事が何度もあった。

何もかもを捨て、行く当てもなければ目的もなく、食べることさえ満足にできなかった中を、親方だけが、私に下手を打たさんようにと何くれ世話を焼いてくれた。共に暴れ回った思い出も数しれない。そういうことを繰り返してゆく中で、互いの距離が縮まり、親方と私との間には、いつしか揺るぎない絆が芽生えていた。

当時、私にも面倒を見ている若い衆が何人かいた。その中の一人が小倉でたこ焼き屋をやりたいと言い出したのがきっかけで、私は初めて親方を頼った。親方はすぐに動いてくれた。数日後、堺町公園で田中組の名前を使ってやらせても構わないと、御墨付きまでもらった。

私は、その御礼を兼ねて野村本家まで親方に会いに行った。帰りしな、親方が「持って行け」と言って茶封筒を差し出した。中には五十万円入っていた。私が「金は要らんです」と言って押し返すと、親方は「あって困るもんじゃなかろうが。俺は部屋住みで使い途がない。いつでも余裕ができた時に返してくれたらいい」と言ってくれた。私は申し訳ない気持ちもあったが、素直に甘えることにした。

その後、商売用の自動車を買い、開業の準備が万端整った上で、私はその若い衆を連れて野村本家へと向かった。

ところが不運なことに、その道中で事故を起こしてしまい、車は廃車になった。親方の携帯番号を押すと、部屋住みの子を現場まですぐに迎えに寄こしてくれた。

そして、その部屋住みの子から、例の五十万円は、親方が、ある組長からトイチで借金したものだということを聞かされた。私は言葉を失った。

確かに、収入源を持たない親方が、あの五十万円をどうしたのだろうかという疑問はあったが、恐らく放免祝の祝儀の残りだろうと勝手ながらに解釈していただけに、私は金属バットでおもいっきし頭を殴られたような思いだった。

ゆえに、野村本家に着くと、誠心誠意を込めて親方に謝罪した。すると親方は「俺は、五十人、百人の兵隊よりも、お前一人が側におるだけで恰好がつくし鼻が高い。たかが五十万の銭なんか気にせんでいい。それよりも怪我はなかったか。めし食ったか」と言って微笑んだ。

私は、なんて粋なことをする人だろうかと思い、親方の優しさが身に染みた。この人を男にしてやろうと思ったのは、この時が最初である。

それから間もなくして、私は親方の舎弟となり、親方が古本組々長を名乗るのと同時に子に直る訳だが、その後の経緯については、後々の章で改めて語りたいと思う。

私と工藤會との縁組が正式に受理されたのは、四代目体制になってからのことである。その縁組に際しては、本当のことを言うと、私自らが京都へと足を運び、馬場の親分と会い、謝罪した上で許しを得たいと思っていた。その意考を親方にも伝えてはいたのだが、上層部から会長に一任するようにと言われたらしく、仕方なく断念した。

最終的には、野村総裁と田上会長から馬場の親分と直々に話をしていただき、電話一本で終わった。あまりのあっけなさに、なんとなく割り切れないものが私の心の中で燻っていたことも事実だ。

私は、馬場美次親分に対して不満があって会津小鉄と決別した訳ではない。不満どころか私の親分に対する思いは、前の項ですでに述べた通りであり、今日に至るまで少しも色褪せてはいない。今の私があるのはすべて親分の御陰だと、心から感謝している。

にもかかわらず、私はその親分に対して、償い難い不義理をしてしまった。親分は、そんな私に最後の最後まで、寛大に、温かい言葉をかけてくれた。

ゆえに、私は古本の親方の盃を呑んだ時、あることを誓った。その誓いとは、工藤會では表舞台には立たないという覚悟の表明である。工藤會ではなく田中組でもない。私は古本健二個人のためだけに尽くし、古本組の中だけで生きてゆこうと心に誓った。

ゆえに私には、工藤會や田中組に対する愛着もなければ、義理や未練もない。私の心の中にあるものは、古本組若頭としての矜持だけである。

私は、胸割りで全身に、足首まで刺青を入れているが、私の胸には今もなお、会津小鉄の大瓢箪の代紋が入っている。私がこの馬場組の代紋を消さなかったのも、工藤會では表舞台には立たないという覚悟の証であり、馬場の親分に不義理した罪の証だった。

私にとっての覚悟とは、決して過去に対する言い訳ではない。無論、覚悟を単なる心の中の問題で終わらせるつもりもない。今、極道社会は大きな転換期を迎えた。我々の生活と尊厳を脅かす脅威が深刻化している。その脅威の正体とは何か。今こそ、それぞれの覚悟を具体化し、さらなる決断が求められる時ではないだろうか。その本義についても、後々の章で改めて語りたいと思う。

機に臨み　変に応じる才

明治維新にしろ、フランス革命にしろ、その時代を変えてしまうほどの歴史的偉業を為し遂げるには、一体何が必要不可欠だったのか。永年にわたりその答えを自分なりに探し求め、三つの結論に辿り着いた。それは次の通りである。

・機に臨み　変に応じる才
・韜晦

・勢いの妙

そこでこの項からは、その一つひとつをつぶさに検証しながら物事の核心に迫りたいと思う。

まず私が「機に臨み　変に応じる才」という言葉からいの一番に思い浮かべた故事は、赤穂浪士四十七士の討ち入りとして有名な、「忠臣蔵」の史実だった。

私は元々、フィクション、ノンフィクションに限らず仇討ちの筋書きが好きで、物心がついた頃から親しい人が誰かにやり込められたりすると、決まって〝やり返す〟という心理が過剰に働く傾向があり、それが本能的なものなのか、あるいは病的な精神状態によるものなのかわからずに、いずれにしても人格の欠陥であることは間違いないと受け止めてはいたが、この忠臣蔵の史実に限っては、そうした単なる仇討ちという主旨の話ではない。

そもそも、事の発端は浅野内匠頭の短慮が原因である。にもかかわらず、なぜ世論は浅野内匠頭の悲劇はわかっても吉良側の人々の立場をわかろうとしないのか。そこにこの物語の核心が秘められており、それを読み解いてゆくことで、浅野家筆頭家老・大石内蔵助がいかに「機に臨み、変に応じる才」に長じた人物であったかをよく理解できるはずだ。

確かに、浅野内匠頭が江戸城内で吉良上野介を刃傷し、その日のうちに切腹させられたという片手落ちの事実は、同情の余地を多分にはらんではいるものの、それでも元禄時代のあの事件を仔細に検証してゆけば、浅野内匠頭にも性格的な欠陥や様々な落度があったことは明白である。

何より、彼には勅使のご饗応役という役儀が厳としてあった。その勅使の下向中に、我を忘れて殿中にて刃傷に及ぶという盲動は、取りもなおさず、朝廷に対し奉り、分を忘れ、時を忘れた無礼であり、言語道断の誤ちである。家臣のゆく末を思うのであれば、できぬ我慢ではなかったはずだ。

したがって、浅野に大石内蔵助の存在がなく、四十七士による義挙が行われなかったなら、浅野内匠頭は、家臣の苦労を少しも省みず、わずかな賄賂を惜しみ、その家を自らの暴発によって滅してしまった短慮な主君と、世間の風評も内匠頭の評価もまったく違うものに変わっていたに違いない。

さらに吉良側の立場になって考えた場合、内匠頭の切腹から一年有半。赤穂の浪人輩がいつ仕掛けてくるやも知れぬ不安の中で、ひと時も気を休める暇もなく、世間は浅野贔屓、心ない悪声に罵られ、理不尽にも耐え難きを耐えてきた。確かに上野介の強欲が招いた災難だったのかもしれないが、それでももう十二分に償ったと言えるのではないか。

そもそも、刃傷の原因は明らかにされていない。にもかかわらず、それを逆恨みして、殿中の作法すらわきまえない主君が刃傷に及んだ罪で切腹を仰せつけられるや、その遺臣が徒党を組んで他人の屋敷に押しかけ、多くの人々を殺傷した。

しかも、用意周到に完全武装を施した上で相手の寝込みを急襲するという、卑怯千万の手口である。挙げ句の果てには、内匠頭に切腹を命じた公儀までもが世論に押される形で、吉良側には一片の同情も見せず、清和源氏の嫡流、名家吉良家が十八代にして断絶した訳だから、吉良側の人々にとって武士の面目を立てるということがいかに理不尽で残酷な仕打ちであったのか、死んでも死にきれないほどの悲しみに沈んでいたことは間違いない。

そうした互いの命運が複雑に交差してゆく中で、大石内蔵助は主君の汚点を美談に変え、失業して落ちぶれていた浪人どもを義士に変えるという離れ技をやってのけたのである。歴史上これほど凄まじい演出家は他にいないだろう。

だが、そんな彼とて最初から仇討ちありきで動いていた訳ではない。主君切腹、お家断絶の危機に立たされた浅野遺臣には、四つの選択肢が残されており、上野介の生存が確実となってからもっとも勢いを強めていた順から書くと次の通りである。

一、籠城
二、報復
三、上野介の処分を嘆願した殉死
四、開城、舎弟大学の取り立てによるお家存続の嘆願

大石内蔵助は、右の四説の中でも特に籠城して軽挙盲動を起こし、無駄死にするという愚行だけはどうしても避けたかった。ゆえに、彼は家中一同を招集して藩論を統一するための全体会議を開く前に、別の家老が反対するのを押し切り、領民に対して藩札の両替を強行してしまう。

要するに、籠城をするには金がかかるが、その金を減らしてしまえば籠城などできない。それは、

主君の悲劇によって領民にまで難儀を強いさせたとあっては、亡君の徳と治世を辱めるという考え方から、慈愛と信義を示したのと同時に、籠城派の機先を挫くというしたたかさでもあった。

そのくせ、全体会議では終始発言を控え、四説を主張するそれぞれの意見を、いちいちもっとも顔で納得する狸ぶりに、藩札の両替に反対した家老などは、食えない男だとほとほと呆れる思いで眺めていたことだろう。

一方で、過激派に対してただ闇雲に開城を促すことによって、余計な興奮と反感を煽ることを恐れた内蔵助は、ある重臣と計らい、自らと対立する意見を主張させ、憎まれ役の一切を引き受けさせることで家中を欺き、段階的に殉死の、報復のと、藩論の誘導転換を図り、軽挙盲動を戒めつつも過激派をなだめ、ついには表面恭順を装いて望み通りに開城へと漕ぎつけてしまう。

とは言っても、すべての物事が内蔵助の思惑通りに進んだ訳ではなかった。何より彼自身は当初、開城に際して大手門で追い腹を切り、舎弟大学取り立てによるお家の存続と、上野介にしかるべく処分を嘆願するための殉死こそが、真の忠義であり、それ以外に残された道はないとさえ考えていた。

ところが、その時々の状況から臨機応変に再考し、新たな方向性を見極め、あらゆる手段を用いて本物の士だけをふるいにかけながらも、次第に仇討ちに向けての筋書きを描いてゆく。

私がその大石内蔵助の一連の動きの中でもっとも注目したところは、世論の本質を冷静に看破した上で、自分に都合がいいように世論を操作したところである。

確かに、当時の世論は浅野贔屓で仇討ちを支持、待望する声のほうが大勢を占めていたのかもしれない。しかし世論とは実に不思議なもので、ある面では幕府以上に大きな力を持ちながらも、常に気紛れで無責任である。仇討ちの義挙が後々の世の中にどのような印象を遺し、影響をもたらすのか、当然そうした確証がある訳でもなかった。

ゆえに内蔵助としては、単に汚名を着せられた亡君の恨みを晴らすだけでなく、お家断絶の悲劇と引き替えにして、不足のない華々しい義挙を演出し、浅野の名を歴史に刻まなければならない。そのためには、まず世論を利用することが必要不可欠だったし、いかにして世間に大きな印象を与えるか、そのことに念頭を置いた。

そして、遺臣一同が託していた主家再興の一縷の望みが完全に絶たれ、世間の同情が二重になった時、大石内蔵助は今こそと立ち上がり、見事に怨敵吉良上野介を討ち取って、士道の本懐を為し遂げたのである。

その結果、赤穂浪士四十七名は、義士の手本として日本中の人々の心に蘇生した。内蔵助が肉を斬らせて骨を断つ戦略でこの上ない恥辱を晒しながらも、韜晦《とうかい》に努め、様々な紆余曲折があったからこそ、世間の反動もより大きかった。

そうした大石内蔵助の戦略をつぶさに検証してゆくと、その手腕たるや瞠目《どうもく》的で稀代の兵法家と断じても差し支えのない傑物であり、浅野内匠頭も彼ほどの家老を従えていたという点においては、それ以上の誉れはなかっただろうし、案外、悔いはあっても何の憂いも遺さずに腹を切れたのではないだろうか。

人間の行動原理には、その根底に目的というものが鎮座していて、その目的を達成するためにあらゆる手段を用いる訳だが、どのような手段を用いるにせよ、機を逸してしまえば、それは所詮無意味な体力の消耗でしかない場合も多い。

そもそも「機熟」とは、天地人の調和である。熟したからといって人を待たず、果実のように色をつけて知らせてくれる訳でもない。一瞬のうちに来たり去ったりするものである。

しかし、そうした機熟のための条件を、あらゆる手段と理知を以て描いてゆくことで、その時々の局面を転換したり演出したりすることは可能であり、それを歴史上で体現した人物が大石内蔵助であったし、現代社会で例えるならば、ソフトバンクの孫さんがその典型だと言えるのではないだろうか。

孫正義という人は、投機到来と見ればいつも一気に勝負に打って出る。素人の私には、その経営手腕を天賦の才と語る以外に多くの言葉を持たないのだが、いずれにしても、孫さんの機をつくり出す仕組みの一端がスピードにあることは間違いない。何事にも迅速に対応するところに誠実さが表れていて、その誠実さが信頼を生み、機運の輪となって広がっている。

以前、上杉謙信の一代記を書いたある著者が、謙信の人物を評して、戦が上手ではなかった。という見解を示していた。

私は、意外だと思った。事実、世間一般的には謙信が合戦巧者として定評があるように、私の中でも戦の天才といえば、本多忠勝、島左近、立花宗茂、真田幸村と並んで上杉謙信を戦国時代の五傑と評している。それだけに、右の見解には承知しかねる感を多分に抱いているが、確かに、謙信の戦歴を遡ってみると、織田信長が桶狭間にて今川義元を破り、三河長篠で武田軍を破ったように、目も覚めるような歴史的な大勝というものがほとんど見当たらない。

なぜなら、謙信は菩提寺の山門に第一義と書いた額を掲げたほど義を重んじた人物で、事実、義のない戦をすることはなかったし、私欲のために他者を攻めるという着想すら持たなかった。それどころか、逆に近隣の諸将が助勢を求めてくれば、それが義に則る限り、利害損得など省みず全力を挙げて助勢するほどの義将でもあった。

そのように常に正しく、常に美しくあろうとするがゆえに、そのほとんどの戦が迎え討つ形であり、いわば横綱相撲である。諺にいう「先んずれば即ち人を制し、後るれば即ち人に制せられる」の言葉通り、当然、最初から不利な戦いが多かったであろうことは容易に想像することができる。

弱肉強食、下剋上はおろか何でもありの戦国時代にあって、謙信は稀に見るほど堅牢な士魂の保持者であり、当時の人々は謙信を、信義を重んじ、仮にも偽ることを恥として、他を欺くことをしない義将として大いに称えていた。その意味で謙信は、過去に類のない型を提示したと言えるだろう。

だが、時としてそれが自らを窮地へと追い詰める原因でもあった。そんな謙信よりもやや遅れる形で活躍することになる豊臣秀吉などは、調略を主体とした作戦思想を持ち、彼以前の軍事的天才たちとはまるで違った戦略の多様化を実現させた。

その彼にとっての戦とは、必勝の態勢を造り上げることであり、味方を増やし、敵の加担者を減らし、戦場に集める兵数は敵の倍以上ということを目標にしながらも、かつ合戦の持つ投機性を減らし、根拠のないものはあてにせず、物理的に必ず勝つ態勢へと盛り上げてゆくというものであった。

それと比較して謙信のやり方は、投機性が強く、常に現場の技巧主義であるということを考えれば、決して合理的な戦いだとは言えず、右の著者はその点において、謙信は戦が上手ではなかった。と言いたかったのかもしれない。

いずれにせよ、それでも武田信玄をはじめ、並いる強豪と戦って勝てずとも負けなかったところに、謙信率いる越後勢の強さが秘めてあり、さらに見方を変えるなら、謙信ほどの天才であっても、機を逸して戦えば容易には勝てない、ということの証でもあるだろう。

「背水の陣」という言葉は現代でもよく使われているが、その語源となったのが漢の劉邦に仕えた将軍・韓信の故事だ。

韓信が趙の国を平定した際、彼の手勢は寄せ集めの兵の上に趙軍の半数以下という劣悪な条件だった。そのため、韓信は起死回生の手段として敢えて川岸に退却し、逃げ道のない川を背に布陣した。

それを見た趙軍は、兵法を知らぬ愚か者だと嘲り、総力を挙げて追撃をかける。

ところが、逃げ道のない韓信軍は強かった。死に物狂いになった者の強さを存分に発揮して必死に持ちこたえる。

この場合、韓信が川を背に戦った理由は、敵をおびき寄せる罠であるのと同時に、まとまりにくい寄せ集めの軍勢を絶体絶命の窮地に追い込み、死地に投入することで心を一つにし、死力を尽くさせるところにあり、結果その苦肉の策が功を奏して、韓信軍は劇的な勝利を歴史に刻んだのである。

しかし、敵よりも圧倒的に不利な状況に勝敗を委ねる訳だから、恐らく十戦すれば負ける確率のほうが上回ることは間違いない。

にもかかわらず、世の中には背水の陣を布く必要性もなくして、なぜか背水の陣を布くような無意味な策にこだわる人がいる。

「策士、策に溺れる」とはまさにそのことだ。そもそも策というものは、機をつくり、機を活かしてこその策であり、策を講じることで機を逸してしまうような戦略であってはならない。

幕末、時流に乗った薩長軍の打つ手はことごとく決まり、もはや抗しようのないものだった。当時の雰囲気を、のちに勝海舟は、西郷隆盛や桂小五郎、大久保利通にしても、個人としては別に驚くほどの人物ではなかった。だが、彼らは〝王政維新〟という機運に乗じて行動を起こしたから、誰もがとうとう閉口したのだ。しかし機運の潮流が次第に静まるにつれて、人物の価も通常に復し、非常に偉く見えた人も、案外小さく見えるもの……。と、機運というものの恐ろしさを語り、それらは勝の言葉通りに速記して遺されている。

無論、ここで言う策とは、〝王政維新〟による戦略であり、それによって生じた勢いこそが機運である。私は、戦略イコール機という方程式を組み立てる上で勢い、というものを最重視しており、その勢いを呼び起こす仕組みを現実に還元させるには、物理的条件よりもむしろ心理的条件に実を求めることのほうが成果は大きく、そのためには「韜晦《とうかい》」という姿勢が極めて大切な要素だと考えている。

かつて日本史に封建体制をもたらせた関ヶ原の役においても、合戦を図式的に見れば決して西軍が負けるような戦ではない。人数も多く、戦場における地の利もよかった。

だが、それでも西軍は敗れた。その敗因は偏えに、東西の大将である徳川家康と石田三成の資質の違いによるところが大きかったことは間違いないだろう。

確かに、石田三成は切れ者だった。切れ者であるがゆえに、若い頃から才智をひけらかしては何もかもを鮮明にし過ぎた。そのため、周囲の人々は三成の器量の底というものを知ることができたし、そこから生じる展望にも迫力が欠けた。

本来、若い三成と老いの坂にさしかかっている家康とでは、待つという時が味方するのは三成のほうで、家康のほうではない。また、大義という点においても、有利な条件はほとんど三成側に揃っていた。にもかかわらず、家康は沈黙を守り、焦る必要のない三成のほうが事を急いだ。恐らく、若さがそうさせたのだろう。

　しかも、物理的条件のみに頼る彼の戦略は、周囲に不安だけを募らせ、微妙な立場へと追い詰められてゆく。結局、三成は戦略を勢いに転換させる材料を、何一つとして持たなかったのである。ゆえに、機運を得ることができなかった。

　その点、徳川家康の場合は物理的条件を黙殺し、心理的条件のみに実を求めて活路を見出すという戦略を採用している。

　なにより、常日頃から感情を表には出さずに実力を秘めてきた家康は、謎めいた凄味を感じさせながらも、明言を避け、静観を貫くことで良きも悪きも人々の思惑を飛躍させた。ゆえに、誰もが真意を掴むことができなかった。

　それでいて、何の意思表示もしないまま、巧みにそれぞれの感情を刺激し、暗黙のうちに誰彼を味方へと引き込み、自らを担がせ、戦いに向けての勝つべく構えを整えてゆく。

　そして、福島正則をはじめ豊臣恩顧の諸大名を、短期間のうちに屈服させることなどできないことを十二分に承知していた家康は、主題をすり替え、彼らの三成に対する憎悪を煽ることで組織を一つにまとめ、士気を鼓舞し、ついには変則的な形で天地人を調和させ、上杉討伐のための官軍を小山会議にて私軍へと変えてしまうのである。

　しかもその随所では、いかなる変転にも対応できる備えがあったし、まさに老獪で、臨機応変の天才とも呼べるべくその卓抜した見識・手腕は、石田三成よりも役者が格段に上だった。

そうやって考えてみると、小早川秀秋による裏切り云々というよりも、その世紀の合戦に挑む以前から、その勝敗はすでに決していたのかもしれない。

何はともあれ、敗軍の将に決定的に欠けていたものは「韜晦に努める」意識の乏しさであったと私は考えている。

その意味も含め、次の項からは「韜晦に努める」ことで機をつくり、機を得ることで勢いを呼び起こすことの関連性について、さらに突き詰めてゆきたい。

韜晦

人生の豊かさとは、詰まるところ晩年の豊かさである。確か、宮城谷昌光さんが何かの本でそう語っていたように、私もその通りではないかと考えている。

ゆえに、二十代のある時期からは、人生のピークを五十歳以降に迎えるように設定した上で、それまでを韜晦の期間だと位置付け、裏側だけの顔を用いて生きてゆくことを心に決めていた。

と、このようなことを言えば、少なからず誤解を招くことになるだろうが、私は自らの半生を通して、他人から嵌められたり、潰されたという経験が一度もない。なぜなら、そういうことにならないように、必ず何か一つを意図的に欠けさせて生きてきたからだ。

昔、私が社会に出てから一番最初に感じたことは、できる人には敵が多い。という印象だった。我々の世界においても、人望があり、喧嘩や金儲けも達者で、おまけに勤勉だという万能タイプを稀に見かけるが、そういう実力を備えた人物ほど、立身出世をもくろむ野心家にとっては脅威として映り、必ずといっていいほど処世的な被害に苦労していた。悲しいかな、それが人の世の情念の常だと言えるだろう。

ゆえに私は、敵をつくらず、他人に脅威を与えないことを念頭に置き、常に他人の思惑の外側に身を置くように心掛けていた。無論、私には元々他人に脅威を与えるほどの実力など備わっていなかった訳だから、念には念を押して生きてきたというだけの話である。

ただそこで肝心なのは、自分の実力を損わずにいかにして拙なく見せかけるかということであり、その辺の真意がわからない人には、勢いを呼び起こすことも、人生のピークを操作することもできない。私が言っていることの意味がわかるだろうか。

例えば、プロ野球の選手で、打席に立てば確実に三割の確率で安打を放つ実力がありながらも、年間を通して八十試合しか出場しないなど、どこか物足りない印象が強い前者と、どんなに努力をしても二割八分しか打てないが、何事にも全力で取り組み、全試合フル出場するような後者とを比較した場合、印象というものは、そういった安定感だったり、プロとしての模範的な姿勢を怠るだけで、実力の有無に関わらず、格段に劣る人間として人々の心に映り、評価されてしまう。

しかし、そんな前者が人生のある時を境に機を活かし、野球に対する姿勢を改め、全試合フル出場するような選手へと変貌を遂げたなら、どのようなことが起こるだろうか。

当然、実力は元より存分に備わっている訳だから、結果と共に勢いが生まれ、それによって周囲の信頼や評価、あるいはその人自身の人生の展望が掛け算式に拡大し、後者がいくらあがいても太刀打ちできないほどの選手へと成長するのと同時に、見る人の心に様々な可能性を予見させる。いわばそれこそが、勢いを呼び起こすメカニズムの側面であり、人間が持つ心理的風景の特徴なのだ。

ある心理学の実験では、初対面でわざと悪い印象を与えておいて、しばらくしてから逆の好印象を与えると、落差のバネが効いて印象は良い方向にうなぎ登りになる、という研究結果が実証されているそうだ。最初から好印象を与えていた場合と、その効果は上回ってしまうらしい。

他方、どんなに美しい女性であっても、毎日その顔を見ていれば見慣れてしまうのと同じで、人間の才能や力もむやみにひけらかしていたのでは、いざという時には周囲に何のインパクトも与えない。

では、その辺の理屈をしっかりと頭に置いた上で、もう一度想像してみて欲しい。例えば、人望と実力とが存分に備わっているにもかかわらず、いつも陰で目立たない人がいる。周囲はその人に対して、どこか物足りなさともどかしさを覚えながらも、男としての凄味だけは十二分に感じている。この人が本気で何かをやれば、きっと凄いことができるはずだと。

それほどの人物が、天地人が調和した人生のある時期に、突如として立ち上がり、今までと違う積極性を見せたなら、その時には一体どういう現象が起こるだろうか。当然、多くの協力者が現れたり、あらゆる要素が機運の和となり広がることは間違いない。

しかも、右のような局面は自分で意図的につくり出せるものであり、人生の然るべき時に、自分がそれまでに秘めてきたそのすべてを存分に発揮することができるなら、人生のピークを操作することは可能だというのが、私なりの理論であり、人生戦略である。

一方、勢いの性質の検証については文脈が混乱するので次の項に委ねるが、韜晦に努めることで機運を練り上げ、機を活かすことで勢いを呼び起こす。ということの関連性については、多少の理解は頂けたのではないだろうか。

詰まるところ、韜晦とはイコール準備して力を畜えることであり、さらに私流に言い換えるなら、いかに目立たずして力を畜えてゆくか。ということを念頭に置いてもらいたい。

また、人生の戦略には実と虚があり、その虚実を冷静に見極め、あらゆる要素や条件を数式にしたり法則にしながら、自分なりの展望を描いてゆく。

その上で、他人の意図を察し、意図に裏打ちされた力を計り、どのタイミングで何を用いればより大きな勢いが生じるのか。そこに答えを求めてゆくのが、いわゆる人生における勝利の方程式だと私は考えている。

その意味では、自分の意図や実力を周囲に誤って見積もらせることもまた、一つの戦略だと言えるだろう。孫子の兵法で言うところの「彼を知り己を知れば、百戦殆《あや》うからず」の理論を裏返した戦略だと考えて欲しい。

主君の仇討ちを決意した大石内蔵助が、警戒する吉良側の目を欺くために、祇園や伏見の廓で豪遊していたという逸話はあまりにも有名だが、事実、吉良側から偵察に来ていた隠密などは、派手に遊び呆ける内蔵助の実情を見て、仇討ちの意思は薄いと判断し、呆れて引き上げたとさえ伝えられている。

もし、吉良側の人々が当初の計画通り、仇討ちの難を避けるために上野介を米沢へ移住させ、警備を怠らなかったなら、吉良上野介が命を落とすことはなかっただろう。

そうした例からわかるように、敵や己を知ることが負けない条件になるのであれば、誤った敵や己を信じることは、そのまま敗北の要因に繋がることも道理である。ゆえに、低姿勢で油断を誘ってみたり、できるのにできない振りをしてみせたり、近付くと見せかけて遠ざけてみたり、何かを欲していながらも無欲を装ってみたり、そのような相手の虚像を信じて疑わない人は、もはや敗者の方程式に身を委ねているようなものであり、準備万端の相手にとっては絶好の餌食でしかないのだ。

私がヤクザ人生を歩み始めた頃は、全国各地で頻繁に抗争が起きていたし、四代目会津小鉄と五代目山口組・中野会との対立も深刻化していた。言うなれば、極道戦国時代の末期とでも表現すればよいだろうか。ゆえに、常に抗争を前提とした教育を受けていた。

例えば、組長付となり、親分の身辺のお世話や警護も含め、四六時間中行動を共にするようにでもなれば、当然、繁華街で親分を待つ機会も多くなる。そうした場合でも、親分が入っている店の真正面を向いて立つということは「この店に、親分がいますよ」と教えているようなものであり、敵が店内に入ってしまっては防ぎようがない訳だから、親分を待つ際にはなるべく人目につかないように心掛け、いつも見当違いの方向を向いて親分が店から出て来られるのを全神経を研ぎ澄まし、意識していたものだ。

また一方では、他組織の組織図や住所録を作成したり、偵察に足を運んでは建物や車両の写真を撮ったり、周辺地図を描いたり、車両のナンバープレートから個人の住居を割り出すなど、いわゆる標的を拵える準備も怠らなかった。その時代には、そういう徹底した教育とある種の緊張感の中で、極道としての基本的な姿勢を学んだものだ。

ところが、私が逮捕された前後のヤクザ社会では、抗争事件が皆無となり平和呆けしていたのだろうか、他組織の情勢にまるで無関心な若者が実に多かった。

特に工藤會の場合は、北九州が一本化され、近隣には親戚付き合いも多く、他組織との揉め事が起こらないため、どこそこの組織には某という組があり、どのような人物がいて、どのような役職に就いているのか、というようなことにさえまったく興味を示さなかった若者がたくさんいたことに、唯々驚かされていたことも事実だ。

そのような人達は、もし事が起きた場合、何を頼りに状況を判断し、対処するつもりなのだろうか。喧嘩をするにしても、話し合いで円満に解決させるにしても、いざ事が起きてから相手のことを調べていたのでは、喉が渇いて水分が欲しくなってから井戸を掘り始めるようなものであり、その程度の心掛けすらできていないからこそ、人違いで人を殺めたり、やりかぶるのである。

戦国時代、天下志向をまったく持たなかった中国の毛利氏でさえ、外交僧の安国寺恵瓊を京都に派遣し、毛利家の触角として京都の風聞や諸国の情報を余念なく集めさせ、天下の動向には常時備えていた。

それと同様で、相手の組が俗に言う武闘派集団なのか、それとも経済ヤクザと呼ばれる穏健派なのか、その辺の事情を把握しているだけでも、相手の出方を計る物差しになることもあれば、共通の知人がいるか否かを調べることで、事が起きた後の状況が大きく変わる場合もある。

無論、それは右のような事柄のみにかかわらず、人付き合いにしろ、何にしても言えることではあるが、特に兵法で最高峰の戦略だと言われている「戦わずして勝つ」の境地を目指すことにおいては、やはり情報戦を制し、その確かな情報を元にあらゆる条件との関連性を築いてゆかなければ、何事にも迅速には対応できないし、備えという基本的な姿勢がなくては不戦の境地にも達しない。

ゆえに、自らが得た力を用いる用いないは別にして、目立たずに力を畜える、ということが、何より堅実に生きてゆくためのプロセスであることは間違いないだろう。

また、人間の価値はいついかなる場合にも平等ではあり得ない。生まれつきもさることながら、平素の鍛錬や思索や経験を土台にして、千差万別の個人差が生じるものである。

だが、チャンスというものは、案外、誰にでも平等に訪れるようにできているのではないだろうか。

例えば、刑務所では一年の間に何度か、工場対抗のソフトボール大会だったり運動会のようなレクリエーションがある。その際に、選手の一人が懲罰で工場からいなくなってしまうと、工場の全員にその一人になるチャンスが訪れる訳だ。

しかし、大抵の場合は日頃から練習に参加していたり、何かしら運動をしている人達が選ばれるもので、普段はベンチに座って会話していたり、体を動かすこととは無縁だというような人達にはまず声は掛からない。

要するに、チャンスは誰にでも平等に訪れるが、そのチャンスを掴み取るのは準備していた人だけだということである。

ある哲学書には、リンカーン大統領の「もし木を切り倒すのに八時間かかるなら、その内の六時間をかけて斧を研ぐ」という考え方はまさに右の事柄を象徴する至言であり、綿密な下準備がなければ、どんなにきらめく才能も活かすことはできない、と指摘してあったが、いちいちもっともなことである。

私は、右の哲学書の言葉や考え方をこの一冊の中で随分と役立たせてもらっているが、この考え方がもっとも共感したところだったと言えるだろう。

話は逸れるが、私が自らの半生を通して、その人柄に惹かれ、憧れを抱いた人達には、決まってそれまでの地位を投げ捨てて無一文になっても構わないというような、いわば男としての凄味が漂っていた。

しかも、それらの人達はなぜか金儲けが下手くそで不器用な人が多いという共通点があり、さらには出世欲や名誉欲が乏しいがために、自らが関わる範囲での勢力図や人間関係といったものにさえ疎いというのも特徴であったし、他人に対して不思議なほどに無頓着なところに決定的な弱点を備えていた。

かつてその典型的な武将だった滝川一益は、次が秀吉と読めず柴田勝家に味方して敗れているように、古来よりこの手の人々が平穏な人生を全うできなかったことを思えば、無欲に生きるということは何よりも難しいことなのかもしれない。

ゆえに、私は自分の側に立って好意を寄せてくれる人が右のようなタイプだった場合、いつも細心の注意を払って周囲を観察していたし、その人とあまり関係がよくない人達に対しては、自分がどのような立ち位置で振る舞うべきか頭を悩ませながらも、時には善悪を使い分け、災難を招かないように常に気を配っていたものだ。

幕末、尊王攘夷を尊王開国と改めた訳でもなく、開国した幕府を激しく責め立てながらも、それぞれの諸藩では開国に向けての準備を怠らなかったように、理想と現実とが必ずしも正比例しない以上は、例え不本意ではあっても様々な状況に対応できる、それなりの備えに努めなければならない。

そして、その上で自分の身近で協力してくれる人々の力を損わず、守ってゆくこともまた、目立たずに力を畜える、ということだと私は胆に銘じている。

人生には、しかるべき時がある。今が不遇で機を見出せないからといって、諦める必要はない。謙虚に努力を重ね、チャンスが訪れた時に即座に掴み取る準備さえ怠らずにいれば、いつか必ず状況や環境が変化して、上向きに転じる時が来る。

そこで肝心なのは、その時が人生のチャンスではなく、それまでをどのように過ごすのかが勝負だということである。

そもそも、男が身命を賭して立ち上がる機会など、一生の間に一度あればそれで十分だ。それ以外では、目立たずに力を畜えていればいい。身を屈して、分を守り、天の時を待つ。拙なく生きてこその大志なり。

勢いの妙

戦いの巧者は、物事の成果を勢いに求めて人には求めない。それが戦闘の極意である。

例えば、高校野球で才能が豊かな選手を全国から集めたところで、個人の能力には限りがあり、どんなに優れた選手でも打席に立つ度にホームランを打ったり、一〇〇パーセントの活躍ができる訳でもなければ、甲子園に出場できるという根拠にすらならない。

だが、それとは反対に、個の能力では格段に劣る無名の県立高校が、特待生ばかりの名門野球部を敗り、その勢いに乗じて全国制覇を為し遂げるというようなことが稀に起こる。

そのように、勢いの性質とは実に恐ろしいもので、そうした勢いという曲者を自在に操ることができるなら、個々に備わる能力以上の成果を効率良く得ることも可能なのだ。

我々の先師、工藤會三代目・溝下秀男御大は「改革は、勢いがある時に実行しなければ失敗する」と言っていたが、それはまさに至言であり、勢いの伴わない戦略では大事を為すことなどできないと断言しても、まず間違いではないだろう。

私は、この勢いの性質に興味を持って以来、永い歳月をかけて心理学を学んだ。それまでは、心理学イコールいかがわしいものだという歪んだ先入主を持っていた私だったが、心理学の深層を学べば学ぶほどに己の偏見の愚かさを知った。

結論から言えば、心理学とは万能の手段である。人に思いを伝える手段にしても、あらゆる物事の判断にしても、心理という要素を正しく用いることで、より効果的に思いを遂げることができる。

そこでこの項では、人間に備わる心理の特徴と勢いの性質を照らし合わせながら、話を進めてゆきたいと思う。

この服役中に社会で起きた出来事を振り返り、私が「勢いの妙」を意識したのは、橋下徹・大阪市長と石原慎太郎・東京都知事とが新党を立ち上げるまでの過程だった。

あの当時の世論、いや、あるいは今現在でもそうなのかもしれないが、政界の人材不足を嘆き、日本の政治そのものにうんざりしていた人は少なくなかったはずだ。さらに噛み砕いた言い方をするならば、民主党でも自民党でもなんだっていい、と考えていた人も少なからずいただろう。

しかし、そうした風潮の中で、橋下さんなり石原さんなりが第三局の出現を匂わせ、二人が急接近しだした頃から戦況が一変する。彼らの熱意が民意を動かし、瞬く間に第三局の待望論が支持されるようになり、それに触発される形で、各メディアでも連日過熱した報道を続けた。

私が新党結成までのプロセスを通してもっとも印象的だったのは、新党結成を宣言した際の石原慎太郎さんの言葉である。

石原さんはその時の会見で「新党結成はずっと以前から決めていた」と言い切った。それが事実なら、石原さんは新党の結成を決断していながらも、その要所要所では「新党を立ち上げる意思はない」

という虚言を繰り返していたことになる。

要するに、石原慎太郎という人は、世論が何を望んで何を求め、あるいは欲しているのかということを十分過ぎるほど理解していたのだ。だからこそ、第三局の旗上げを匂わせつつも、時には「新党はやらない」と民意を突き放すことで世論を操作し、士気を高めた。いわばそうした流れこそが、人間に備わる心理の特徴であり、心理学に精通した人の手腕である。

人間というものは実におもしろいもので、逆境には耐えられても順境には耐えられない、という心理的な傾向を持つのと同時に、他人がもたらす希望や期待というものに対しても無関心ではいられないという特徴を併せ持っている。仏教で言えば、煩悩の特徴ということでもあるのだろうが、それは大小の差こそあれ、すべての人間に生まれながらに備わっている本質らしい。

ゆえに、そうした特性を最大限に活かし、第三局の結成をほのめかしながらも、やるかやらないか迷っている態を装うことで、今度はそれにじらされた世論の方が勝手に動き出す。最終的には、メディアの報道もそれを後押しする形で、世の中には新党結成のための道筋ができあがってしまう。つまり、民意によって造り上げた勢いである。あとは、その勢いに乗っかるだけでいい。

その当時、維新一色の過剰なまでの報道を目の当たりにして、その露出度をＣＭ料金に換算するなら何百億の金額になるだろうかと、おもしろい記事を書いていたライターもいたが、事実、勢いという曲者を味方につけることで、そうやって一円も使わずとも大々的な宣伝を展開することさえ可能なのだ。時代遅れの政治家が現金という爆弾をばらまいて不正に選挙戦を戦うことよりも、ずっと賢い戦略であることは言うまでもないだろう。

また、私が新党結成までの過程でもっとも称讃している点は、自分達が立ち上がることによって勢いを造り出すのではなく、民意が造り上げた勢いに乗るという手段を選択した点である。

なぜなら、勢いの性質は長続きしないという側面を持っており、例えば、破竹の勢いで連勝していたチームが一度負けたとたんに負け癖がついて，ボロボロに落ちてゆくということもよくある例だ。

そのような状況の中で、一度失った勢いを二段ロケットのごとく再加速させることは容易なことではない。とすれば、まずは起爆剤や最終兵器として用いるための秘めたる要素を温存した上で、民意が造り上げた勢いに乗るほうがもっともリスクが小さく、効果的なやり方であったことは間違いない。

では、ここからは人間の心理をさらに噛み砕いて考えるために、いくつかの逸話を引用したい。

元和五年、将軍家師範役の柳生宗矩は、二代将軍徳川秀忠が、宇都宮城主に本多正純を任命し、小山三万三千石から宇都宮十万石に移封されることを聞いて、ひやりと顔を曇らせた。

人の子の情として、秀忠が父の陣代を勤めた我が家の功臣たちを、手厚く報いてやりたいと思う気持ちはわからぬでもない。しかし、それによって周囲の反感が高まることは、大いに懸念すべきことである。

そもそも祖である徳川家康は、すべてのものを預かりものと考え、その精神の根幹には、無所有の概念を打ち立てていた。

ゆえに、それを信奉した父の本多正信などは、何度か加俸を断わっているにもかかわらず、口を開けば「権現さま、ご創業の精神は……」を説く、家康を崇拝してやまない側近中の側近と呼ばれている男が、よもやそのことを忘れてしまったのだろうか。

それを思うと黙っていられなくなった宗矩は、正純と面談すると多少の皮肉を込めて、「お身と、お父上正信殿のご方針は違うようでござるの。お父上ならば、宇都宮への移封、ご辞退なされたと思うが」と忠告したのである。

ところが、本多正純の思案はまったく違っていた。というのも、当時の幕府はいくつかの問題を抱えており、その第一が福島正則の移封問題だった。

この典型的な戦国武将は、陰湿な策謀はしなかったが、言葉を慎み、礼を正すといったことを武士の恥辱として卑しむ気風でも持っているのか、単純豪快な放言癖があった。

そのため、触れてはならぬことまでうそぶいてはただでさえ睨まれているところへ、今度は禁制を破って広島城の修理に取りかかったのである。

無論、幕府は面目にかけて即刻中止を命じ、すでに築いてあった石垣も破却せよと下命したが、正則は「家康の小伜めが」とでも言わんばかりに、それらを神妙に聞こうともしない。当然そうなってしまえば、幕府側で諸侯の手前、捨ておけるはずはなかった。

法を無視されて、処刑もできぬと噂されたのでは、のちの天下は治められない。取り潰しは苛酷に過ぎても転封はせねばならぬ。と、威令を示すことでこの問題を片付けようとしたのである。

とは言っても、秀吉子飼いの、しかも関ヶ原の大功臣である安芸、備後の太守四十九万二千石の福島正則を、取り潰し同様に片付けようというのだから並大抵のことではない。

果たして正則の矜持は、この屈辱としか言いようがない裁きを潔く受け入れるだろうか。もし正則が従わなければどうなるのか。その時には大兵を動かし、面目をかけても斬らねばならぬ。そこには政治という治世の難しさがあり、さらに裏返せば、今の将軍家には威が足りないということを、それらの諸事が物語っていた。

確かに、不世出の存在だった家康と秀忠とを比較するのは酷だとしても、もう少ししっかりしてもらわねば泰平の世の中を守ってゆくことなどできない。

ゆえに、秀忠に威が足りないことについて誰よりも気を揉んでいた正純は、事あるごとに諫言を重ね、時にはかなり激しい意見を出してきた訳だが、今ではそのことがかえって他の側近たちから疎んじられる原因にさえなっている。加えて秀忠には、そうした側近たちの対立を、一言で叱りとばして解消させるほどの力などあるはずがない。

日増しに孤立してゆく我が身と、ただならぬ空気を自覚した正純は、このままではいずれ何らかの汚名を着せられることになるだろうと思い、自分の果ての姿を想像し、それならいっそ自らが取り潰しとなり、見せしめとなることで最後の忠義を尽くしてはどうか。譜代大名でも例外はないということを示した上で、取り潰された外様大名の怨みの的をそらし、法に権威を持たせるように努めればいい。となれば、小山三万三千石よりは、宇都宮十万石の方が世間に与える響きも大きくなるだろうというのが、正純の思案だった。

威が足りぬと相手は刀を抜く。刀を抜けばその度に取り潰してゆかなければならない。取り潰せば必ず怨みが残るのが人の世の常である。

柳生、譜代大名でもこの通り……と、わしが取り潰しとなれば軽々しく刀を抜こうとする大名どももなくなろう。そうやって刀を抜かせぬのが政治じゃよ。

柳生宗矩は、正純のその覚悟の大きさを知り、やはり正純は本物だったと改めて感服するのである。

他方、徳川家康は無理な戦を強いない代わりに、士気がふるわないと見た時には必ず身内の者を罰していった。特に、血縁の者が怠けて戦功において部将に劣ると、容赦なく処分するのが家康の厳しさだった。あるいは、それが戦場における家康の良心だったのかもしれないが、何であるにせよ、三万三千石よりも十万石、赤の他人よりも身内、そういった事柄から周囲に伝わる印象の違いに、果たしてどのような力が隠されているのか。

さらにうがった例を挙げるなら、蝮と呼ばれ国盗人と言われた斉藤道三などは、自分に背いた者を釜ゆでの刑にした際に、その人間の家族に釜の下で薪を焚かせ、火吹竹で吹かせたと伝えられている。

水知らずの人間にやらせるよりも、家族にやらせることの方が残酷極まりない印象を与えることは言うまでもないだろう。

ある兵法の指南書には、丸坊主になれば百万円あげよう。と言われればやる人はいるかもしれない。だが、両目を潰せば一千万円と言われてもまずやらないだろう。だからこそ、そこまで実行してしまえば人を信用させる原動力になる。何も身体を傷つけるばかりでなく、人が〝まさか〟と思うようなことならすべて同じ効果が期待できる。ということを解説していたが〝印象〟というものは、そこに誰が関わっているのか、あるいはその背景に何があるのかということが異なるだけで、まったく別次元のものに変わってしまう。

残念ながら、今の私にはそうした印象を要約して戦略に転換させる具体的な言葉を持ち合わせていないのだが、人が信じて疑わないものを覆したり、ある極点から極点へと豹変することで、見かけ以上の印象を感じてしまうように、そのような精神的風景の中で勢いの性質とその時々の条件を照らし合わせてゆけば、物事を有利に進める戦いの展望が見えてくるのではないだろうか。

人生とは、ある意味戦いのようなものだと私は思っている。己との戦いがあれば他者との戦いもあり、その形態にも多種多様の戦況があるように、勢いにも様々な形態がある。いや、形なき形と言ったほうが正しいのかもしれない。

そのすべての戦況において、心の浮沈や明暗といったものに対して物事の成果が正比例してこそ、正常な戦闘のあり方であり、自然の法則に逆らっていたのでは勢いなんか生まれやしない。

また、人が何かを為そうとする時、その場や人の心にしても、必ず何らかの空気や流れみたいなものが存在するものだが、そういうものを感じていながらも、ただ従っているだけでは戦いに勝つことはできない。

歴史上、偉業を為し遂げた人達の多くは、そういう目には見えないものの中から決め手を見つけ出す嗅覚と、それを実行する度胸を持っていた。いくら勢いに乗じたところで、詰めの一手がなければ最終的な勝利を得ることなどできない、ということも忘れてはならないことだ。

天正十年、織田信長が明智光秀に討たれるという、いわゆる本能寺の変報に接した豊臣秀吉は、光秀を討つため、毛利との和睦を直ちに成立させ、中国大返し、と後々まで語り草になったほどの凄まじい反転作戦を断行して京を目指し、その途上では根拠地である姫路城へと立ち寄り、金奉行と蔵奉行を呼んで全財産を勘定させた。それぞれの蔵には、金八百枚、銀子七百五十貫、米八万五千石が畜えてあった。

秀吉は、その金のすべてを番頭、鉄砲頭といった戦闘部隊の将校たちに知行に応じて余すことなく分配し、また、米については徒士以下足軽に至るまでの扶持取りと言われる下級戦闘員に対して、平素の扶持の五倍の米を、これも一粒残らず分け与えて自らは無一文になってみせた。

しかし、それによって城内城下は沸きあがり、沸きあがった勢いがその一戦への覚悟となり、景気づけとなり、戦意にもなったし、さらに複雑なその混成軍の士気を一つの心にまとめることで、軍旅には鋭気が満ちていた。もはや決戦の舞台は整った。

そして秀吉は、光秀を討ち、亡き主人の墓前にその首を供え奉る旨を号令し、主題を明確にした上で大義を示したのと同時に、「この秀吉、元より討死の覚悟なればふたたび生きて帰るつもりはない」と続けたのである。いわばこの一言が落としどころであり、決め手であったと言えるだろう。

同じ光秀を討つにしても、自分に天下を取らせて欲しいと号令するのと、共に死のうと悲願するのでは、人に与える印象やその場の空気、あるいはそこから始まる物事の流れが別次元のものに変わってしまう。

そもそも事を為す上で大切なことは、物事や結果の大小ばかりでなく、むしろ心の様相であり、人の勇怯は勢いである。

ゆえに、その辺の機微がわからない人には大事を為し遂げることなどできないだろう。勢いを制するとは、そういうことである。

権力闘争

私は、権力闘争だとか派閥みたいなものに対しては常にニュートラルで、まったく興味がない。ゆえに、誤解を招くようなことにはあまり触れたくはないのだが、ただ前の三項を立証する上でこれほど適した主題はないという理由と、もう一つには、株式市場でいえば塩漬け状態のごとき惨めな有り様に陥ってしまっている今のヤクザ社会に対して、一陣の風を吹かせ、なかなか腰が上がらない人達のためにもなんらかのヒントやきっかけになってもらえたらと思い、敢えて筆を執った次第である。

まず、権力闘争と聞いて真っ先に思い浮かぶものは、政治家による派閥争いのそれがその代名詞だと言えるのではないだろうか。私はあの次元の低い茶番劇を、いつも冷ややかな思いで眺めては辟易していたものだ。

中でも、叛乱分子が単独で散々に騒ぎ立てたあげく、離党して、一人もしくは少数による新党を立ち上げることで落着するという軽挙盲動については、あまりにもくだらなくて笑いしか出ない。

実のところ、組織を壊すということは簡単なことである。ほんの少しの知恵と人生を捨てる度胸があれば、誰にでもできることだ。

だが、壊した後のビジョンを描くのは容易ではない。また、そのビジョンを実現させるには、より多くの協力者が必要である。

とすれば、僅かな人数で事を起こしたところで一体何ができるのか、ということを念頭に置かなければならず、その思案や勝算もなくして、ただ感情に任せていたずらに立ち上がることは、兵法で言えば、屁の下の策でしかなく、その程度の戦略しか持ち得ない人物は、到底何かを変えることなどできないだろう。

私が、このような浅はかな行動を客観的に捉えていつも思うことは、人間の道や歴史はどこまで行っても人間の器量が造り出してゆくものであり、中身が誰であっても同じ価値を持つものではないということである。

例えば、もし小泉純一郎や小沢一郎のように影響力のある権力者が右のような叛乱を起こした場合、どのような結果に繋がるのか。それは、小沢一郎の行動により民主党が事実上崩壊したという例で明らかになったように、次々に同調者が現れ、瞬く間に雪崩を打ったような現象が巻き起こる。そうなってしまえば、もはやどのような手段を用いたところで、止めることなど不可能なのだ。

ということは、まず何よりも先に、自分にそれだけのことをやり遂げる実力があるのか否かを見極めた上で、ないと判断したのであれば他力を頼る以外に道はない。少なくとも一人相撲のごとき無意味な戦いだけは避けるべきである。

他方、現代社会では、ヤクザと呼ばれる人々の生き方が問われている。というよりも、ヤクザ社会の信仰に似た価値観やヤクザとしての生き様、志、矜持。そうした心象風景さえも見直す時代を迎えたのかもしれない。

稼業はすべてにおいて濁り切り、保身、背信、憎悪、利欲に覆われ、人心はねじ曲がってしまったどころか、ヤクザ社会の自堕落な生活がもたらせた病的な精神形態は深刻を極めるばかりである。

しかも、昔は星のようにいた英雄なんかどこにもいない。いや、仮に強烈なカリスマ性を備えた英雄がいたとしても、もはやこの歴史的必然は抗し難い潮流となり、ヤクザ社会は今確実に危機的状況に立たされている。

にもかかわらず、現役の親分衆は、ヤクザ社会の未来にどのようなビジョンを描き、あるいは希望を見出そうとしているのか。恐らく、ほとんどの人が具体的な打開策など持ち得ないはずだ。

それどころか、他人の財布をあてにして、親分でさえいれば子分から養ってもらえると、半面に暴権をふるい、半面に遊んでばかりいるような、どうしようもない人も少なくはないだろう。上に立つ者が、子分は代紋の御陰でめしを食べている訳だから、子分はその恩返しのために、上の者に尽くして然るべきだと考えているとするならば、それは商人の概念と何ら変わらない。

そんなことで極道していると言えるのか。任侠道していると言えるのか。誰かのために、という実践がなければ、「道」がつくものには至れないはずだ。ヤクザ社会は、すでに〝信〟を失っている。誇れるものなど何もない。男としての生き様や信念さえも見失っている。

以前に読んだ何かの小説に、このような件があった。「ある時期に出逢った僧侶が、ひどく自堕落な宗教家とは認め難い破戒坊主であったのかもしれない。そこで彼はその僧侶そのものを仏教と観、禅と割り切ったのかもしれない。」

ゆえに、宗教にはまったく興味を持てなかったというような話だったと思うが、現代ヤクザのそういう一面しか知らない今時の若い世代の人達は、まずヤクザになんかなろうとは思わないだろう。しかし、構成員の数は減少の一途を辿るばかりだ。いずれ組織が破綻することは火を見るよりも明らかである。

今、現役ヤクザの下々の人達は、生活苦を抱え、中には、草むしりのバイトをしたり、建設現場で働きながらも、組織のため、親分のために献身的に尽くしている。堅気の衆から笑われながらも、盲目的に尽くしている。上に立つ人達は、そんな健気な姿を見ても何も感じないのだろうか。時代は終わった。組織としての活路を見出すことができないのであれば、個人単位の活路を見出すべきである。

稀代のカリスマが築き上げた組織を、分不相応な人物が受け継いだり、別次元の理念で存続させるということは、先達の徳を辱しめ、卑しめることでしかないと私は思っている。今、ヤクザ社会を虚妄の大義から解き放たなくては次の世代に未来はない。上の人達が決断できないのであれば、下々の人達の方から個人単位の生き方に切り替えればいい。

自らの主人が、男として明らかに恥ずかしい生き方をしているとわかってはいながらも、黙って見過ごしていたのでは真の忠義だとは言えない。真の忠義とは、正しさを支持することである。ゆえに、行動を起こし、権力悪に立ち向かうこともまた、果たすべき誠忠の形だと言えるだろう。

我々は腐敗したヤクザ社会の関与者であり、目撃者であるのと同時に、新たな時代の創建者であり、復興者でなければならない。歪んだしがらみを断ち切り、善なる連帯を広げてゆくことでそれぞれの人生に希望を見出せばいい。個人単位の信義を果たせばいい。一人ひとりの小さな決断が時代を大きく変革する。

この期に及んで下の者を暴力で繋ぎ止めようとしたり、道義に反する行いをすれば、なおさら〝信〟を見失い、負の連鎖となって加速することは言うまでもなく、やがて潰滅的な状況に追い詰められることは必定である。そうなる前に、歴史の評価に耐えうるだけの英断を下して欲しいものだ。

話は元に戻るが、右の理屈と同様で、権力悪を正す、あるいは権力闘争を制するということは、一方の勢力を倒したり覆したり、無力化させるということであり、そのためには雪崩を打ったような現象を引き起こすことが上策と呼ぶべき手段の一つだが、小沢一郎のようにその根底に、〝信〟がなければ、いくら勢いに乗じたところで決め手を欠き、最終的な勝利へと繋がらないこともまた道理である。

では、必勝の極意とは何だろうか。

その戦略を端的に言い換えるなら、満ちたるを以て欠けたるを討つ、ということだと私は思っている。

例えば、勢いの性質を三段階に分けた上で、次のように仮定して欲しい。
一、勢いの絶頂期。
二、勢いが止まりかけている状態。
三、勢いが完全に止まって下降する段階。
もし、相手が三の状態である時に自分が一の状態であるならば、その戦いは立ち上がった時点ですでに勝敗が決しているようなものであり、満ちたる、とは勝利のための条件が揃っている状態であることを指している。

今、ヤクザ社会は完全に三の状態にあり、欠けたる、時を迎えていることは疑いようのない事実だ。

また、戦いというものには、当然目的がある以上、その目的を達成することが何に繋がるのか、というビジョンを示さなければならず、さらにそのビジョンの根底に〝信〟がなければ勝利のための条件が仕組みや法則に転換する戦略には成り得ない。

忠臣蔵の史実にしても、主君浅野内匠頭切腹という片手落ちの採決に際して、大石内蔵助個人の侍としての心情を代弁するならば、是が非でも主君の仇を討ち、武士の面目を立てたかったに違いない。

しかし、彼は浅野家の筆頭家老である。まず何よりも先に、亡き主君の遺族らの生計を立てた上で、お家存続のために八方手を尽くし　赤穂の塩産業を復興することで家中と領民の暮らしを守るという責任と義務を負わなければならない。

それは、当時武士の再就職が絶望的であった世相を鑑みればなおさらのことだった。まして、失業した家中の者が押し込みの盗賊にでも成り下がり、浅野の名を地に落としてしまったら目も当てられないことである。

その一方で内蔵助は、全藩士の身の振り方にも配慮した。というのも、同じ藩士であっても身分禄高の違いもあり、主君の恩寵の程度も異なる。中には、主君と対面したことのない者さえたくさんいるのだ。籠城、嘆願殉死、復讐、いずれを採るにしても、そうした事情をおしなべて一律の決定の下に拘束してしまうのはあまりにも酷である。そこで内蔵助は、全藩士に選択の余地を残してやったのである。

そのように、彼が行った措置、判断のどれもが亡き内匠頭の徳と治世を辱めんとするがための〝信〟であり、あるいは家中や世間に示すべく〝信〟であったし、彼が踏まなければならない手順でもあった。

要するに、大石内蔵助は知っていたのだ。最終的な勝利の決め手とは、どこまでいっても〝信〟でしかなく、公私を混同していたのでは〝信〟が成り立たないということを。ゆえに内蔵助は、己のビジョンから止み難い私情を抜き取ったのである。

ソフトバンクの孫さんは、ビジョンを明確化して初めて戦略が見えてくると言っていたが、そもそも戦略とは勝利のための条件を組み合わせることであり、ビジョンイコール〝信〟という構造から逆算することで、物事の理非曲直を見極め、勝利へ向けて必然の流れを描かなければならない。

そこで大石内蔵助は、本来果たすべく〝信〟を十二分に示した上で、そこから逆算する戦略を用いた。

ただし〝信〟を念頭に置くということは、玉砕精神のごとき復讐論に執着する過激派にとってはマイナスとなる事柄が多く、その意味で、大石内蔵助のこの一連の手腕を通してもっとも評価されるべき点は、仇討ち云々の事実よりも、むしろ江戸表から赤穂へと主君切腹の確定的な情報を伝える使者が辿り着き、籠城、嘆願殉死、報復と、藩論が混乱を極めてゆく中で、段階的に誘導転換を図ることでそれぞれの主張を懐柔し、戒めながらも　ついには無血開城させてしまったところにあると言えるだろう。

しかもその過程においては、時に善悪を使い分け、時に武士道を逆手に取り、それでいて、ある重臣には憎まれ役の一切を引き受けさせることで、家中を欺くというような芸も演じた。

また、それらと前後する形で、内蔵助は幕府の目付役に対して嘆願書の名目で脅迫状まがいの激越な書状を提出している訳だが、これが使者の不手際で幕府ではなく江戸表の家老の手に渡り、内蔵助の動きを知った江戸の家老らが騒ぎ出したことによって、嘆願殉死の儀が舎弟大学へと漏れてしまったことを理由に、今度は自らが主張していた嘆願殉死説さえもあっさりと覆してしまうのである。

その時々の事情と状況をつぶさに検証しながら、一つひとつの辻褄を合わせてゆけば、すべては彼の計算ずくの結果であったのかもしれず、もしかすると、嘆願殉死を主張したことまでもが偽りだったのかもしれない。いずれにしても、臨機応変の兵法家であり、底知れぬ人物である。

このように、物事の理非曲直を見極め、相手の理を封じる手立てを尽くしてゆけば、あらゆる条件が機運の和となって、必然の法則へと転換する。いわばその法則こそが、勝利の方程式というものであり「満ちたるを以て欠けたるを討つ」ことの真髄である。

ヤクザ社会では、五年後、十年後、果たして組織はどうなっているのかという危惧を、多少心ある人なら痛切に抱いているだろう。

韓非子には、矛盾の発見が問題解決の出発点だという考え方が示してあったが、今のヤクザ社会は矛盾に満ちている。ゆえに、現代ヤクザの人々は、まずはそういう矛盾点と真摯に向き合い、自分なりの〝信〟とは何か考えてみて欲しい。すると、おのずと答えは見えてくるはずだ。

日本人特有の情緒性から生じた価値観が、〝なんとなく〟である。それは空気や雰囲気のことで、科学的な根拠も実体もない極めて曖昧な心情のことをいう。

そのような日本人特有の情緒性は、超越的なものを否定し、飛躍した思考法を衰退させ、現実主義の価値観の中に埋没する危険性を持っている。

人生の真価は、最終章で決まる。このままヤクザ社会で〝なんとなく〟生きて人生を負け戦で終えるのか、それとも勝ち戦に転じるのかは己の心次第である。勝ち戦にしたいのであれば、自分なりの〝信〟を見出せばいい。私は、最後の一戦に勝たずして何のための一生かと、いつもそう思っている。

ここまで、機に臨み、変に応じる才、韜晦、勢いの妙、権力闘争の四項を通して、その関係性を論じてきた訳だが、権力闘争においては常に政略感覚がつきまとうものだ。

そして、その権力闘争を難なく制するには、敵を騙したり、油断させることで相手の弱点や虚を衝くなどの卑怯な手段を用いることも少なくない。だからこそ私は、そういうものとは無縁の人生を送りたいと思っていた。

だが、中には、何らかの事情で本人の意志とは関わらず、誰かのため、何かのために立ち上がらなければならない人達もいるだろう。

無論、立ち上がるからには何かしらの重荷を背負うものである。そうした重荷を背負いし者は、何があっても負けてはならない。立ち上がるからには鮮やかに勝たなければならない。

そして、その勝利を得た瞬間から本当の意味での戦いが始まる。それは、己を律する戦いである。

そこで大切なのは、己が勝ち得た権力や自由を、そのままで終わらせてはいけないということだ。他者に大望を与えてこその勝利であり、真実だと、私は胆に銘じている。

第四章　組織学

リーダーとしての資質、あるいは求められるものを一つずつ挙げるとするならば、先見力、判断力、実行力、応用力、情報力、決断力と、概ねこんなものではないだろうか。

だが、真のリーダーには決断力さえあればそれで十分だ。それ以外はすべて補佐役の役割であり、優れた組織にはその辺の機能が確立されている。ゆえに、強い組織を造り上げるには、より多くのリーダーを育てることが肝要である。

物書きには、一人称一視点という技法があるのを知っているだろうか。これは、一人の主人公の視点で物語を描くというやり方で、読者と作者とが同じ体験をしながら物語を進めることができる。また、一方では三人称多視点という技法もあり、ある項では田中という人物の視点で物語を描き、ある項では山田、佐藤と、三人の視点で進めることによって、物語をより大きく、幅広く表現するという技法である。

では、その場合、作者の目線はどこにあるのかと言うと、それは天になければならない。なぜなら、それぞれの人生は常に同時進行で展開すべきものだからだ。

ゆえに、そのあり方を考慮せず、三人の内のいずれかの視点で残り二者の立場を描いてゆくと、同時には描けない問題に直面することも多く、それによって何らかの矛盾が生じたり、物事の濃淡、強弱、あるいは本質といったものを表現する際にも奥行きがなくなってしまい、物語のおもしろ味そのものを損うことがある。

無論、それが一人称であれば自分本位で描くことは容易だが、三人称である以上は主人公にしろ悪役にしろ、それぞれの個性に基づく果たすべき役割を存分に表現しなければならない。

そのためには、人や物事を天から大局に、かつ客観的に捉え、感情で曇ることのない思考法を成立させることが不可欠で、優れたリーダーなら、必ずその種の思考法を身に付けているものだ。

人生は、もちろん一人称一視点ではあるが、組織人としての立場を考える場合、自らを一人の登場人物として集団の中に解き放った上で、三人称多視点の目線で様々な可能性を探求しなければならない。

すると、他者の個性や能力を最大限に活かしながらも、それぞれの人生を同時進行させるためには、自らが集団の中でどのような立ち位置でいるべきか、あるいは何を為すべきか、その道筋が見えるようになる。そして、そうした思考法を実践する上で求められるものがリーダーシップというやつだ。

私が他人の中にリーダーシップの有無を判断する基準としては、その人とは考え方が異なる相手だったり、対立派閥だったり、その人とは決して良好な関係だとは言えない相手をどのように動かし、対処し、導いているかというところに着眼点を置いている。

豊臣秀吉は、もっとも巧みに人の心を捉えた人蕩《ひとたら》しの天才だと言われているが、〝人蕩し〟という秀吉のそれは、端的に言えば、相手を騙したり、そそのかすことで自分に好意を持たせるというようなことであり、自分の側に立って好意を寄せてくれている相手を操縦し、協力を得ることは決して難しいことではない。

だが、逆に秀吉は、柴田勝家や明智光秀のような扱いにくい相手に対しては、まるで対処する術を知らなかった。私が豊臣秀吉は徳川家康よりも格段に劣ると考えている理由は、その点においてである。

そもそもリーダーとしての力量は、自分とは合わない相手をいかにして動かし、活かし、導いてゆくか、それによって決まると言っても過言ではない。

その点、家康の場合は、そのような連中を実にうまく使った。特に、伊達政宗のように反骨心が旺盛で型破りな曲者でさえ、その個性や実力を存分に活かしながらも、最後には心底から屈服させている。

また、豊臣の天下と徳川の天下とを比較した場合、秀吉のそれは運で拾ったというような事柄が多く、実力で天下を取ったという印象をあまり感じさせないのだが、家康のほうは取るべくして天下を手中に収めている。

私が徳川家康という人物をもっとも評価している点は、民間に帰属意識と目的意識とを根付かせる手腕に長じていたところである。

例えば、戦国期の社会において農民と呼ばれる身分の人々は、よほどのことがない限り、自らが所有している田畑を手放してまで他国に移住するというようなことをしなかったが、頼るべき田畑を持たない人々は、領主の器量が乏しければ、より豊かな環境を求めて流浪した。

当然、軍事力や生産力を高め、つまり国力を強化することにおいて、一人でも多くの良民を領地に定着させるということは領主にとって永遠の課題であり、それが果たせるか否かによって戦況も御家の展望も大きく変わってくるはずだ。

とすれば、領主はいかにして人々に帰属意識を植え付けてゆくか、ということを念頭に置かなければならず、その帰属意識の裏側には目的意識というものを併せ持たなければならない。

かつて秦の始皇帝の時代、戦国の封建制から秦の法治主義、中央集権制に急激に移行したことで、中国全土に憤懣が渦巻き、各地では秦帝国を打倒すべく多くの流民が立ち上がった。

しかし、その彼らが求めたものは必ずしも人や志ばかりではなく、どこそこには食糧が豊富にあり、誰某が穀倉地帯を得た、といった具合に、食が英雄を成立させるという側面を備えていた。ゆえに、戦いに利がなくなり始めると脆くも崩れ去った。

このように、目的意識が惰弱だと組織というものはあってなきに等しい。では、どのようにすれば揺るぎない帰属意識と目的意識とを植え付けることができるのだろうか。

こればかりは、その時その状況に応じた方法論というものが存在する場合もあるし、一概には断定できない事情なども含め、その核心と為すものを私の拙ない表現力で論じてみたところで、結局は月並みでしかない答えへと通じてゆく。

それよりも、この事柄に関しては、是非ある人物の歴史を通して学んで欲しい。その人物とは、アメリカ合衆国第十六代大統領・エイブラハム・リンカーンのことである。

当時のリンカーンは、下院ではぱっとしない一期を務めただけの辺境出身の弁護士で、合衆国上院に出馬したものの、立て続けに二度落選するという経歴の持ち主でもあり、言うなればどこの馬の骨とも知れぬ男だった。

それに比べて対立した人達は、演説家として名を馳せ、政界に入り、ある種のカリスマと化しているような海千山千の大物ばかりである。ゆえに、リンカーンが指名を勝ち取った時、彼の著名なライバル達は、間違った男が選ばれてしまったことに強く懸念を示していた。

ところが、当初はリンカーンを軽んじていた有力なライバル達も、暗雲が立ち込める日々に祖国の舵取りをする彼を次第に盛り立て、同僚として助力するようになる。

そして、いつしか彼の類い稀な個人的資質を通して明らかになる政治的洞察力や、無比の才覚に気付き、評価し、最終的にはこの大統領を「人として完璧に近い存在であり、無類の指導者である」と結論付けるのである。

私が、リンカーンの特筆すべき点を一つずつ挙げてゆくと、紙面がいくらあっても不足してしまうのでここでは敢えて省略するが、共和党の大統領指名選挙からアメリカ大統領に選出されるまでの過程で、彼がかつてのライバル達を懐柔し、協力を得ながらも、どのようにして帰属意識や目的意識を植え付け、周囲を感化していったのか、そこには様々な物語があった。

また、反対者から友情へ、蔑視から敬意へと変貌を遂げる過程においては、人間とは何か。組織とは何か。リーダーとは何たるかのそのすべてが一つひとつの事柄に凝縮されていて、私はエイブラハム・リンカーンという人物の歴史を通して、人生とは、こうやって生きてゆくものかと、そう教えられる場面と何度も出逢えたし、結論を言えば、彼こそが歴史上でもっともリーダーシップを備えた英雄だったと思っている。帝王学を学びたい人は、是非リンカーンの歴史を必見してもらいたい。

今の時代、カリスマモデル、カリスマ美容師、食のカリスマ等々と、カリスマ性の定義も広範囲となり、人物のスケールも小さくなっている感は否めないが、私自身がカリスマと思える人と出逢い、接してきた中で、共通していたことは、周囲の人々に疎外感を与えるところがまるでなかったという印象だろうか。

これは前述の哲学書にも示していた見解ではあるが、影響力や求心力に直結する事柄で、帰属意識という人間の基本的要求を満たす上で重要な要素の一つである。

ついでながら、私が右の哲学書から学んだことを端的に箇条書きすると、疑うよりも信じていること。非難するよりも擁護していること。恨むよりも許していること。要求するよりも与えていること。

権利よりも責任を心に刻んでいること。そして、不安よりも希望を持たせていること。

無論、右のような人達は自らの規範意識にも厳正で、価値観、思考、感情、行動が終始一貫しているし、何より、どんなことでも後姿で手本を示しているからこそ、人々の心がその気概に感化されて、やらなければならないという義務感から、この人のために尽くしたい、という強い意志へと変わってゆく。

さらに言えば、優れたリーダーは人に権限を与えることも巧みである。孫子の兵書にも「悪い指導者は憎まれる。よい指導者は尊敬される。偉大な指導者は部下に自分でやったと思わせる」という件があるように、人を大きく育てるには責任のある立場に置いた上で自らが陰となり、人知れず助力してやることも、リーダーとして欠かせない要素の一つだと言えるだろう。

逆に器量が乏しいリーダーは、自身を大きく見せかけようとして功績にばかり執着するからこそ、人が大きく育たない。しかも、そういう人に限って、自らを尊敬するように強要してみたり、人材を繋ぎ止めることしか考えていない傾向が強く、現代ヤクザの社会では、〝理不尽なしがらみ〟という罠に嵌って、買い殺しになっているような人材は珍しくない。

なかでも、私がもっとも厄介だと感じるリーダーは、独自の見識や判断基準を持たない人である。

かつて吉田松陰が藩主毛利敬親に提出した著述書に、「見識が定まらない者は用いるべからず」というような意味合いの上申書を提出している訳だが、見識や判断基準が定まらないリーダーは、どうしても教科書通りの組織運営に固執する以外に術がなく、それによってどのような組織になってゆくのかと言うと、例えば、人の仕事を評価する上で真面目という要素は極めて大切な姿勢ではあるが、だからと言って、ただ勤勉なだけですべての物事に対処できるのかと言うと、そんなに簡単なことではない。

さらに極端な例を挙げるなら、職場での姿勢は極めて真面目で何でもそつなくやってはいるが、人格に著しい欠陥があったり、特筆すべき能力が備わっていないため、周囲から認めてもらえないというような前者に対して、何事においても不真面目でやりっ放しではあるが、抜群の人望とリーダーシップとが備わっているため、その人がいるだけで集団がよくまとまり、組織にも活力を与えてくれるというような後者がいたとする。

右の両者を比較して、どちらのほうがより重要な人物であるのか。それは、どの教科書にも載っていない答えであり、当然組織には前者が必要な時もあれば後者が必要な時もあるだろう。

だが、器量が乏しいリーダーは、十日働いた人と五日しか働いていない人とを采配するような時に、大抵の場合、十日働いた人を無難に選択する。

しかし、組織には例え五日しか働いていなくても、その人物にしか果たせない役割が往々にして存在するもので、適材を適所に活かしたり、起用法を円満に処理できないところに　教科書通りの器量では限界があることは間違いない。

詰まるところ、教科書通りの力量というものは、どこまでいっても所詮人並みでしかなく、さらに噛み砕いて言えば、並以上に飛躍できない組織の骨格でしかない。ゆえに、そういうリーダーが手掛ける組織では、必ず小型の人物が要職を占めていて、結局は並程度の組織をサラリーマン化させることくらいが関の山である。

実際問題、五代目工藤會の菊池啓吾理事長は右のリーダーの典型だったし、五代目田中組の実態はその程度の組織でしかなかった。それは、内部を知る者として嘘偽りのない真実である。

では、是非想像してみて欲しい。一人の政治家の周囲に名も無き国会議員ばかりが群がっている姿と、同じく一人の政治家の周囲に大臣クラスの実力者ばかりが取り巻いている姿とを。どちらのほうが凄みを感じるのかは言うまでもないだろう。王者としての風格を損っていた五代目田中組は、五代目工藤會において第一局であるべきではなかったと私は思っている。

その点、カリスマと呼ばれていた人達は、古い秩序に懼らず、大胆に組織を構成する知恵と、自らに不足している能力を抜擢する度胸とが備わっていた。

しかも、その種の人達は、おもいきった人事や型破りな改革を強行するような場合でも、この人がやることなら間違いないだろうという、誰もが納得してしまうほどの信頼がすべての手腕に裏打ちされていて、私がカリスマ的リーダーの資質の中でもっとも驚嘆する要素とは、そういった有無を言わさぬ存在感である。

それればかりは、真似ようと思って真似できることでもなく、それこそが、カリスマのカリスマたる所以だと言えるだろう。

つい先日、比較宗教学に関する仏書の中に、実に興味深い箇所を見付けた。

かつて、天啓とか、悟りというような、超越的な価値に導かれる世界観の中で、一般社会の人々とは異なる、いわば人類に生き方を説く教師となり、人を引き付ける能力を神から与えられた指導者を、マックス・ウェーバーは、「カリスマ」と名付けた。

ウェーバーは、カリスマ的人格の支配が常に不安定であることを強調している。彼は、カリスマ的支配が成功した場合でも、例えばカリスマ的な指導者が死亡した場合には、その後継者の問題を契機にして、カリスマが、例外的、非日常的、個人的なものから、より日常化され、特定の個人の人格に直接依存しないものへと変質してゆくことを指摘している。

カリスマ的人格のカリスマは、既成の秩序を破壊し、新しい秩序を生み出すものとして作用する。しかし、日常化された形でのカリスマは、逆に、既成の秩序を正当化し、維持してゆくものとして作用する。というものだ。

現代ヤクザの社会では、自らの存在を正当化して、理不尽な権威に執着しているような親分が大半を占めるようになってしまった。下々の者の苦悩など、権威への執着の前には虫けらの嘆きとしか見ない。そうした習慣が彼らの人間性を奪っている。

そもそも、権威への欲求の根本が他力本願であるがゆえに、生き方に対する隠忍、自重、反省といったものを微塵も感じない。歪んだ価値観の中で、虚妄の大義を掲げ、思慮を欠いた行動に終始して、闇へと向かって妄動を繰り返す。従わない者には、策を弄したり、暴に訴えてみたところで、いずれ底が割れるのは時間の問題だ。

そうした真のリーダーなき時代の中で、私のごとき名もなき小者が、高潔、孤高、節操と一貫した輝きを放ち、新しき時代に向かって一陣の風を起こせるのであれば、私は身命を惜しまずに一人立ちたい。

日蓮大聖人は、十二歳の時に大虚空蔵菩薩の御宝前で「日本第一の智者となし給へ」との願を立て、その言葉通りに信行学に励み『開目抄』においては「我れ日本の柱とならむ。我れ日本の眼目とならむ。我れ日本の大船とならむ。と誓いし願、やぶるべからず」との三大誓願の覚悟を示し、多くの人材を育成しながらも、激動の生涯を戦い抜いた。私は師の生き様に習い、もっとも深く、もっとも強く、もっとも気高く、世間から仰がれるような自分でありたいと思っている。

——我れ新時代の旭日とならむ。

組織造り・前編

私が若かった頃は、生き様に対して妙に潔癖になっていた時期があった。任侠の徒として侠道を歩んでいながらも、幹部に媚びたり、甘言に努めて立身出世をもくろむ者を見かければ、情けない奴だと心事を蔑み。

また、下の者の媚を喜び、虚勢を張っているような幹部に対しては、なおさら侮蔑し、その愚を笑い、唾したものだった。

だが、自分がある立場になった時に、その考え方が変わった。というよりも、強い集団を築くことの難しさが、そのことを教えてくれた。人間関係は、互いの相違点を認め合うことが大切だということに気付かされたのである。

そもそも、組織としての優劣は何によって決まるのか。それは、多様性だと私は考えている。

例えば、ピッチャーばかりを集めても野球にはならないように、数学の教師ばかりだと学校は成立しない。自分にはない個性を持つ人達がいて、様々な能力があるからこそ、多種多様の戦略を用いて興味深い展望が開けるのではないだろうか。

何より、組織造りというものは、まず信頼関係の構築を主体とした構造に置き換えるべきものであり、良好な人間関係なくして健全な組織運営など有り得ないことだ。

ゆえに、その過程においては〝認め合う〟ということが欠かせない要素であることは言うまでもないだろう。

山口組の五代目時代には、「山健組に非ずんば山口組に非ず」というようなことがしきりに囁かれていた時期もあったが、工藤會においても、田中組一門の中には、「田中組に非ずんば工藤會に非ず」というような気概と誇りを持っていた人々が少なからずいたことは、笑止の至りだが事実である。

しかし、その田中組も三代目時代と四代目以降とでは、まったくの別組織だった。特に、現五代目工藤會の菊池啓吾理事長が、四代目田中組若頭に就任してからというもの、田中組の変質が加速し、人間関係が複雑になり、挙げ句の果てには、平成二十六年九月十一日以降、一連の逮捕劇により世間を騒がせ、全国に目も当てられない恥を晒してしまっていることも、すでに承知の通りである。

かつては金看板を掲げていた田中組が、なぜそのような低俗な組織へと成り下がってしまったのか。

その一番の原因は、互いが認め合う意識の乏しさにあったと私は考えている。

その実態を私なりに内部の目で検証するならば、その組織構成が実に複雑だった。

例えば、野村総裁が三代目田中組々長から、工藤會四代目へと襲名した折には、田上会長が服役中だった事情もあり、田中組の四代目は空席のまま、三代目田中組からは、田上組、藤井組、船田組、山中（政）組、白石組、木政組、福山組、中村（数）組、小川組、山中（一）組、大浜組が工藤會直若に昇進した。

そして、藤井組の木村辰男、下川直也、蔵永修、大山真司、白石組の木村一男、福山組の福山幸一、山中（政）組の佐々木貴人、木政組の古本健二、中村（数）組の次谷修一、同じく田中組一門の中島組からは、瓜田太、門永晃、安部完雄、馬場資房、木原浩など、各組の若頭、役職クラスが四代目田中組から引き抜かれて、新たな体制を樹立する訳だが、そうしたやり方が田中組の伝統になっていたし、田中組から直参に昇進した組も二代目は認めない。田中組に人材を出さない組長は冷遇されるといった、暗黙の不文律があったことも事実だ。

加えて、田中組一門の組員は、例え直若に昇進した組であっても田中組を名乗らなければならず、田中組の頭領を親分と呼び、自分の親を親方と呼ぶように徹底した指導を受けていた。中には、田中組若頭補佐と中島組若頭を兼任している人がいたりして、実に複雑でわかりにくい組織構成である。

そのため、下々の組員の中には、自分の組に誇りや愛着を持てない人達がいたり、田中組の直若という地位に過分な価値があるという錯覚を与えていることで陰険な人間関係が生じていたり、我が親方を飛び越えて田中組に移籍したいと願う策士が、水面下で駆け引きや後ろめたいことをしていたり、挙げ句の果てには、その時々の雰囲気で豹変する派閥争いみたいなものまであって、低次元で秩序がないどころか、誰を信じて誰を頼ればよいのかさえわからなかった人もたくさんいたはずだ。

私が今刑の事件での接見禁止が解除になった時には、すでに菊池若頭を中心とした執行部体制に変わっていた訳だが、面会に訪れる連中の容姿があまりにも変化していたため、その理由を尋ねたところ、田上会長が、ヤクザヤクザした外見の人間を過剰に嫌い、近付けないことから、田中組では五分刈りや色付き眼鏡の使用を禁止して、身なりについても厳しく指導していたのだという。

私は、その返答を聞いて「お前達がしよることはホステスの姉チャンらがすることや。男なら自分の型を貫かんかい」と、うちの人間にやかましく言ったこともあったが、ある組員の髪型のことで田中組執行部が会議したという話を聞かされた時は、さすがにあまりにもくだらなくて呆れ返ってしまった。

確かに、田上会長が外見で人を判断するようなところが多分にあったことは否めない事実であり、以下の事情は後々の章で具体的に述べるつもりだが、木村博・五代目工藤會理事長代行をはじめ、田上会長が重宝していた人々がことごとく節操を曲げ、会長の信頼を裏切り、逆に、田上会長が遠ざけていた人々のほうが男気を見せたり、筋を通そうとしている現実を鑑みれば、なんとも皮肉な話だとしか言いようがない。

その頃から、重宝されている人物の名前を聞かされる度に、違和感や疑問を抱くことが多くなったし、田中組がおかしな方向に進み出したという印象を強く実感したことを、今でもはっきりと覚えている。

現代ヤクザの多くは、権力を持つものに屈し、その権力に正義を認めなくても犬馬の労を惜しまない。善悪など問題視しない。低俗な輩ばかりだと言っても過言ではないだろう。

問うを許さぬもの。問う必要のないもの。善悪にかかわらず従わざるを得ない命令。こと田中組に関しては、罪の意識はあっても片目を瞑ってやり過ごせる人間か、それに気付かない程度の愚かさがなければ、集団から疎外され、冷眼視され、冷飯組に回される。田中組にあっては、良心の欠如は美徳ではなくても悪徳でもないという悪しき習慣が常態化していた。

まして、諫言したり、正義を訴えるほどの度胸の持ち主など一人もいない。その結果、罪もない女性を無差別に襲撃するという、ヤクザ史上類を見ない卑劣な犯行に及ぶのである。田中組の主義思想のない組織造りは、あまりにも幼稚で、悲しいほど愚かな罪を犯し、己を是とする独善的な狂信者の集団に成り下がってしまったことも、必然の流れだったと言えるだろう。

一方、組織人にとって人事が最大の関心事であることは昔も今も変わらない。その際に賛否に分かれ物議を醸したり、不平不満の輩が派閥を造るのも見慣れた景色である。

こと工藤會に関しては、今になって、その結果論から、田上会長が、菊池啓吾を田中組の後継者に指名して、会の理事長へと抜擢したことがそもそもの間違いだったと、田上会長の人物眼と先見の無さを批判する声が方々から挙がっているそうだ。

確かに、菊池啓吾という人物を、果たして心底から認められた存在か、それとも彼が得た権勢に屈しての人望かと客観的に検証してゆくと、私には前者と思える材料を何一つとして見出すことができなかったたし、彼が四代目田中組若頭に就任する以前には、田中組一門の約八割位の人間が、菊池理事長のことを毛嫌いしていたことも事実である。

私と菊池理事長とはいわゆる同学年で、工藤會では我々の世代がもっとも多く、しかも各組で要職に就いている人材が実に多かった。

また、少年時代には、私にとって無二の存在である金城正福を筆頭に、青木晋司、稙田一也、松本哲也、博多では、藤目康明、髙橋義博等々、有名どころの不良がたくさんいたものだが、私は菊池啓吾という名前を知らなかった。私が彼のことを知ったのは、田中組と縁を持ってからのことである。

その人物評について、私なりの見解を言わせて貰うなら、噂で聞いていた通り、薄情で、傲慢で、狭量で、対人知性においてひと癖もふた癖も問題があり、金銭感覚にしても垢抜けたところがまったくないというのが印象的だった。

特に、佐世保刑務所での服役中には、菊池理事長の舎弟が、菊池理事長の眼前で、熊本連合の者から袋叩きにされていたにもかかわらず、指をくわえて傍観していたことがあったらしく、獄中での評判も耳を覆いたくなるほど悪かったし、人格の欠落については自覚しているということを　本人の口から聞いたこともある。

ただ、私に対してはすごく好意的な人だった。食事や銭湯に誘ってくれたり、キャバクラなんかでバッタリ会うと、自分の連れを追いやって、わざわざ私のために自分の隣の席を空けてくれたり、何かと気遣ってくれていたので、私的には嫌っていた訳ではなかったが、ある時に、私に対していも引いとるなと感じたことがあり、右の事情なども含めて、私が菊池啓吾という人物を男として認めていなかったことは言うまでもないだろう。

とはいえ、じゃあ菊池理事長以外の人物で、誰が田中組の五代目組長としてふさわしかったのかと問われたならば、これといって名前が出てこないのも事実である。いや、それなりの器量人はいるにはいるのだが、やはり先代の田上会長と比べると格段に小型の人物でしかなく、誰が田中組の五代目を継いだところで、並の存在感しか示せなかったことは、火を見るよりも明らかだった。

その点、菊池理事長には若さがある。実力の有無は抜きにして、三十代で名門田中組の五代目を継承したというところに、ある種のカリスマ的要素が生じる訳で、あとはその地位での経験を通すことで育ててゆけばいいと、他にいないのであれば啓吾でも育てるか、と田上会長は考えていたのではないだろうか。

しかし、その彼を五代目工藤會の理事長に据えたことは、償い難い失敗だったとしか言いようがない。

では、理事長の地位には誰がふさわしかったのか。私は長谷川泰三組長こそ、その最適任者だったと思っている。

長谷川の叔父貴は「至誠」という言葉がよく似合う聖人君子のような方で、その人間力は際立っていた。礼節を重んじ、名利を追わず、全国の代紋頭の親分衆と比較して少しも遜色がない。落日のヤクザ社会にあって、真善美のために尽くすことに充足感を求めるというような士魂の持ち主である。

私は長谷川の叔父貴とさして接点があった訳ではなかったが、遠くから見ていただけでも、この人はどこまで広くて、深いのだろうと目眩を覚えるほど敬慕していた。世間の眼は往々にして人物を誤る。現代ヤクザと言うと、まるで獣と同じ観点で見ようとする人がいるみたいだが、中には、長谷川の叔父貴のように、崇高で、気高い極道が稀にいるということも知って貰いたい。

また、その長谷川の叔父貴が率いる長谷川組にしても、直参に昇進した藤目組長や髙橋若頭をはじめ、人材の宝庫と言っても過言ではなく、工藤會にあって長谷川組はもっとも卓越した組織だった。

だが、工藤會には、田中でなければ極政であるし、両者を不可とすれば終息がつかないというような空気がある。

もっと言えば、田中組が名利を独占するためには、是が非でも菊池理事長でなければならなかったのかもしれず、さらに見方を変えると、もし長谷川の叔父貴を理事長に抜擢して、会の舵取りを任せていたとするならば、前述の女性襲撃事件などに際して、恐らく異を唱えたり諫言したり、少なくともそのような卑劣な犯行に加担することはなかっただろうし、田上会長も、長谷川の叔父貴のそういうところを熟知していたからこそ、長谷川理事長では駄目だったのかもしれない。

いずれにしても、田上会長は菊池啓吾を選んだ。相手以上の器量が自分にあると信じていながらも、その相手の顔色を窺い、下積みの苦汁を嘗めさせられていると思うことほど耐え難い屈辱はないだろう。工藤會の士気が上がらなかったのも自然の成り行きである。

私は、逮捕後から今に至るまで、外の連中や顔見知りの刑事、その他の関係者を通じて長谷川の叔父貴の動向や様子について興味深く伺っていたが、人物が別格だと誰もが口を揃えて語っていた。それほどの人物が、会の人事の度に誰彼より上になったり下になったり、理不尽にも都合よく処遇されている現実を目の当たりにして、私は唯々失望したものだ。

私は、長谷川の叔父貴が重宝されない一番の理由は、その出身地が北九州ではないところにあると考えている。

元々、小倉と博多は豊前と筑前で国が異なることもあり、その土地の気質がまるで違う。

現に、北九州人の中には、博多者がなんぼの者かと公言し、対抗心を燃やしている者も多く、工藤會にあっては例え傑出した器量の持ち主であったとしても、当代に坐ることはまずないだろう。

個の尊厳よりも派閥の尊厳を尊重し、保身に満ちた体制を維持する。精神性の輝きも誇りもない人間の志向が、正義から逸れてゆくのは、保身に執着するがゆえだと私は思っている。私がもっとも嫌っていたものは、そうした工藤會の狭量な体質だった。

そもそも人事の狙いがどこにあるのかと言うと、勢いである。政治の世界でも、政権への支持率が低迷すると決まって内閣を改造するように、本来、人事や外交といったものは勢いを呼ぶべきものでなければならない。

その中で大切なのは、誰が要職に就いたのかということではなく、その要職に就いた人がどんな働きをするのかということではあるが、地位や役割というものは、己の力で奪い取ったり、派閥の者に与えるものではなく、周囲から望まれて得るべきものだろう。

古代の中国には、

天子を立てるは天下の為なり

天下を立てるは天子の為にあらず

という、主権を万民に置いた金言がある。

工藤會がそのような組織だったなら、健全で、優秀な人材がたくさん育っていただろうし、下々にまで共感を呼ぶほどの勢いが生じていたはずだ。

ある宗教団体の名誉会長は、「組織を結ぶものは権威でも掟でもない。情愛であり、和気であり、思いやりである。組織のために人間がいるのではない。人間のために組織がある。笑いあり、涙あり、感動あり。決意と感謝の心がひびき合い、悩みが勇気に、疲れが充実へと変わる」と言った。

私は組織という枠組の中で、どこまでも人間臭く、私にしかできないような崇高な使命を背負ってみたかった。五代目工藤會は、もはや風前の灯である。

組織造り・後編

漢王劉邦に仕えた韓信は、こと用兵に関しては中国史上でも並ぶ者がいないと謳われたほどの天才だった。その主従の間で、実に興味深い逸話が遺っているので紹介したい。

ある時、劉邦と韓信が様々な問答をしていた折に、話題がたまたま軍才の話になった。かつて死んだ将たちや、生きて栄爵を得ている将たちの優劣を双方が採点し、やがて劉邦が「このわしはどうだろう」と、韓信に聞いた。韓信は一笑して、

「陛下はせいぜい十万程度の将であり、それ以上の兵力は、とても無理だ」と答える。誰よりも戦下手の弱者であることを自覚していた劉邦は、そうかと思い、しかし面白いはずもなく、奇妙な気持ちを誤魔化すように両手で顔を何度もこすった。そして、やがて手を止めて韓信に「では、お前はどうだ」と追って尋ねた。

すると韓信は平然と、「兵力が多ければ多いほどよい」と言った。劉邦はもっともだと思いながらも、「それほどの男が、百万、千万の将軍であるお前がなぜわしに仕えているのか」と聞くと、韓信は、「陛下は将に将たる器であって、兵に将たる器ではない」と答えるのである。わかるだろうか。

例えばそれが政治の世界なら、将とは大臣のことであり、将に将たる器とは総理大臣のことを指している。それぞれの立場にはその器量に応じた役割があるように、各省庁の社員、つまり兵を束ねる

のは大臣の仕事であって、総理大臣が兵のことで口出しするような組織は、組織としての機能を果たしていないことを右の故事は示唆しているのだ。

はるか昔には孔子も「君は君なり、臣は臣なり」と言い、社会や組織を形成する者には格と持ち場があり、そこに居てそれを守るのが政治である。と説いている。

組織としての強さが多様性で決まることや、認め合うことの重要性については、すでに述べた。その上で、それぞれの個性や能力、あるいは努力といった要素を存分に活かし、組織を機能させるには、やはり核になる人材を育成しなければならない。

私は理詰めで感情の入る隙もなく、誰が組み立てても結果は同じ筈だ、というような思い込みの強い人が苦手で、その種の価値観や人生哲学は持ち合わせていないのだが、こと組織造りに関しては、理を以て描かなければ、どうしても個の能力に依存せざるを得ない状況へと陥ってしまう。

例えば、絶対のエースや不動の四番打者が不在だと勝てないようなチームは、決して強いチームだとは言えない。それと同様で、個々の能力に依存せず、エースや四番打者が欠場しても総合力で勝てるチームを目指す上では、合理性を求め、それぞれが実力を存分に発揮できる持ち場で、全力を尽くせる環境を整えることが肝要である。

特に、組織が大きくなればなるほど神経が通いにくい箇所ができるため、各持ち場を管理する人々の働きは極めて重要であり、スポーツの世界でも強いチームには必ず優秀なコーチがいるものだ。

ある哲学者は「戦いに敗れたり、何らかの失敗をして悔いが残るようなことがあるとするならば、それは敗北や失敗という事実よりも、むしろ全力を尽くせなかったところにあることが多い」と言った。

ゆえに、組織の中で核となって働く人々は、それぞれが存分に持ち味を発揮できる仕組みというものを常に念頭に置かなければならない。

一方で、上に立つ者は孤独だ、という考え方もあるが、上に立つ人物が孤高であっても、孤独感を抱かせるような組織は健全な組織だとは言えないし、そうならないように苦心しながら努めることもまた、中間管理職として果たすべき役割の一つだと私は考えている。

また、世の中には、数観念の信者みたいな人が少なくない。かつては極道社会でも数の論理を典型とする力学が主流だった。

しかし私は、質よりも量を重視する数観念の理論を、ある意味では正論で、ある意味ではそうでないと思っている。

なぜなら、組織力というものを数量だけで換算した場合、必ず矛盾が生じるからだ。

その根拠を一つ挙げると、十人の構成員がいて、その内の三人だけが尽くしている組織と、構成員は五人しかいないが、その五人全員が尽くしている組織とでは、どちらの組織力のほうが上か、ということである。

さらに見方を変えれば、将軍の下に実力が等しい兵が百人いる組織と、将軍の下に優れた将が五人いて、その五人がそれぞれ十人ずつ兵を持つ五十人の組織とでは、往々にして後者のほうが強い。この理屈がわからない人は、所詮強い組織を築き上げることなどできないだろう。

ゆえに、私が組織というものを採点する場合は、数ではなく質に目を向けるようにしている。人数よりも尽くしている人がどれ位いるのか。また、それらの人々にはどれほどの器量が備わっているのか。その辺の実情を見極めた上で、組織としての可能性と自分なりの展望を重ね合わせてゆく。

実のところ、私は、生まれてこの方、野心というものを抱いた記憶がない。元々、権勢みたいなものに対して魅力を感じないたちにできているのだろう。

だからと言って、社会の片隅で、何事もなく、無難な一生を望んでいるのかと言うと、それは違う。栄達欲がまったくないという訳でもない。

では、この世の中で、私が何を目指して何を為そうとしているのかと言うと、私の場合は、自らの半生を通して学んだことや培ったものを用いて、どれほどのことができるのか、自分が考え抜いて繰り出す手を一つの芸として見事に仕上げ、芸術的人生観を完成させたい。新しき時代の礎となりたい、という物欲とは異なる、強烈な表現欲のごときものは持っている。それを野心と呼ぶのであれば野心なのかもしれない。

「栄枯盛衰は世の習い」。この言葉を聞けば、歴史に詳しい人なら誰もが真っ先に源平の物語を思い浮かべたことだろう。

他方、江戸幕府にしろ何にしろ、いつの時代でもそうだが、歴史上のどこを見渡しても永遠に栄え続けた国や組織は存在しない。無論それは、人を教戒し、組織を成長させることがいかに困難であるかということを物語っている証だ。

そもそも、組織とは生き物である。いくら今が順風だからといって、すべての現状を肯定してしまえば備えが疎漏になり、そこから生じる企画や展望にも厳しさが欠ける。

ゆえに、ビジョンを描き、実行し、完成という目標を追い求める上では、前進こそが利で、停滞することを害と考えていなければならず、そうした害を除き、慢性的な組織悪を患うことなく、かつ日々の形成と変革を委ねる過程で醸成させるには、当然、競争の原理を用いて組織の活性化を図ることがもっとも効果的な手段だと言えるだろう。

その点において私は、出世や金儲けのようなちっぽけなものを競い合うのではなく、男気や美徳のようなものを競い合う、心ある集団を築くところに理想を置いている。

別に、出世や金儲けを競い合うことが悪いことだと言っている訳ではないが、我々が生きてきたヤクザ社会に例えると、一億と数千万人の人口に対して、全盛期でさえ十万人にも満たない小規模なものでしかなかったし、そのようなスケールの小さな世界で私的なことを争ってみたところで、後生に伝えられることなどたかが知れている。

だが逆に、男気や美徳のようなものを競い合うことで互いの人間力を高めてゆけば、私のような名もなき男でも、この世の中に何らかの心を遺すことができるのではないだろうか。

それに、他人から人間性を買われることで必要とされるようになれば、個の能力を補って余りある世界観が生まれることもまた、紛れもない事実なのだ。

例えば、プロ野球選手の中にも才能や実績では他の選手と比較して格段に劣るが、誰よりも大きな声を出してチームメイトを激励し、野球に対する取り組み方だったり、常日頃の姿勢が他の選手や首脳陣、あるいはファンの人達にまで幅広く共感を呼び、その存在がベンチにあるだけでチームの士気が高まり、なくてはならない役割を果たしている人を稀に見かける。そのような選手は、ある意味三割打者よりも貴重な存在だと言えるのではないだろうか。

中国三千年、ないし四千年と言われる歴史の中で、最古の王朝である「夏」を開いた啓には、禹という父がいた。禹は、今からおよそ四千年も昔の人物であるにもかかわらず、その一生を治水事業に捧げた王として、今でも中国人から敬慕されている。

現代社会を生きる人々は、こうした故事によって微妙に発せられる暗号を元に、人間の思考や行動を時代の条件から凝視してゆくことで、自分なりの生き方を創造し、生産することに努め、やがて人生のどこかで結実させるという使命を背負わなければならない。

かつて上州においては、侠客・国定忠治の悪口を言えば、村人は水一杯分けてくれなかったと伝えられている。果たして、この逸話からどのような暗号が発せられているのか。それは考えるまでもないだろう。

例えヤクザだったり無頼の徒であっても、男気や美徳のようなものを根本に、人間力を高め、善の振る舞いに徹すれば、それに応じて周囲の人々や環境に備わる善の働きが呼び起こされるということを、国定忠治の遺徳が教えてくれているのだ。ならばこそ、そうした教えに従順に生きてゆけばいい。

我々日蓮信者には、「異体同心」という、個を尊重し、人間の可能性を最大限に開花させる最高の組織論がある。

「異体」とは、それぞれの個性、特質、立場、あるいは適性や状況などが異なること。

「同心」とは、志や目的を同じくすること。各人が同じ心に立って力を合わせることをいう。

現代ヤクザの社会のように、「異体異心」からは無秩序な組織悪しか生まれない。逆に、「同体同心」という関係は、互いの個性を認めない集団主義であり、極端な全体主義になってしまう。それでは合理性を求めることもできないし、個の能力を組織力へと転換させることもできない。

日蓮大聖人は、この異体同心について、「日本国の人々は多人なれども、同体異心なれば諸事成ぜんこと難し。日蓮が一類は異体同心なれば、人々少なく候えども、大事を成じて一定法華経弘まりなんと覚え候う。悪は多けれども、一善に勝つことなし。譬えば多くの火集まれども、一水には消えぬ。

この一門もまた是の如し」と言った。

また、ある新興宗教の名誉会長は、「第一に、深い哲学がある。第二に、たゆまぬ行動がある。第三に、一貫した勇気がある。異体同心には、万人が皆、平等であり、尊極の生命であるという法華経の哲学が裏付けにある」と言った。もうこれ以上の言葉を補足する必要はないだろう。

私は現代ヤクザの親分衆の中で、二代目東組の瀧本博司組長と三代目俠道会の池澤望会長のような、懐が深く、人情味に溢れた昔気質の親分が大好きだ。

人間力が高い頭領が率いる組織には、アットホームな雰囲気があり、精気があり、一本筋が通った独特の伝統のごときものが宿っている。

特に、俠道会には素晴らしき伝統がある。それは、信義に基づく生き方である。私も三代目俠道会の方々には随分とお世話になったものだが、義理堅くて思いやりのある人が多く、初代から今の若い人達に至るまで、義の精神がしっかりと受け継がれているという印象を強く抱いた。

そのように、崇高な使命を伝統にしている組織というものは、どこまでも強く、尊いものであり、私が理想とする大組織としての心が尾道にはあった。俠道会にしても東組にしても、実に素晴らしく、手本になる組織だと思っている。

いつだったか、何かの雑誌で郷土愛について検証したものがあり、結論から言えば、偉人を輩出した地域ほど、その傾向が強いという解釈を見かけたことがある。確かに、そうなのかもしれない。そういう意味では、山口県こそその典型だと言えるのではないだろうか。

あの地方の人々は気位が高いとも言われてはいるが、何であるにせよ、その背景には幕末から多くのスター志士を輩出したという誇りがあることは間違いない。

そもそも人間という生き物は不思議なもので、尊貴なものに対しては何らかの接点を求めようとする心理的傾向をほとんどの人が備えている。ゆえに、人々の心が偉人の遺徳に薫陶を受けることで崇高な使命感を帯び、誇り高き伝統となってその土地土地に根付いていてゆくのだろう。

その点において山口県という地域は、全国的に見ても人口が少ない県であるにもかかわらず、数多の歴代総理大臣を輩出しているという歴史を鑑みると、吉田松陰は、もはや二百年揺るがない土壌を練り上げていたと断言しても言い過ぎではないだろう。

私が目指す究極の組織造りの本質は、そこにある。人生第一等の生き様を胆に据え、百年揺るがない一大事業を為し遂げてみたいものである。

危機管理

混迷と言われる不毛の時代を迎えて、何かしらの危機感を抱いている人は少なくないだろう。

危機管理という言葉がある。この言葉を聞くと、多くの人は〝守る〟〝防ぐ〟〝備える〟を連想するかもしれないが、私の場合は危機管理イコール〝前進〟でなければならないと思っている。

ある哲学者は、人生に敗北と呼ぶべきものがあるとするならば、それは希望や向上心を失った時だと言った。

どこの世界でも、現状に甘んじる人は成長しない。そもそも、人生には現状維持など有り得ないことだ。社会で成功している人達を見ていると、苦しい時には果断に挑み、うまく行っている時にも努力を怠らない。常に前進しようとしている。要するに、前へと踏み出すことで絶えず成長しているからこそ、危機的状況に遭遇しないのである。

もちろん、守る、防ぐ、備える、を意識することは大切なことだと思う。大切なことではあるが、それを意識したがために、自らの行動を妨げることがあってはならない。ゆえに立ち止まっている人には失敗が保証されているということを、まずは胆に銘じるべきだろう。

また、恐れを知らない人間が真っ先に失うものが、考える力だと言われている。確かに、猿に木登りをさせるとそれがよくわかる。猿は、少しも恐れることなくどこまでも登ってゆく。

では、高所恐怖症の人間の場合だとどうするだろうか。恐らく、木の枝を掴むなり、命綱を掛けるなり、落ちない方法を考え、工夫をするはずだ。

そのように、人は誰しもが何らかの危機感を抱くことによって、自然と防衛本能が働くようにできているものである。

例えば、競技の試合で何度注意をしても全力を尽くさない選手がいたとする。そんな選手には、言葉であれこれ言うよりも、レギュラーから外して試合に出さなければいい。そうすれば、試合に出たいと願う選手なら、次に試合に出た時には全力を尽くすに違いない。

事実、何らかの問題を解決したり、人を導くことにおいて、適度な危機感を与えることが効果的だということも実証されている。

そうした危機管理イコール前進という仕組みを築く上で拠り所とすべきものは、やはり法であり、組織論で言えば、信賞必罰の指針はその最たる考え方だと言えるだろう。

「刑吏が刑を執行する時、王は音楽を慎んだ。死刑の判決を知ると涙を流した」と、中国の儒家は言った。

それに対して『韓非子』の著者である韓非は、法による刑の執行に涙を流したのは〝仁〟を示したのであって政治を行った訳ではない。刑を望まず涙したのは〝仁〟によったからである。にもかかわらず、刑を執行したのは法によったからである。昔の聖人でさえ、涙を流しながらも結局は法に従ったではないか。〝仁〟によって政治が行えないことは明らかである。と言った。

法に通じた者ならば、その意志は揺るぎなく、行動は徹底する。徹底した行動がなければ悪事を正すことはできない。それが韓非子で言うところの組織論である。

しかし、罪の自覚を核とする生き方が破綻している現代ヤクザの社会においては、組織悪の観点が上に立つ者の人間悪から発している場合が多く、それを正そうと思うのであれば、下の者には並々ならぬ覚悟がなければならない。無論、その上では諫言《かんげん》という要素が極めて重要な役割を果たすことになるだろう。

古代の中国で六百年にも及ぶ栄華を極めた商王朝には、紂王という悪名高い暴君がいた。

その紂王に仕えた比干という人は、紂王に従わず、身命を賭して諫め、国のために報いようとした。三日三晩に渡って紂王を諫めて改心を迫った訳だが、紂王は、聖人の心臓には七つの穴があると聞いたことがある。穴があるかどうか調べてみようと冷ややかに言い放ち、比干の首を撥ね、五臓六腑を切り裂いた。紂王はやがて周の武王によって滅ぼされ、比干は諫臣として尊敬されたという。

私は比干のような男に惚れ惚れする。ゆえに、組織においては直言できる部下でありたいと思い、それを貫いてきたつもりだ。しかし諫言というものは実に難しいもので、思い通りにならないことや、嫌な思いをしたことも数しれない。

私が諫言を実行する際に心掛けていることは、次の三点である。

・人格を否定しないこと。
・他者と比較しないこと。
・至誠を尽くすこと。

まず、相手の人格を否定しないということは、諫言のみならず、人として最低限のマナーであり、常識でもあるが、これは私が自らの失敗談から学んだ教訓だ。

次に、なぜ他者と比較してはいけないのかと言うと、諫言を劣等感に置き換えて考えてみて欲しい。健全な劣等感というものは、他者との比較ではなく、理想の自分との比較から生じるものではないだろうか。

現代ヤクザの社会において、恥も外聞もなく不義理するような人々は、決まって自分の主人と他者とを比較する。その結果、自分の主人のほうが遥かに及ばぬ小人物だとわかった時に、脆くも節操を曲げるのである。実にくだらない生き方としか言いようがないだろう。

最後は至誠を尽くすことの意義についてだが「臣に屈して天下に勝つ」。いつか何かの本でこの言葉を知り、すごく感銘を受けたことがあった。

つまり、人の上に立つ者が自分の過失を部下から指摘され、すぐに改める。いかにも体面にかかわることのように思えるが、実はかえって名声を高めるということだ。

言うは易く、行うは難いものだが、吉田松陰は「至誠にして動かざるものは未だこれあらざるなり」と言った。

人は、何らかの危機感を抱くことによって、自然と防衛本能が働くようにできているということはすでに述べたが、危機感を抱かなければ前向きになれないような人は、いずれ道を誤ることになる。

決して合理的な生き方だとは言えない。

私が理想とする、より健全で堅実な危機管理とは、実際に起こりうる物事に対して身構えることではなく、危機的状況に遭遇しない心象風景を創造することだと考えて欲しい。

経営心理学者・カウンセラーの飯田史彦さんは「ブレイクスルー思考」という考え方について、〝目の前の壁を解決することが、乗り越えたことになる〟と考えるのではなく、〝目の前の壁そのものに価値があり、価値のない問題など存在しないのだから、その試練に挑戦するだけで、乗り越えたのと同じ価値がある〟と考えながら、人生の試練を気楽に乗り越えて行こうとする思考法だ、と定義付けていた。

私も同意だ。この考え方には強く共感したものだが、それは危機管理においても同じことが言えるだろう。つまり、危機的状況を危機的状況と認識しなければ、危機的状況に遭遇することなどない訳であって、失敗、挫折、不運といったものから危機感を抱き、それらを防ぐ、あるいは取り戻そうとする、プラス思考なのかマイナス思考なのかよくわからない捉え方をするよりも、すべての物事に大きな価値を感じて、何事も楽しみながら前進しようという建設的な生き方を目指したほうがいい。

そのためには、自らが果たすべき使命が、誰かのため、何かのためにいかなる位置を占め、いかなる方向からその責任と役割を分担するかという点に関して、常に明確な自覚を持たなければならない。

人生においてもっとも大切な要諦は、昨日より今日、今日より明日という姿勢で日々挑戦、日々発心することであり、誰かではなく自分、いつかではなく今である。

そして、自らの使命に目覚めた人が起点となって一人立つ。その姿に感化された次の人がまた立ち上がる。何があっても停滞することなく、前へ、前へと、互いを輝かせ合って前進する。苦難が大きければ大きいほど、喜び勇んで前進する、そうした組織論こそが、真の危機管理ではないかと私は思っている。

確かに、組織の明暗は、上に立つ人物の資質に比例することが多い。特に、現代ヤクザの組織においては、その地位の上下が、必ずしもその人の真価によって決まるものではない、というところに大きな問題があると言えるだろう。

私は、五代目工藤會の菊池啓吾理事長が四代目田中組若頭の職を拝命した時に、彼程度の器量で万人から認められ、尊敬され、重んじられ、頼られる人物へと向上するにはどのように振る舞うべきか、あらゆる方向から考えてみた。

正直、実に難しい主題ではあったが、私なりに唯一思いついた結論は、質素倹約な私生活に徹し、小は小なりに悟り、下々の組員の労苦に深く歩み寄ろうとする以外に道はないというものだった。

人格には著しく欠陥があり、器量は並程度、功績があった訳でもなければ、自前の若い衆すら一人もなく、金儲けが達者だった訳でもない。まして、大半の組員から嫌悪されていた男が親分からどこを見込まれたのか、タナボタで手に入れた地位である。

にもかかわらず、虚勢を張り、かつての先輩方を顎で使い倒し、派手に散財しては独占的な権力に酔い痴れる。挙げ句の果てには、他組織の賭場で数千万円負けて帰って来て、クーデターのごとき絵を描かれたことさえあったという。私に言わせれば、彼は好んで破滅への道を貫いたようなものである。

話は前後するが、象牙の箸の話を知っているだろうか。前述の商王朝には、箕子という名宰相がいた。中国で随一の博識人と謳われた稀代の政治家である。

その商王朝において、天子である紂王の箸が象牙で造られたものに替わったことを知った時、箕子は「それが、天下の禍いのもとにならねばよいが……」と言って、眉をひそめて嘆息したという。

その理由は、いつの間にか貴族から庶人までもが天子の暮らしぶりに憧れを抱き、宮室を覗き見ようとしている。にもかかわらず、この度のように天子の箸に、めったに手に入らない象牙が使われていることを知れば、万民はどう反応するだろうか、というものであった。

それと同時に、箕子は紂王の意識の変化を恐れた。今は箸だけの贅沢ではあるが、物には釣り合いや調和がある。象牙の箸が、土で造られた食器にふさわしいとは思われない。酒を飲むにも、木を曲げて作ったような杯ではなく、犀の角や玉で造った杯を好むようになり、象牙の箸と犀玉の杯が揃えば、豆類の吸い物は止めて、必ず牛や象の肉を食べて豹の胎児のスープということになる。

食が変われば衣と住も変わらざるを得ない。今は粗末な短衣を着ていても、やがて錦の着物を重ねて着るようになる。とすれば、茅ぶきの小屋に住んでいられるはずもなく、大広間のある高殿で食事をするようになるだろう。箕子は、象牙の箸一つから高層楼台を想像したのである。

後年、戦国時代の末期に、韓非が、象牙の箸のような小さい物を見て天下の大事を知ることを明と言うのだと、古人である箕子を誉めた逸話は有名だが、箕子はただ単に贅沢を嘆き、質素倹約を促した訳ではない。要は、天子が成長しなければ人民が成長しない。人民が成長しなければ、国家が威風堂々と前進し、勝利の歴史を築くことはできないということを切実に訴えたのである。

商王朝は六百年の歴史を通して、紂王の代で最盛期を極め、紂王の代において滅亡した。すべてはその一事を以て明白である。

変革

一銭でも盗めば賊と呼ばれるが、一国を奪えば英雄と称えられる。おかしな話である。

かつては極道社会でも、互いの縄張りを競い合うようにして侵し合っていたものだが、他人の茶碗を奪い取るという行為が人道から外れていることは、言をまたない。

とはいえ、その時代にはその時代に応じた生き方があることも事実だ。やはり、いつの時代にも、その時代を生きた人にしかわかり得ない事情や背景があるということもまた、肯定すべき真実だと言えるだろう。

中国の春秋時代の初期に、管仲という政治家がいた。法家の祖であり、中華で覇を唱えた斉国において士農工商の身分制度などを制定した人物である。

管仲が生きた時代は、無闇に人が殺害され、物資は略奪されて、社会の秩序は完全に荒廃していた。そうした救い難い世の中にあって庶民が生計を立てやすいように法を定め、治安を守り、さらに富国強兵を実現させるには、四民による身分制度を制定することが必要不可欠だった。

遥かのちには、日本においても士農工商による身分制度を導入しているが、移りゆく時代と共に、いつしか身分制度そのものが社会の足枷となり、やがて差別問題へと発展してゆく。

つまり、永い年月をかけて正当性を持っていたことであったとしても、それから先もずっと正しいことだとは限らないということであり、その時その状況に応じた自己変革が求められるものである。

私が十八歳で極道社会に足を踏み入れた時代は、この世界の概念は昔気質の知性で成り立っていた。私自身も昔気質の生き方に憧れていたし、古い人達の考え方や助言などもよく理解できたものだ。

また、遥かに上を見上げても、世代による価値観の相違を実感したことはほとんど記憶にない。

それが、僅か三十年足らずの時間の中で、極道社会はまるで別次元の世界へと様変わりしてしまった。しかも、同業でありながら生き方に関する価値観の相違が歴然としている場合が多く、人と人とが調和することにおいて難しさが生じていることも事実だ。

だが、それは致し方ないことなのかもしれない。我々が若年の頃は世の中の情報に乏しく、選択肢も限られていたため、人生に対する価値観も至極単純明解だった。

例えば、抗争事件で躰を懸けた他組織の功労者が、出所後に総本部でメダルを授与された話を聞いたり、身内の長期服役者が帰省した勇姿を目の当たりにして、恰好いい。自分も後に続きたいと、憧れた程度の単純なものでしかなかった。

そこには世間一般的な善悪は抜きにして、組織のため、親分のため、あるいは誰かの仇を討つという大義にも、ある種の純粋な精神が宿っていた。

それが今の時代ではどうだ。世の中にはありとあらゆる情報が溢れていて、その中から自分にとって都合のよいものだけを掻き集め、物事の上っ面のところを好奇心だけで追究しているからこそ、方向性が複雑で、一貫性がなく、何がやりたいのか理解し難い上に、価値観ばかりか善悪の基準までもが多様化している。すべての混乱は一点の濁りから生じるものだ。

こと工藤會に関しては、獄中においても「工藤會はイケイケですね。徹底してやりますからね」と、他組織の人達からよく言われたものだが、果たしてそれは誉め言葉なのだろうか。私は、決してそうではないと受け止めている。

なぜなら、工藤會におけるそれは、堅気の善良な市民に向けた凶行がほとんどで、その行動原理は、金権亡者の思想、営利至上の拝金主義に基づく暴力性から発したものだからだ。

平成二十三年十一月二十七日、北九州市小倉北区妙見町の路上で内納敏博さんという、暴追運動を推進する企業の会長が殺害された。

その翌日の獄中において、工藤會で私と同じ一門に属する若い子が、その事件の詳細を報道で知り「うちの組織は徹底してやりますからね」と、他組織の人に対して自慢気に豪語しているのを聞いて、お前はアホかと、罪もない七十二歳の年寄りが殺されて、ヤクザでござると胸を張って自慢するような奴はただの人殺しやと、その程度の性根なら辞めてしまえとやかましく言って、後日、その被害者の方に写経を送付したこともあったが、そうした歪んだ価値観に誇りを持っていた組員が少なからずいたこともまた、嘘偽りのない事実だった。

結果、一般の女性を襲撃するというヤクザ史上類を見ない卑劣な犯行を筆頭に、取り返しのつかない誤ちを繰り返し、工藤會はヤクザ組織からテロ集団へと成り下がり、その俠道に苦悶と恥辱の烙印しか押さなかった。

そして、子供のように何の疑いもなく組織の法に染まり、彼らが自らの自由や良心と引き換えに得たものは、功労者という虚名と一片の贈位の沙汰に過ぎない。

近年、現代ヤクザの社会では、重宝されるヤクザの型が大きく変質している。その中で、少年時代から不良の世界で脚光を浴びたことがない階級の人達にとっては、肩書きというものが信仰に似た価値観を持っていて、冷飯組が権勢を得たという側面が、多少なりとも組織の屋台骨を支えているのだろう。

しかし、永らく第一線で男の意地を貫いてきた人達は、弱体化した組織で偉くなってみたところで何の値打ちもないということを、すでに悟っている。ゆえに、役職を返上した人も少なくはないはずだ。

何が正しく、何が大切なのかすらわからない。ヤクザ社会の組織悪は多くの組員を盲目にはしたが幸福には為し得なかった。もはや古い権威の力では、今のヤクザ社会を変革することなどできないと私は確信している。

平成二十六年九月十一日、五代目工藤會野村悟総裁が十六年前の殺人事件の容疑で逮捕されて以降、野村総裁、田上会長、菊池理事長はじめ、五代目田中組一門の主要な人物のほとんどが連座する事態となり、一連の事件の全容が公になった。

その過程では、会が特定危険団体に指定され、五代目工藤會総本部、野村本家、五代目田中組本部、紺屋町支部等々の各施設が使用禁止となり、閉鎖されたばかりか、ヤクザとしての活動すらできず、五代目工藤會は潰滅への一途を辿っている。

すべてが混乱し、変わりやすい世を見ながら、ヤクザ社会の現実は、もう永久に不変の闇のごとき絶望感を漂わせている。

そして、現役ヤクザの多くが余生に対する答えを見出せずにいる今、我が工藤會においても、事件に関与した者、獄中で服役している者、あるいは社会で待っている者、それぞれが言いたくても言えないことがたくさんあるだろう。それをわかっていながらも、自らの俠道に棘を刺したまま片目を瞑ってやり過ごすのはあまりにも薄情ではないかと思ったことも、この拙書を執筆しようと思った一つの動機だった。

ゆえに、彼らの切実な思いを代弁しつつ、事件の背景や、様々な裏事情についても追々言及してゆきたいと思っている。

そもそも、人は何のために生まれて来るのか。それは、幸せになるためである。道に迷いし人達は、まずこの原点に回帰して欲しい。

ある新興宗教の初代会長は、「自己を空にせよと言うのは嘘である。自分もみんなも共に幸福になろうというのが本当である」と喝破した。

私も仏教徒ではあるが、空の思想というものをさして重要視していないこともあり、右の言葉にはすごく共感したものだ。と同時に、そういうことが胸を張って言える自分でありたいと強く願った。

「人間は、どんな人でも幸せになっていいんだよ」と仏は説いている。

無論、罪を犯した人は、それを償わなければならない。その過程では、徹底した内省と自己解体が必要になるだろう。また、結果として、信頼、時間、希望など、失ったものもたくさんあるはずだ。

しかし、罪を償った後は、誰人も幸せになって欲しい。いや、その途上でも、その人なりの幸福感を実感して欲しい。

自らが犯した過ちが、永遠に変わらない事実ではあっても、それらを断罪し、呵責し、負の宿業を力の限り耐えしのぶだけでは何も生まれやしない。幸せでありたいという前向きな一念があればこそ、自らの心に戒が生じるのではないだろうか。戒とは、防非止悪をいう。

そして、幸せになるために、一にも二にも自分の意志で生きることが肝要である。仏教の六波羅蜜の教えに「心を師とするな。心の師となれ」という言葉があるのだが、揺れ動く心を頼りにしていたのでは、宿命転換を為し遂げることなどできない。

日蓮大聖人の御書には「浄土というも地獄というも外には候わず。ただ我らが胸の間にあり。これを悟るを仏という。これに迷うを凡夫という。これを悟るは法華経なり。もし、しからば法華経を持ち奉るものは、地獄即寂光と悟り候」という御聖訓がある。

迷悟不二、煩悩即菩提、地獄即寂光、つまり、浄土と言っても、地獄と言っても、すべては心の様相だということだ。

そして、変革の根本は〝信〟である。信とは、実を守って違わぬことをいう。エゴイズムに束縛された小さな自身を超克し、他者と同苦し、他力本願から自力本願へ、救われる側から救う側へ、対人知性における思惑、打算、見返りと言った下心を排除して、誰かのため、何かのために生きる清浄なる人物へと己を高めてこそ、男として生まれてきた甲斐があると言えるのではないだろうか。

私は余生において、とにかく人材を育てたい。グレーゾーンと呼ばれる世界観の中で、概念の変革という一大事業を為し遂げたいと思っている。

現代社会の中で行き場を失った人達が、法を犯さずとも生きて行けるように、グレーゾーンの中で限りなく黒に近い生き方をするのではなく、白に向かって努力する集団を育成し、やがては無垢の白となり、善良な社会へと巣立つ。そんな手助けがしたい。

そのためには、ヤクザ組織を解体し、人間性を復興させ、それぞれが本当の幸せを望む行動原理に目覚め、そうした取り組みを進化させながらも維持することが肝要だと私は考えている。一人ひとりが、時代に寄り添う改革者になって欲しい。

坂本竜馬には、おもしろい逸話がある。それは、彼が親しい友人に語った言葉が会う度に変わっていたという話だ。その詳細については、ある著書から引用させてもらいたい。

彼は当初、「これからは刀の時代だ」と言った。彼は郷士だったから、例え郷士でも剣術を習得すれば、侍と伍して生きてゆける。というような意味だったのだろう。つまり、外国勢力が日本に迫ってきたので、剣術を身に付けていれば登用されることもある。ということも含まれていたのかもしれない。

友人が剣術を学んである程度の水準に達した時、また竜馬に会った。ところが、竜馬はこう言った。「これからはピストルの時代だよ」、剣術が純粋に日本の武器であるのに対して、ピストルは西洋から導入された武器だ。

つまり、この段階では竜馬は国際化し、外国の文明に深く接している。だから、単にピストルに対して刀はかなわないよ。という意味ではなく、広く外国に目を向けて、外国の知識と文明を取り入れなくてはダメだ。と言っている。が、この段階ではまだピストルも武器だ。

やがて、その友人がピストルの技術を習熟して、三度竜馬に会うと、竜馬は懐から一冊の本を出してこう言った。「これからはこれの時代だよ」と、これというのは万国公法であった。つまり、この段階では竜馬は国際間における約束、つまり国際法の時代だ。と言ったのだ。ピストルからさらに進んでいた。

つまり、ピストルは人を殺す武器だが、万国公法は平和裡に難問題を解決しよう、ということである。この段階では、竜馬は明らかに戦争を否定している。それが彼が案を立てた徳川幕府の大政奉還に結実するという、以上の話である。

誰もが諸藩のことしか考えていなかった時代に、竜馬は世界に目を向け、誰よりも大きな志を抱いた。そのぶれない軸があったからこそ、周囲の目を恐れずに、恥じることなく、その時々の状況に応じた自己変革を絶え間なく続けたのである。ゆえに、大政奉還の偉業を為し遂げることができた。

ただ、私が坂本竜馬を心から尊敬できないのは、彼は倒幕後の新政府の構想に、道半ばであったにもかかわらず自らは参加する意志を示さなかった。私は、そこに坂本竜馬という人物の限界を見たような気がした。

何かを壊したのであれば造らなければならない。造ったのであれば維持してゆかなければならない。

物や仕組みは、造ることよりも維持することのほうが何倍もの力を費やすものだ。そのもっとも困難な役割を他人に残して、もし彼が英雄気取りでいたとするならば、それは御門違いというものだろう。

何事もそう、最後までやり遂げるという覚悟の上でしか、人生の真価は問えないものである。

先人の足跡を偲ぶ・前編

暴対法ができて、この御時勢や。めし食うてゆく自信がない者は、わしが銭貸したるさかいダンプにでも乗ったらええ。

会津小鉄時代、私が会津小鉄本部三階会議室の前を通りかかった時に、会議室の中から聞こえてきた言葉である。その声の主は、私が自らの半生を通してもっとも憧れた尊師・四代目会津小鉄会長、髙山登久太郎親分だった。

遠い昔では、国定忠治。近代ヤクザの世界では、三代目山口組の田岡一雄組長、住吉連合会の堀政夫総裁、稲川会の稲川聖城総裁などのように、私は侠客と呼ぶにふさわしい偉大なる先達を、この眼で拝見する機会すらなかったが、その生き様、思想、哲学、信念と、徹底した何ものかに共鳴し、憧憬の念を抱いていた。

とはいえ、私の理想とヤクザ社会の現実はかならずしも調和しないという思いのほうが強かったため、右の言葉を聞いた時には、今時こんなことが言える親分がいるのかと、しかもその末端に名を連ねて修行させていただけることを、唯々誇らしく思ったものだ。

現代ヤクザのあり方は、多くの誤ちを繰り返したことによって、組織の存在そのものが犯罪と同義であるというようなところまで進んでしまった。その組織に属しているだけで、個の人間性に関わらず、善玉か悪玉かという、その両極端でしか捉えられないところに、抜き差しならない理不尽を感じていたが、私が駆け出しの頃の世論の価値観は明らかに違っていた。その時代では〝必要悪〟という概念がまかり通っていた。

それは、「あの人にもあるが、この人にもある。愛嬌のある悪」というようなもので、やんちゃ坊主がやり過ぎおってと怒られはしながらも、時には善行を積み、どこか憎めないところがあるんだよねと言った程度の心情で、当時の世論には、ヤクザ社会の必要悪を容認していた人が少なからずいたことは間違いない。

その後、ヤクザ社会は様々な悲劇を経、必要悪から社会悪、さらには陰険悪へと変貌を遂げてゆく。

志を打ち樹て、名門の名に恥じない生き様を貫いている極道は絶無に近く、大方は衣食住が豊かなことを栄華とし、組員が多いことを誇りとし、弁舌、金儲け、悪知恵を働かす輩が主流となり、その犯罪傾向は多岐に渡り、尊大ぶって筋が通らない道理を説き散らし、他人の財布を平気で掠め取る。

心の貧困は、明日へと向かう人々の意欲をそそぎ、歪んだ価値観を創造し、ついには自らを瀬戸際へと追い詰めてしまう。

かつて、宗教教育がなかった日本でどうやって道徳を教えるのか、と外国人から問われた新渡戸稲造が、日本には武士道があると豪語して、反省的に書いたものが明治時代以降に確立された日本の武士道だと言われている。

もはや一抹の希望すら見出すことのできない現代ヤクザの世界において、何を目指して生きてゆくのかを問われ、日本の裏社会には任侠道があると胸を張って言える真の極道が、果たして全国にどれ位いるのだろうか。私は、それが言えるほど愚かではない。

西郷南洲は、「子孫のために美田を残さず」と言ったが、先師のために汚名を残さず、組織のために尽くしてきた人々を真の幸福へと導くために、何を選択し、決断するのか。上に立つ人物の真価が問われる局面を迎えている。

歴史を遡ってゆくと、江戸時代は、御家大事、滅私奉公の組織論で成り立っていた。そこで注目すべきところは、個人ではなく組織への絶対性に重きを置いたところである。

ある大学教授は、そのことに触れて、

奉公人たちが仕えていたのは、将軍、大名、一武家の当主ではなく、〝御家〟だったということで、それぞれの組織のトップである当主は、例え将軍や大名と言えども、〝御家〟に服する点においては、奉公人たちと同様だった。

こういう組織では、いくら当主が暗君であったとしても、彼らが家督を継いだ〝御家〟の権威は不動であり、奉公人たちは、どんなに理不尽な言動に対しても疑問や怒りを抱く余地はなかったのだ。この意味で、江戸時代の組織は〝御家〟への盲目的な服従という非合理極まりないダメな組織だったと思われるかもしれない。

というような見解を示していた。事実、その通りだろうと私は思っている。

また、その背景には、手柄を立てても贈与する土地がなくなった事情から、御恩がなくても奉公に専一するのが武士道だと主題をすり替え、新たな価値観に移行しようとする狙いがあったのかもしれないが、私にはそのような体制が三百年近くも続いたという奇跡が不思議でならない。

が、いずれにしても、結局は淘汰されて滅びてしまった。列強の外圧から明治維新が起こり、官憲の弾圧と社会的風潮からヤクザ社会が変質するのではなく、一人ひとりの揺るぎない意志によって、後々の世の中で革命だったと言えるほどの大きな動きがあって欲しいと私は切に願っている。

戦後の動乱期を沸騰点に、博徒からヤクザへと変わり、近代化した組織という定義付けが困難な集団を造り上げた。そこで彼らが見出したものは、代紋に対する絶対性であり、その代紋を受け継いだ者の権威が不動のものであるということに関しては、江戸時代の組織論と何ら変わりはしない。

ただ、ヤクザという生き方が、ある時期までは人気稼業であったこともまた、疑いようのない事実である。その彼らが歴史にどのように寄与したのかということは別にして、当時の極道社会には、代紋に誇りを持ち、男気を競い合い、己の意地を貫くといった潔さがあったし、自分も男でありたい。皆にも男であって欲しいと願う、決して高級とは言えないが、精神性の豊かさを多くのヤクザ者が持っていた。

私が駆け出しの頃には、そうした倫理的習慣のようなものが僅かながらにも残っていたし、ヤクザ社会ではなく極道社会と呼べる最後の時代だったのかもしれない。

ヤクザ社会の変質と衰退は、上流階級の腐敗から始まった。抗争が皆無となり、外交による平和路線が定着し、実権を握った人々が金権政治へと情熱を傾けてゆく。結果、様々な混乱を招き、ヤクザ社会の秩序は崩壊した。

以前に読んだ本で、誰が書いてどのような文章だったのか正確に覚えていないのだが、およそ次のようなことが書いてあった。

武田信繁の家訓を読んでも中国の古典からの引用がほとんどだ。それほどの家柄であったなら、信玄も勝頼も史記や春秋左氏伝などを読んでいたに違いない。

が、例えば中国の史書にあるように、自らが滅ぼした家の娘を女にした者が栄えたためしがないことを恐らく知りながら、信玄はそうした。果たして武田家は滅びた。ついでながら豊臣秀吉も同じ誤ちを犯した。道に厳しい人、己に辛い人物はそのようなことを絶対にしない。二人共どこか甘い。ゆえに、男としての魅力に欠けている……。

確かに、そうした事実だけを鑑みれば十二分に説得力のある文章ではあるのだが、しかし彼らの本質がそうであったのかと言うと、必ずしもそうではなかったと私は思っている。

私があまり好きではない徳川家康にしても、若い頃には三河の律儀者と呼ばれ、古武士のごとき振る舞いを貫いたように、どの武将にも、ある時期までは純粋に、一途に駆け抜けた時代があったし、常人には到底及ばない足跡を遺しているものだ。

また、それはヤクザの親分衆にも同様のことが言えるだろう。その親分の若かりし頃の姿に憧れて、数々の伝説に心酔し、男としての魅力に満ちた人柄を通して、この人のためなら死んでも悔いはない。という何ものにも代え難い求心力へと結実する。そこには一切の利害と打算を排した精神性の輝きがあったし、そこから生じる痩せ我慢の重荷を背負うことが、男の世界における通行手形でもあった。

ところがその永遠の道標たるべき肝心要の主人のほうが、権力悪という魔物によって、節操を曲げ、自らを見失い、堕落してしまった例は珍しくない。そのプロセスは一様ではないが、結果としては、権力悪から人間悪へと発展し、価値観が矛盾し、ついには若い者に見せるべき後姿まで失ってしまう。

詰まるところ、いつの時代でも、権勢欲に執着する者は、公私を混同し、組織を私物化し、名利の汚泥に我が身を汚すことになる。若い者の忠誠心や献身的な振る舞いに感度が鈍くなったり、少しも有難く思えないのは、その人の生活が厳しさを欠いているからに他ならない。

一方、そうした正義のない体制の中で、心ある者は誰彼に同情し、組織の前途を憂い、このままではいけないと思ってはいながらも、諫止するほどの度胸の持ち主は稀でしかなく、仮に諫言を試みたところで、処分されたり遠ざけられるのが関の山である。それが救い難い閉塞感へとつながってゆく。

源平の争乱、南北朝、戦国時代にしても、希望のない社会を体験した人々は、争い事に倦み、安穏な日常を熱望し、革命的な気分を歓迎した。

そして、いつの時代でも、一応の政権や秩序が樹立されるものの、その体制に正義を認めなくなった時に、再び争乱を招き、淘汰される。その有り様は昔も今も変わらない。

昭和六十二年、いつまでも抗争を続けていたら、死んでいった人達に不徳をするという思いから、工藤会と草野一家が合併して、工藤連合草野一家が発足したと私は聞いている。

無論、その胸奥には地元で暮らす堅気の人達に、安穏な日常を提供し、迷惑を掛けてはなるまいとする任侠の精神があったことも事実である。

にもかかわらず、金権亡者の思想、営利至上の拝金主義に執着し、低次元な欲望を追い求め、道徳心の欠けらもない妄動を繰り返したことによって、一般市民を逃げ場のない窮地へと追い詰めてしまったことは、まさに本末転倒としか言いようがない。

まして、あろうことか罪もない女性を無差別に襲撃するという、ヤクザ史上類を見ない卑劣極まりない犯行に及んだことで、五代目工藤會は末代悪世の男気が枯れた外道社会を実現させた。その有り様を、先達に対する不徳と言わずして何と言うのだろうか。

我々のように歪んだ価値観の中で生きて来た不良にとって、客観的な信頼感というものは、何かを為す為さないということよりも、あの人にはこういう問題や欠点があるけれど、こんなことは絶対にしないよね、というようなところのほうが大きいはずだ。つまり、何かを為す、できるとかではなく、あれはしない、これも守るといった己を律する信頼感である。今の五代目工藤會には、そうした最低限のモラルすら存在していない。

以前、私は小倉で女性が襲撃されるようになってから、身近な者に対して、そういう仕事が回って来ても絶対に断われ。自分が歩んできた道を振り返れないような行いをしてはいけない。例え上からの命令であっても、間違ったことは否と言える男であれ。責任は俺が取ってやる。と強く言っていた。

それだけに、右の事件がめくれて逮捕から起訴の運びとなり、その全容が公になった時には、すべてが終わったとしか思えなかった。それと同時に、田中組一門以外の会員の方々に対して申し訳ない思いで一杯だった。

過去の誤ちから目を背け、所信と拠り所を見失い、底なしの矛盾に満ちた価値観の中で共倒れを待っている我々に、明日などあるはずがない。暗夜行路をいかに切り拓くのか。

釈尊は臨終の時「法を光とし　法を拠り所とせよ。自らを光とし、自らを拠り所とせよ」と言った。

後々の世の人々に、野村悟総裁と田上文雄会長が英傑だったと認めさせるには、引き際が肝心だと私は思っている。

先人の足跡を偲ぶ・後編

平成四年、暴対法施行前の聴聞会において、全国ヤクザ組織の代表者の方々が「我々は任侠団体であって、暴力団ではない」と宣言し、五代目山口組、四代目会津小鉄を中心に、指定暴力団の取り消しを求める訴訟が相次いだ。当時の二代目工藤連合草野一家も例外ではなかった。

事実、四代目会津小鉄と二代目工藤連合草野一家による合同の勉強会のようなものを京都で開催していた時期もあったが、あれから二十余年の年月を経て、五代目工藤會は、全国で唯一の特定危険指定暴力団という不名誉極まりない負のレッテルを貼られることになる。

歴代会長並びに偉大なる先達の方々は、そこに至るまでの目も当てられない惨憺たる愚かな現実を、どのような思いで草葉の陰から眺めておられるのだろうか。

私がその立場なら、これ以上の恥の上塗りはおよしなさいと言及し、組織の解散を勧告するに違いない。

偉大なる足跡を遺した先達の方々が、誇り高き金看板を築き上げるために、滅私の精神で貫いた献身と男の意地はいずれに答えるものであったのか、多言を要さない。

無論、その陰には数多くの犠牲があった。それに付随した人達の不幸を忘れてはいけない。失われた時間と苦労を軽視してはいけない。そして、哀愁に満ちた男の足跡を汚してはいけない。

私はこの拙書のプロローグにおいて、創業者の理念が失われた企業では衰退が始まるということをすでに述べているが、現実社会の基盤に立って、世間の眼《まなこ》となり、組織としての足跡はもちろんのこと、個々のあり方、価値観、概念、生活状況の次元に至るまで鋭く看破しながら、任侠の精神を根本に自らの半生を振り返った時に、自分は男の道を貫いたと胸を張って言い切ることができるだろうか。また、次の世代の将来を考えた時、傘下に連なるすべての人々を、真の幸福へと導くための何ものかを見出すことができるだろうか。

ヤクザ社会の老朽化した秩序と腐敗した価値観の中で、任侠の精神を体現し、新たな聖業を立ち上げることなど、もはや不可能である。ならばこそ、自分達の意志で始末を付けるべきではないだろうか。

明治の俳人・正岡子規は、「僕は、随分と悪人の性質を持っている。世人は悪いことをせねば善人と思っているが、それは間違いだ。いくら悪人だって、悪いことをする機会がなければ悪いことをするものではない。僕だって、今まで悪いことをして来なかったのは、機会がなかったからだ。随分と残酷なことをやるつもりだがね」と、戦争の悪影響を受けた狂勇の徒のごとき思いを、自らの手帳に書き遺している。

仏法にも「善悪不二」という教えがあり、すべての人間には潜在的に善と悪の両面が具わっていて、縁に触れて善にも悪にも転じるということを説いている。

日蓮大聖人は「悪は多けれども、一善に勝つことなし。譬えば、多くの火集まれども一水には消えぬ。この一門もまた是の如し」と言った。

つまり、上に立つ人物は、自らに縁する人々が悪に接しない要路の覚醒を促すことに努め、自らがその導師とならなければならない。

そして、そこからさらに流転の方向を善なる連帯感へと宿命転換してゆくことで、他人の懐を当てにした他力本願から自力本願の生き方に目覚め、救われる側から他者を救う側の人物へと自立すればいい。

歪んだ価値観の中で、低次元の功名心を渇望する野心や、臆病に日々をやり過ごす事なかれ主義を手放すことができるなら、一応は外道の境地を脱することができるだろう。

私の覚悟は、決してヤクザ社会の転覆を企てることが目的ではなく、一度限りの掛け替えのない人生を、前途洋々たる人材を、ヤクザ社会の伝統的迷信から解き放ち、一人ひとりが幸福であり、安穏であり、健康であり、長寿であって欲しいと願う切実なる思いから、悪縁にたぶらかされている人々を目覚めさせるための忍難弘通の戦いである。

ゆえに、この拙書が誰かの人生の幸福な境涯を切り拓く一助になってくれるなら、それ以上の男冥利はないだろう。

日露戦争における第三軍司令官にして陸軍大将の乃木希典は、稀代の英雄として称えられているが、彼は職業軍人としては驚くほどに無能だった。

しかし、彼は引き際の美学を知っていた。明治帝の崩御に殉じて、西南戦争で伝説化した連隊旗の喪失事件や、日露戦争における旅順要塞攻撃で、多くの若者を戦死させた指揮官としての責任を取り、腹を切った。

そして、その夫と共に自決した妻静子の悲劇が、乃木希典の死後の名誉を不動のものにした。

ヤクザ組織の代紋頭にとって、自らの組織を解散するということは、武士が切腹するに等しい覚悟を要することだろう。

だが、いずれかの組織が解散することで、かならず次の組織が後に続く。そして、後世の史家はその英断を大きく称えることになるだろう。二番煎じでは意味がない。小倉の一歩が日本の歴史を変えてこそ、浮かばれるものがあるのではないだろうか。

以前、ある組織の次期跡目と噂されている親分に対して、私は右の思いをぶつけたことがある。するとその組長は、「あんたの言う通りや。筋が通っとるし、確かに二番煎じでは意味がない」と言った。

さらに私が「では、組長が当代に坐った暁には、是非組織を解散して英雄になってください」と続けると、俺にはそんな器量も度胸もないよと笑って流されてしまったが、その組長の場合は元々名利に関心を持たない人だったので、もっと違った覚悟を秘めていたのかもしれない。

話が逸れたが、私は全国の代紋頭の親分衆に対して、一つ問いたいことがある。それは、この先ヤクザ社会の将来にどのようなビジョンを描いているのかを。

恐らく、集合体としての明確なビジョンを持っている人などいないはずだ。しかし、今のままでは誰人も幸せになんかなれないということは十二分に自覚している。ならばこそ、その止むに止まれぬ胸中を察した参謀の人達が、忠臣としての覚悟を決める時ではないだろうか。

かつて第二次世界大戦においても、その敗北と無条件降伏から多くの軍人が自決しているが、陸軍大臣、参謀総長、教育総監の陸軍三長官の職をすべて経験した杉山元もその一人だった。

彼は、元帥の立場でありながらも〝グズ元〟と諢名されていたほど煮え切らない性根の男ではあったが、妻の啓子はそんな夫に対して「お覚悟を」とばかりに迫り、戦争で多数の犠牲者を出した責任を取らせてしまう。そして、夫の息が途絶えたことを確認した上で、自らの命を断った。

私は、その杉山啓子の、夫の名誉を傷付けまいとする聡明な覚悟を知った時、ヤクザ社会の歪んだ価値観の中で、いつまでも醜い姿を晒し続けてよいものではないという思いがしてならなかった。

ゆえに私がその立場なら、総裁と会長に対して「お覚悟を」と迫り、五代目工藤會の解散を進言する度胸を持っている。いや、立場など関係ない。私は、例え一兵卒の立場であっても一人立ちたい。

なぜなら、真の革命とは、下流階級の意志によって為し遂げるものだからだ。勇んで挑むのと怯んで逃げるのとでは意味が違う。私は、人生を負け戦のままで終わらせる訳にはいかない。だからこそ、身命を惜しまずに、たった一人でも立ち上がる覚悟でいる。

確かにヤクザ社会には、誰かが親身に世話を焼いてやらなければ、めしが食えずに罪を犯したり、一番安易な生き方しかできないヤクザ者が、少なからず存在していることも事実である。

また、組織の解散に反対を主張する人達の一般的通念として、そうした若者の面倒を誰が見るのか。よその組織が入って来たらどうするのかと、一応はもっともらしい言い分のようにも聞こえるのだが、それらを一手に集め、束縛するだけでは何も変わりはしない。

下々の人達の生活や人生を心底から案じているのであれば、そうした若者が罪を犯さずとも生きてゆけるように、正業に就かせ、支援してやることが、本当の親心ではないだろうか。

そもそも人生とは、行動で示さぬ者をわざわざ手招いてまで、道を切り拓いてくれるほど都合のよいものではないはずだ。

まして、未だに拝金主義、労せずして立身出世を夢見るヤクザ者がいたり、組織が存続することで治安を守り､すべてが成り立つという先見の無さは、笑止千万の時代遅れとしか言いようがない。もっと時代相応の生き方を提示すべきである。

私の場合は、ある人物と出逢い、自分の未来には多様の選択肢があるということに気付いた時に、人生観が劇的に変わった。

自らを取り巻く環境が整わなければ、心が充実しない。心に迷いが生じると邪心が起こり、誘惑に負ける。

日蓮大聖人が「妙とは蘇生の義なり」と仰せのように、人生を逆転劇へと導くものは、真っすぐな生き様であり、人間復権の機軸には悪に屈しない勇気が必要だ。

今、日和見的だった人達が真の生き方に目覚め、自らの光を放ち、自らの花を咲かす。そうした体験が波動となって広がり、周囲の境涯を高め、歴史を大きく変革する。

アメリカ政府をはじめ、世界中から「日本でもっとも凶悪な暴力団」と名指しされるほどの宿縁深き我々であればこそ、より深く、より強く輝きを放ち、見る人の心を打つことだろう。

それぞれに損得勘定や止むに止まれぬ事情があるのかもしれないが、忘我の境地に浸り、臆病な算盤に執着することで、かえって大局を見失う程度の小人物であってはいけない。

選択の功として大道を切り拓くのか。選択の罪として汚名を残すのか。永年男の世界で意地を貫いて来た者ならば、そうした現実を受け入れる機根《きこん》が備わっているはずだ。

ともかくも、五代目工藤會の揺るぎない意志と覚悟によって、新しい時代の夜明けを迎えたいと、私は心底から願っている。

第五章　道

醜は美を兼ねる

仏教には「迷悟不二」という教えがあり、迷いの数は悟りの数。迷った分だけ悟りが深くなるということを説いているが、若い頃の私は、迷うということは恥ずかしいことだと思っていた。

なぜなら、人が迷うようなことがあるとするならば、それは利害損得においてという概念があったからだ。ゆえに、常に消去法で生きるようにしていた。

損得など考えず、己を捨てるのが男の美学。それを貫くのが自分の信条だと。国定忠治に憧れて、死に際のことしか考えていなかった。周囲の人達が望む望まないなど考えもせず、敢えて損することばかりを選択し、頑なに貫いた今日までの半生だったと思う。

例えば我々の世界では、傷害罪だとか殺人罪だったり、それなりに恰好がつく大義さえあれば、誰かの身代わりとなり、懲役刑に服すヤクザ者はいくらでもいるだろう。

しかし、それが不名誉な事件だとすると、ほとんどの人が二の足を踏み、自らを犠牲にしようとはしない。だが、私の場合は逆で、誰もが二の足を踏むほどの不名誉なことだからこそ、相手に対する思いや揺るぎない絆を証明するチャンスだと考えるのが、私なりの価値観だった。

本来、ヤクザとして親を持つ立場なら、自分がそうすることで親に恥をかかせるのではないかということを、念頭に置くことが常識なのかもしれないが、私の場合は、例えどんなことになっても「あの花岡眞吾は、そんな男じゃない。きっと何か事情があるはずだ」と、私を知る人は誰もがそのように解釈するだろうという、根拠のない自信を持っていた。

ゆえに少年時代から、警察に逮捕される度に誰かの罪を背負い、身代わりを貫いてきたことも事実だ。

もっと言うと、もし目の前に一億の大金を積まれ「この一億円を報酬として、十年間懲役刑に服してくれないか」と言われていたとするならば、私は例え破門になっても絶対に断わっていただろう。一度限りの大切な人生を、そんなちっぽけなもののために費やす訳にはいかない。

だが、金もなければ何もしてやれないが、お前しかいないと頭を下げられたなら、例え無期刑や死刑になるようなことであっても、そこに義がある限り、私は迷うことなく腰を上げていただろう。

日々の生活や将来のことを約束されて躰を懸けることくらいなら、誰にだってできることだ。そうではなく、一円の得にもならないことのために己を捨てる。私はいつしか失うことに美を求め、失わないことは恥ずかしいことだと思うようになっていた。

しかし、私のそのような考え方が真の美学なのかと問われたならば、かならずしもそうだとは思っていない。いや、ある時を境にそう思うようになったと答えた方が正しいだろう。それも些細なことがきっかけだった。

ある日、勇者を称える趣旨のテレビ番組で命知らずの青年が、危険極まりない高所へと登り詰めた後に、「自分は高い所が好きだから全然怖くなんかない」と誇らし気に言っているのを聞いて、高い所が好きな人間が高所へと登ることのどこが勇者なのかと、私にはばかばかしく思えてならなかった。

そもそも勇気とは、高所恐怖症の人間が、その恐怖に耐えながらも高所へと登る。そういう姿のことを言うのではないだろうか。と、そのように考えた時、私の中で生き方に対する疑問が生じた。

利害損得など考えず、己を捨てようが捨てまいが、それは、私自身が、自分の意志で好き好んでやって来たことであり、単に自らを犠牲にしたというだけで男の美学と呼べるほどのものなのだろうかと、そういう思いにぶつかったのである。

私は以前に、特攻隊として、儚くも戦場の塵と消えた大和魂の手記を読んだことがあるが、どれもこれもが涙なしでは向き合うことのできない遺品ばかりだった。そこには愛する人達への思いから生に対する執着に至るまで、切実なる思いが綴られていた。

現代社会の平和と繁栄を築くための礎となった彼らは、祖国に対して何を思い、愛する者の未来に何を願って命を捧げたのだろうか。

平和呆けした安穏な世の中で、たいした苦労もせず、ただ呑気に生きて来た私のような青二才が、その彼らの思いを軽々しく語れるようなことではないということは十二分に承知しているのだが、それでも私なりの思いで代弁するならば、戦争なんかで死にたくない。叶うものなら、愛する人達と共にささやかな生涯を過ごしたいと心から願うのが、ごく当たり前の心情ではないかと私は思っている。

しかし、祖国のためには、そのすべてを投げ捨ててでも立ち上がらなければならない。つまり、本人が望む望まないに関わらず、人生では、何かのため、あるいは誰かのために身命を賭してでもやらなければならない時がある。真の美学とは、一般的な概念を超越したところで結実する境地であることは間違いない。

いくら自己犠牲の精神が旺盛で、滅私奉公したつもりでいても、その行動原理に僅かながらでも私心が混同している限り、それは、男の美学として成り得ないのだということを、私なりに悟ったような思いで自らの半生を改めて振り返った時に、それまでの私の生き様は、アルカイダと何ら変わりないように思えてならなかった。

彼らは、自らを犠牲にすることで来世では幸福が得られると教化され、自爆テロをやる。所詮、その程度の覚悟でしかなかったのかもしれない。

そして、周囲の人達が望む望まないということなど気にもせず、自分一人が満足し、しかも英雄気取りで死んでゆく姿を想像した時には、心底からくだらないと思った。それからというもの〝男の美学〟というものを突き詰めて考えるようになった。

人生には頭で考える風景と、心で感じる風景があり、男の美学とは、後者と同様で、現代を支配している科学的思考では説明がつかない主観的なものだと言えるだろう。

ただ一つ、私が思うことは、男の意地や信念にしても、それは死んでも曲げられないものであり、貫くべきものでもあるが、大義を果たすためには、時として捨てることも必要だということである。

それを語る上で、ここで一つ「眼を養う」の項で触れた上杉景勝の采配の是非について検証したいと思う。

元々、上杉謙信の義侠の生き様に魅了されている私としては、謙信公以来の上杉家の家風や、背中を見せている敵を背後から襲うことは、武士の義にもとるとして動かなかった景勝の心境も、よく理解できる。男の道を志す者であるならば、誰もがそう思うに違いない。

だが、上杉景勝の采配の是非については、断じて非だと思っている。なぜなら、その采配があくまでも〝私〟であり〝公〟ではないからである。

関ヶ原の合戦を前に、景勝は石田三成と同盟を結んだ。いわばその信義こそが〝公〟であり、三成との約束を破ってまで〝私〟の信念を貫いた結果、三成率いる西軍は敗れ、多くの仲間が命を失った。その采配のどこに美学があると言うのだろうか。

実は、中国史にも似たような例がある。宋の国に春秋時代の五覇の一人として名高い襄公という君主がいた。

襄公は、何よりも礼節を重んじる人物で、とにかく生き方に対する美徳には潔癖の人だった。楚との会戦の折、泓という川を挟んで宋軍と楚軍が対陣し、楚軍が川を渡るのを待って攻撃を始めた宋軍は、惨敗した。

敗戦後、川を渡っている楚軍を攻撃していれば勝てたであろうにと、国民の非難にさらされた宋の襄公は、君子は奇襲のような卑劣をせぬものだと言い、古き正しき戦法に従ったことを誇ってみせた。そのことから世の人々は、他者への余計な思いやりのことを『宋襄の仁』と呼ぶようになった。

右の言葉は現代社会でも、不必要な情け、時宜を得ていない憐み、という意味合いの諺として使われているが、個人の美徳と兵の命、どちらの方が重くて、より大切なのか。それは考えるまでもないだろう。

昔の任侠映画でも「親に死ねと言われりゃ死ぬのが仁義」と、お決まりのセリフをよく耳にしていたが、子分に死ねというような人は親分になんかなる資格がない。なぜなら、他人の人生を背負うという仁義は、もう一つでかいものだからだ。

それと同様で、善と悪なら善を取り、実と虚なら実を選ぶのが正道であり、人が正道を志す上では絶対に誤ってはならない分別がある。その分別すらできていない人物が、春秋時代の名君として称えられていること自体、私には甚だ疑問に思えてならない。

戦国時代に、戦のない泰平の世の中を実現するための大義。人を殺すよりも生かすことの大義。そのような大局的な見地に立たされた時に〝私〟を捨てることもまた、人が美しく生きてゆく上で大切な分別である。

話は前後するが、上杉討伐に際して、私は上杉景勝の采配云々よりも、むしろ直江兼続が執った行動に男の美学を見ている。

上杉にあって、直江ほど天下万民を憂い、上杉を思った家臣はいない。泰平の世の中を築くためにあらゆる利害損得を断ち切り、石田三成と協力して東奔西走骨身を惜しまずに働いた。

そして、今一歩でその道が拓けるという土壇場で、直江の努力は、景勝のたった一言のために挫折したのである。並の参謀ならそこで尻をまくっていたに違いない。事実、今時の政治家がすぐにそれをやる。法案だったり、自分の意見が通らなかったりすると、役職を辞して責任を放り出す。直江はそれをしなかった。

それどころか、景勝の意を酌んで足下の脅威を退けるために近隣を攻め、その戦中に関ヶ原での大敗を知るや直ちに撤退を命じ、自らは最後尾でしんがりを務めて敵の追撃を防いだ。この際に全軍を無事に引き上げさせた直江の行動は、美談として今もなお語り継がれている。

いつだったか、この時の直江の振る舞いを称讃していたある作家が、私とまったく同じ見解を示していることに驚いたこともあったが、その作家はこの時の直江の行動原理を〝醜学〟と表現していた。つまり〝泥をかぶる〟という概念である。

私は、なるほどと唸った。確かに、泥をかぶる訳だから醜学と呼ぶほうがふさわしいのかもしれない。しかしそういうものだからこそ、より強く、より美しい輝きを放つのではないだろうか。

人間の行いは、個の人間性に応じて判断されることが多く、他者と同じことをしたからといって、まったく同じように受け止められるとは限らない。

例えば、常にチームプレーに徹している野球選手が、ここ一番の大事な局面で、チームを勝利へと導くために自主的に送りバントをしたとする。その選手の人間性を知る人々は、あいつらしいと素直に受け止めるだろう。

だが、普段からチームプレーとは無縁で自分の成績のことしか考えていない野球選手がまったく同じことをしたとしても、「今日は調子が悪くて打つ自信がなかったのだろう」とか、時には悪意を持って受け止められたりすることがある。

詰まるところ、男の美学を探求するにしても、それを裏付ける何ものかがなければならないということだ。

「風度」という言葉を知っているだろうか。これは、中国の古い言葉で〝らしさ〟のことだが、私はこの風度を根本に、自分なりの美学を探求してゆきたい。私のような愚者が美学を語ることなどおこがましいことなのかもしれないが、美しく生きてゆかなければ、生きている意味がないとさえ思っている。

この項を書き始めて数日後のことだった。五代目工藤會の田上文雄会長が、組織の代は自分が受け継いだものだから、例え組員が数名になったとしても解散するつもりはない。命に代えても信念を貫く、という主旨の発言をしたことが西日本新聞に掲載されていたことを、同僚が教えてくれた。

昭和の頂上作戦の折には、三代目山口組の田岡一雄組長が似たような言葉を遺しておられるが、田岡組長と田上会長とでは、人生のプロセスも、置かれている立場も、組織としての方向性も明らかに違っている。

田岡組長の場合には、男の意地や信念を貫くだけの大義があった。また、そういう時代でもあった。が、田上会長の場合には、それがない。定見のない信念は小さな意地でしかなく、人を動かすほどの根拠にはならない。

確かに、自らの甲斐性で生計を立て、人材を育成し、身近な人達を養ってきたような人物は別として、ヤクザであることがすべてであり、他人の財布に依存していたような輩にとっては、組織の存続は自らの死活問題へと通じる重大事なのだろう。

だが、組織の人心は大きく歪んでしまった。心ある人々が、会員の前途を憂い、自問自答を繰り返し、その結論を、どんなに問い直してみても、希望へと通じる妙案など何一つとして浮かばないはずだ。

その心情を裏返すなら、生き方の卑しさから生じた劣等感に他ならない。ここに見逃し難い真実があり、後生に対する教訓が潜んでいる。

ある組織の代紋頭の親分が、激励とお見舞いを兼ねて小倉の関係筋に連絡をした際に、この度の一連の出来事に触れて、前代未聞の失態だと、半ば呆れながら菊池啓吾理事長を批判したのだという。

確かにそうだろう。

しかし、その菊池啓吾を自らの後継者として選び、理事長の地位に任命したのは田上会長である。結果、様々な不信感、対立、怨根、悲劇を招き、組織は極度に混乱し、士気の沮喪は甚しく、この惨状を後生から眺めると、愚かなほどに節操がない、侠道にもとる集団としか思えないだろう。

にもかかわらず、自らの任命責任を看過して、個人の意地に執着し、組織を存続させるためなら単なる犯罪集団に成り下がることも厭わないと考えているのだとすれば、権力の座というものはあまりにも身勝手である。

いや、田上会長は、その程度の迷将ではない。この四年余り、拘禁生活を余儀なくされて、会の人達も総裁と会長には心配を掛けまいと、都合が悪いことは報告しないだろうし、恐らく両御大も、組織の現状を正確には把握しきれていないのだろう。誰にもまして仁者である田上会長であればこそ、そうした時勢の機微は心得ているはずだと私は信じている。

二〇一二年九月、阪神タイガースの城島健司選手が引退を宣言した。年俸四億円、四年契約の二年を残して三十六歳の若さだった。しかも二千本安打の大記録に残り僅か百六十三本まで迫っていただけに、球界関係者の多くが、怪我で捕手はできないとしても、打者としてなら十分にやっていけると断言し、その才能を惜しんで慰留した。

実際、あと二年現役を続けていたならば、高額の年俸も手にできただろうし、二千本安打の偉業も達成していたに違いない。

しかし、城島健司の男気と美学がそれを許さなかった。彼は、捕手でなければ城島健司ではないと前置きした上で、二年続けて活躍できなかった時は、ユニフォームを脱ぐというルールを自分の中で決めていたと、きっぱりと言い切った。そして、それがファンや球団に対する自分なりのけじめだと覚悟して、少しの未練も残さずに本当に引退してしまった。

記録や年俸に執着する選手が少なくない球界で、これほど潔くユニフォームを脱いだ選手を私は他に知らない。私は、城島健司を男の中の男だと思った。

こうした純真一途な生き様は、単なる美談にとどまらず、人々の心に忘れかけていた何ものかを思い起こさせてくれる。こうした尊い心映えや生き様こそが、万世にわたり語り継がれるべきものだと私は思っている。

私が目指したヤクザ人生は、サムライとしての生き様だった。もはや組織の存続など問うところではない。大切なのは、その責任の取り方であり、恥を知ることである。自らが泥をかぶることによって、歴史の表にせめてもの良心と善意を体現することが、敗者としての美学ではないだろうか。

男伊達

男の器量とは、それを証明する態度と、それを裏付ける人格とがなければならない。どれだけ自分に自信があってどれだけ大きく見せようとしても、人間の器量というものは自分で決めるものではなく、他人が認めて、他人がつくってくれるものである。良きにしても悪きにしても、その人自身の器量に応じた仕事に就いて、器量に応じた人生しか歩めないものだ。

仁　人に思いやりを持つ
義　人として正しい道を歩む
礼　人には感謝を持って接す
智　人の道を学べ
信　人と腹からの付き合いをする

仁義礼智信の五常は人としての器である。それを実践するのが人間社会である。
智将として名高い小早川隆景は、黒田長政から分別する際にもっとも大切なことは何かと問われ、「物事の道理を判断する時、一番大切なものは仁愛の精神である」と答え、仁愛を元に分別すれば何事もまず間違いはなく、逆に仁愛のない分別は、いかに才智、弁舌が巧みでも結局は皆、人の道から外れてゆくものだと言って諭したという。

人間というものは、自分が置かれた立場を通して他人を見るしかない。ではあるが、自分の立場を見る基準というものも必要だ。それが道義であり、いわゆる人の道である。

右の隆景がいかに仁愛の人であったかは、父の毛利元就が、仁を施し、民を愛し、国家を保つことは、わしは隆景に及ばないと言っていることからも明らかであり、弱肉強食の戦国期にあって、隆景のように仁愛の精神を血肉として愛民思想に基づく国家経営に携った武将は、まさに稀有の存在であったと言えるだろう。

また、藤堂高虎などは、粗暴であることは匹夫《ひっぷ》の勇《ゆう》であり、軽はずみに戦を好むのは大将の義ではなく、常に身を慎み、人を育てることこそ自分の務めであるとしていた。

そして、人を使うには禄を以てのみはせず、必ず情を以てすることを信念としていたのである。高虎にとって、士魂というものはその侍の血と涙の結晶に他ならず、君臣の絆も結局は、人生意気に感ずという熱い思いに支えられてこそ一層堅固なものになるのであり、ゆえに高虎は、そういう心映えを独立不羈の精神の根幹に据えたのだろう。

以上、北影雄幸氏の著書である『戦国武将の美学』から引用しつつ書かせていただいたのだが、さらに著者は「何より器量人の威というものは、まずその身の行儀を正しくし、信賞必罰を厳格に行い、強いて人を叱ったり脅したりしなくても、その人がいるというだけで家来や万民は恐れ敬い、上を侮り法を犯す者もなくなる」との見解を示していた。

無論、大きなことを為し遂げた人物だけが器量人という訳ではない。小さなことができない人間に、大きなことができる道理はない。虚しいと思うことを真剣に取り組むことによって、かえってその人の純粋さが如実に表れることもある。無益なことは必ずしも無意味ではないのだ。心ある人生を望むのであれば、むしろ無益なことにこそ心を砕くべきだろう。

ある哲学者は、「美徳や卓越性があるから正しい行動が取れるのではなく、正しい行動を取るから美徳や卓越性が身に付くのだ。繰り返し行う行動が、その人の人となりを表す。つまり卓越性とは、一つの行動ではなく習慣である」ということを言っていた。私もその通りだと思う。

人として正しい行動が当たり前にできるからこそ、誠実、真理　堅固、施与という四つの徳目が磨かれるのであり、その習慣性によって人の思想も大きく成長する。いくつもの時代で行われてきた概念の変革という一大事業にしても、そうした習慣性に根差した何ものかがあったからこそ、人々の共感を得るほどの力が生じたことは間違いない。

その意味では、維新回天の原動力が悪しき習慣性の裏返した姿であるところに、歴史の皮肉さを感じるばかりである。

私が馬場の親分から盃を受けた頃、四代目会津小鉄準若中、四代目中島会若頭補佐・七誠会々長の大西甚という叔父貴分がいた。

のちに中島会の五代目を継承する人物で、確か私が二十歳前後の頃に、三十代半ばで若頭補佐に就任し、最年少の執行部だった。

ある時、その大西の叔父貴が、四代目中島会の図越利次会長の名代として、他組織の賭場へと出掛けることになった。

また、それに先駆け図越会長からは「なんぼ負けてもかまへんど」というお墨付きまでいただいていた。

当時、西日本のヤクザで五代目山口組の宅見勝若頭の次に資産を持っている、と噂されていた図越会長が右のように言っている訳だから、一億、二億負けたところで「かまへん」の一言で終わっていた話である。

にもかかわらず、その時の賭場で実際には七千万円負けて帰ってきた大西の叔父貴は、図越会長から「甚、どうやったか」と聞かれ、「親分、すんまへん。二千万負けました」と言って謝っていた。

その日は当番でたまたまそのやり取りを見ていた私は、後日、大西の叔父貴が残りの五千万円を自腹で清算したという真相を知り、なんて恰好いい人だろうかと感銘を受け、自分もそういう男になりたいと強く思ったものだ。

私がヤクザ人生に賭けたのは、些細なことがきっかけだったことは冒頭のプロローグにおいてすでに述べているが、少年時代のある時期に、その思いが決定的になった出来事があった。というのも、元一和会系北山組若頭・悟道連合会々長、石川裕雄という極道の存在を知ったからである。

私が少年の頃によく可愛がっていただいた地元のヤクザのおっさんが、石川裕雄さんの大ファンだった。そのおっさんから石川さんの人となりや男としての振る舞いだとか、数々の伝説を聞かされた時に、自分も石川さんのような生き様を貫きたいと思い、自分が理想とするヤクザの人物像と、まだ見ぬ石川さんの姿とを重ね合わせていた。

そうした思いの中で私の心の琴線をもっとも揺さぶったものは、日本のヤクザ史上最大の抗争と謳われた山一戦争において、石川さんが四代目山口組の竹中正久組長を殺害し、その事件の首謀者として、無期懲役の判決を宣告された際に言い残したと伝えられている言葉である。

「賭けた人生、ただ真、受ける裁きは我が誉れ」

これはあくまでも他者からの伝聞でしかなく、石川さんが実際に言ったのか否かすら定かではなかったが、私にはこの言葉の中に、石川裕雄という極道のすべてがあるように思えてならなかった。

平成十八年一月、私は懲役二十年を求刑された後の最終弁論の法廷において、一連の事件は私自身の信念に基づき、私だけの責任で起こした犯行だと。組織的な背景がないことは元より、共犯となっている者たちは、私の命令、指示に従わざるを得ない人間関係、または状況だったと。すべては私一人の責任であると証言し、組の若頭として、あるいは多くの若者の兄貴分として、最低限の責任を果たしたつもりでいた。

また、検察側に対しても、俺は三十年でもええよと嘯いて、若気の至りを見せた場面もあったが、今になって思えば、石川さんがそうしたやり取りを見ていたなら、スケールが小さい奴だと笑われていたかもしれない。

少年時代から仲間を守るために汚名を被り、自分では男の美学を貫いたつもりでいたところで、私のそれは石川さんのように「受ける裁きは我が誉れ」などと胸を張って言えるほどの事件ではなかったことも事実だ。結局、私は極道花岡眞吾として、石川裕雄にはなれなかった。

口先ばかりでたいした度胸もなく、人情の垢をまるで旅の垢でも洗い流すかのような気軽さで、平気で不義理できる輩が多くなった現代ヤクザの社会において、己の意地のためならば死をも厭わず、心許した者に対しては、余命宣告を受けた病人を労るかのごとき優しさで心を配り、悲しいほどまでに己を犠牲にすることができる。不器用でもいい。私はそんな泥臭い真の極道に憧れていた。

そもそも器量人の男伊達というものは、古来より、痩せ我慢の思想の上に樹立した文化だったと言えるだろう。

かつて、近世日本の三大飢饉の一つである天保飢饉が最悪の状況を呈していた頃、関東代官の羽倉外記は、下総、下野、上野の三州に散在する支配所の村々を巡視するための公務出張の旅に出た。その僅かひと月前に大坂で起こった大塩平八郎の乱に触発されたのかもしれない。

この旅の道中、羽倉は飢饉で荒さむ景観に心を痛め、名主を呼び出しては実情を問い糾したりするのだが、それらの話から驚くべき真実を聞かされるのである。

というのも、土地の事情に詳しい人物が言うには、赤城山中に国定忠治という博徒の賊が隠れていて、昨年の冬以来度々山を下っては、博打のあがりで農業用の溜め池を普請したり、私財を投げうって飢饉に苦しむ貧民に米銭を施したりしているのだという。

飢饉に苦しむ窮民に手を差しのべるのは、本来なら為政者の仕事であり、次に生業その他の生活圏を共にする裕福な財力を持てる者、豪農商辺りだろう。

にもかかわらず、村の過半数が飢えに苦しむ中で、弱体化した幕府は自らの懐を痛めることを避けており、村の自助努力による救済策では一軒当たり二朱にも満たない分配でしかなく、一人当たりでは雀の涙もいいところであった。

その傍らであろうことか、貧民救済の合力と言えば、皮肉にもお尋ね者である国定忠治こそ最大の功労者なのだという。

事実、玉村宿場組合の大惣代・渡辺三右衛門の日記には「窮民ニ金一両ニ米一俵麦一俵ヲ、くれ遣し候事、人は知る処なり」と記してあるように、一軒当たり一両としても大変な大盤振る舞いであったことは間違いない。

そして、何よりも驚くべき事実は、天保の大飢饉によって全国で数十万人の疫病死や餓死者を出したが、忠治の縄張りでの餓死者は一人もいなかったというところにあり、時の関東代官、のちに幕府の勘定吟味役になった羽倉外記をして、自身の著書である『赤城録』によれば忠治に触れて、「数々の凶状は許し難し、されども天保の大飢饉に於いては私財をなげうって貧民を救済するは見事也。為政を預かる此の身は恥入るばかりである」と言わしめたほどである。

さらには、隣郡にある赤城周辺には飢饉はなかったが、自分の管轄の村々では飢饉がなかったとは言えない現状を目の当たりにして、「恥ずかしさのあまり顔面は真赤、熱を帯び、背中には冷汗をかいて穴があったら入りたいほどである」とまで表記しているように、やり場のない己の不甲斐なさを恨むしかなかっただろう。

国定忠治は本名を長岡忠治郎と言い、江戸天保時代に上州佐位郡国定村で生まれた。長じて親類縁者に累が及ぶことを嫌った忠治郎は、国定忠治と名乗り、瞬く間に上州屈指の大親分となる。

無論、義賊的英雄となった忠治を狙う者もいた。かねてより対立していた島村の伊三郎を斬って殺人を犯した忠治は、大戸の関所を破り、信州中野の貸元に身を寄せるのだが、今度はその信州で忠治の弟分・矛場の兆平が地元の博徒に殺害された。忠治は仇を討つために二十人もの子分を従えて、再び大戸の関所を破ったのである。

関所破りは数十年に一度あるか否かの大罪で、その厳重警備の関所突破を、忠治は二度もやってのけたのだ。厭世観に支配されていた庶民は喝采を贈ったが、関八州の見廻り役は捕縛に躍起になり、忠治は賞金首となって手配書が各地に配られた。これが「赤城の山も今宵を限り」で有名な忠治の凶状の旅である。

無宿にして博徒、任侠を以て鳴る国定忠治こと長岡忠次郎が、上野国大戸の関所の刑場で、千五百人を超える観衆を前に壮絶な磔を演じたのは、今からおよそ百七十年昔の話である。

確かに、国定忠治を執筆したある著者が言ったように、博徒がお上の手先となって十手を預かる二足草鞋を嫌悪し、お上に徹底抗戦した忠治の生き様は、激動の幕末をやり過ごし、お上との調和に努め、ハッピーエンドの生涯を全うした博徒、清水の次郎長こと山本長五郎とは対照的に、反骨の武闘派にしてアウトローといった感が強く、大衆風俗からもおよそ受け入れ難い印象が大きかったことは否めないだろう。

だが、約百七十年の時を超えた現代に至るまで、大衆文学をはじめ、数多くの芝居や浪曲、映画など、芸能の世界を通して歴史から排除されることもなく、世人が意識の奥底で語り継ぎ、思い続けてきたものは一体何であったのか。

それは、弱きを扶け、強きを挫く、任侠の精神。いや、それさえも超越した侠客国定忠治の男伊達に他ならない。ともかくも、一般大衆は、忠治の生き様に万世へと通じる心を見出したのである。

嘉永三年十二月二十一日、いよいよ刑場へと向かう時、忠治は一杯を乞い、生まれ故郷の上州の銘酒を飲み、上州の土に帰るのが爽快であると豪語した。もう一杯どうかと勧めると、死に臨んで酔ってしまっては死を恐れたことになってしまうと笑って断わり、従容として磔台に登ったという。

そして、「悪党をして天下の見せしめとなり、御成敗と決まって有難うござんす」と、心底からの感謝を言い終えると槍持ちに向かい、さあ突けと命じ、十四度槍を受けてようやく絶命した。享年四十一。

逮捕入牢以来、全身全霊を以て罪を償うことしか考えていなかった忠治は、死に臨んで恐れるどころか、むしろ喜ぶような態度さえ見せて、いかにも大丈夫たる者の面目を保つ、見事な最期だったと言えるだろう。

磔の忠治は二夜三日晒されたのち、死体と磔柱などは取り捨てられることになっていた。刑死後の扱いも穢多、非人にすべて任せられ、代官や関東取締役とて手が出せないという厳しさだった。

ところが、その忠治の死体が盗まれた。刑罰の中でもっとも甚しい磔の遺体が、首だけでなく手足までもが何者かによって持ち去られたのである。

首は国定村の養寿寺に運ばれて、忠治の師匠で住職の法印貞然によって、寺中のどこかへ秘匿されたのち、忠治を慕う者たちの手で埋葬されたという。

また、生前には多くの子分が捕まったり殺されたりして忠治の身辺も危うくなってゆく中で、なかなか捕まらずに生き延びることができたのは、村人たちが庇ったからだとも言われている。

世人はほとぼりが冷めた頃を見計らい、忠治追慕のための一基の墳を建立した。名付けて、情深墳。戒名は、遊道花楽居士。

忠治は、現在の伊勢崎市国定町の金城山養寿寺と、曲輪町にある善応寺の二つの墓で静かに眠っている。

侠客国定忠治は、まさに男の中の男であり、侠道の鑑であった。人の世の華であった。私は今刑を務め上げて社会復帰した暁には、上州へと足を運び、国定忠治の墓前に立つことを一つの励みにしている。そして、忠治がその土地に種を蒔き、育て上げた精神風土を肌で感じながら、稜線が際立つ赤城の山を眺めてみたい。

我を美しく

義を見てせざるは勇なきなり。

私は武士道のこの言葉が好きで、男として強く、正しく、美しく生きたいという思いから、座右の銘にしている。

正義、信義、恩義、徳義、仁義、節義と様々あるが、いつの時代でも、男が生きてゆく上で〝義〟が根本理念であったことは変わらない。

孟子は、「仁は人の心なり。義は人の道なり」との言葉を遺し、吉田松陰は、「士の道は義より大なるはなし。義は勇によって行われ、勇は義によって長ず」と言った。この項では、その〝義〟について触れてみたいと思う。

三方ヶ原の戦いで、武田勢に散々に蹴散らされた徳川家康は、その知略や戦法を尊敬してやまなかったと伝えられているが、戦国最強の武将として恐れられた武田信玄も、ついに天下統一の野望を果たせなかった。

のちに戦国乱世の覇者となる織田信長、豊臣秀吉、徳川家康の三者と比較して、武田信玄の何が劣っていたのか。

無論、ひと言で語り尽くせるような問題ではないだろう。また、歴史という故事をそれぞれの視点、価値観、感性といったもので論破するならば、様々な見解が生じることもごく自然な道理である。だが、この事柄に関しては、敢えて私の信念として断言させていただきたい。武田信玄には〝義〟の精神が欠けていたのである。

何より、信玄の戦闘は、武田家の領地を増やすことを目的に戦った、いわば私戦であり、一方の織田、豊臣、徳川の三者の場合は、戦のない泰平の世の中を築くという大義のために戦った、いわば公戦である。〝私〟は往々にして〝公〟よりも劣るものだ。

ただ、そこで見逃してはならないことは、天下人となり、戦のない泰平の世の中を築くという大義を実現させた徳川家康も、武士道の見地に立つとあまり高い評価を受けていない。その最大の理由は、主筋にあたる秀吉の遺言を守らずに、豊臣家を滅ぼしてしまったところにある。

我々現代人は、この故事から果たして何を学ぶべきだろうか。確かに、見方を変えれば、家康が天下万民のため、敢えて泥を被ったと解釈することもできるだろう。

希望、野心、権力、成功、挫折、闘争、妥協、軋轢、恫喝、懐柔と、様々な思惑が混濁する一連の諸事というフィルターを通してその後の歴史を鑑みた時、人々はそこから何を見出すのか。

そこには、清濁併せ呑むなどという月並みの考え方では到底処理することのできない複雑な事情があり、歴史学の難しさがあると言えるだろう。

だが、それでも私は、やはり秀吉との信義を果たし、遺言を守りたい。それが、私なりの〝義〟に対する重心の置き方である。

実は、近代社会にもその典型となる一例があった。一九九一年、湾岸戦争における当時のアメリカ大統領、ジョージ・ブッシュの浮沈がそれである。その詳細については、実に興味深いことを解説している書物を見付けたので、その要所要所を引用しつつ話を進めた方がわかりやすいだろう。

イラクがクウェートに侵攻し、アメリカがサウジアラビアに兵力を送り込んで以来、ブッシュ大統領は、イラクのサダム・フセイン大統領を激しく非難、公式の演説においてさえ、魔王、第二のヒトラーと呼び捨てた。つまり、ブッシュ大統領は湾岸戦争の目的を、クウェートに侵攻した独裁者サダム・フセインを打ち倒す、〝悪に制裁を加える〟という大義を国民に浸透させていったのだ。

地上戦において多国籍軍が圧勝し、クウェートからイラク軍を追い出したまでは順調な推移だった。悪を打倒したブッシュ大統領の支持率も沸騰し、一時期は九十パーセント前後という前代未聞の数字を叩き出していた。

ところが、そこから暗転が始まる。イラク軍は敗戦直後から、反政府運動を続けるクルド人の制圧を開始した。そもそもアメリカ政府は、湾岸戦争を有利に進めるためにクルド人と連携し、フセインを打倒するよう援助していたのだが、ブッシュ大統領が言うように、暴虐を極める強者から弱者を守るために戦うことが目的なら、フセインをもう一度叩きのめさなければならない。

しかしブッシュ大統領は、クルド人を見捨てるという選択を採る。なぜなら、打倒すべき目的であったはずのサダム・フセインとは、アメリカの国益という深い観点から捉えれば、利用すべき手段であるという現実に直面したからである。

もし、フセインが完全に駆逐される事態になれば、その後釜にはさらに暗愚な指導者が座る可能性が高い。しかも、中東でアメリカがもっとも嫌悪するイランが、軍事的に最優位な立場を手に入れてしまう。この状態は、アメリカの許容できるものではない。アメリカの国益にかなう最善の情勢とは、弱体化したフセインが政権を握り続け、イランを牽制しているという政治バランスなのだ。実際、アメリカの湾岸戦争に対する戦略自体、フセインを打倒するために組み立てられたものではなかった。

このためアメリカ国民は、クルド人難民がなす術もなくフセイン軍隊に追われる姿を、テレビ画面でただ眺めることになる。しかもその光景の片隅では、休戦して手が出せなくなった米軍兵がただ傍観していた。ブッシュ政権は、慌てて国益という目的を国民に訴えるが、国民は納得しない。大統領への信頼は失望と共に失われ、支持率も急降下。結局、退任までそれらが回復することはなかった。

任侠の精神で言う〝弱きを扶け、強きを挫く〟の言葉を借りるなら、この場合、アメリカ人は是が非でも悪であるサダム・フセインを倒したかったのか。決してそうではない。アメリカ国民はただ、国益よりもクルド人を助けるという信義を重んじただけのことだ。そこにこそ、人の世の美しさがある。

そもそも、〝義〟とは、我を美しくと書く。そのもっとも美しい形態は、自らを省みず、他者を救う姿にあると言われている。

また、日蓮大聖人は、自らの御書において「仁と云うは、人を憐れみ生を慈しみ、物を育む心なり。義と云うは、事の謂われを違えず、邪なる事をなさず、万事に理を失わざる是れなり。礼と云うは、父を敬い母を敬い、天道仏心を貴び、ないがしろになさざるを云うなり。智と云うは、万事の有様をよく知りて、善事悪事を弁え、なすまじき事をなさず、なすべき事をなす是れなり。信と云うは、事に於いて誠を致し、僻事をなさず、心の底に思い解る是れなり」と教示しているように、武士道にしろ、仏教道にしても、義の精神に透徹した人であればこそ、強く、正しく、美しく、人生劇場を謳歌することができるのだろう。

余談だが、私の身近にも、かつて義侠と呼ぶにふさわしい友がいた。その彼は何よりも忠孝を重んじる男で、彼の生き様を支えた心の幹となるものは義であり、別の言葉で言い換えるなら侠気というものでもあった。

命もいらず名もいらず、官位も金もいらぬ人は始末に困る。しかし、そういう人でなければ……。とは、西郷隆盛が山岡鉄舟を指して語ったものだが、この言葉も彼のためにあるような言葉で、決して立身出世を夢見る型のヤクザではなく、権力悪を潔癖に否定し、あくまでも純粋性の化身として凛冽に生きようとする姿には、例えようのない魅力が溢れていて、私は彼のことを、平成の世に現れた孤高の侍だと認めていた。

しかし、そんな彼が仕えた親分は、決して他人から尊敬されるような人物ではなかった。同年代の人達の話によると、少年時代には不良に憧れつつも、地元ではぱっとしない半端者だったらしく、虎の威を借るように極道社会の門を叩いたのだという。

たいした取り柄もなく、若い頃よりギャンブルに溺れては借金を繰り返し、むしろそのような振舞いを恰好いいことだとさえ勘違いしていた。当然、英雄的気概や豪傑的性根などさらにない。それどころか、実力社会に身を置いていながらも、年功を誇るというサラリーマン的思想の持ち主で、いわゆるはったりヤクザだった。

ゆえに、そうした事情を熟知した人々は、なぜあれほどの人物があんな親分と縁を持ったのだろうかと、誰もが彼の前途を憂い、首を傾げていたものだが、私自身もその主従の関係についてはやり切れない違和感を覚えていたことも事実だ。

君、君足らずとも、臣、臣たり。彼は、どんな時にでも親分に向ける顔を変えたことがなかった。自分の善行は親分の功として、親分がヘタを打てば自らの罪として背負い込み、金銭的な面でも随分と苦労させられていた。それでいて、少しも悲壮感を感じさせない彼の振る舞いが、すごく魅力的だった。

私は、彼とは妙に馬が合った。何より彼といるとなぜか心地良く、無防備でいられた。私も幼い頃からずっと無口だと言われていたが、彼は私に輪をかけて寡黙な男だった。

いつだったか、二人で焼き鳥屋のカウンターに肩を並べて、一時間近くも無言で飲んでいた思い出がある。あとで店の大将からそのことを突っ込まれてみんなで笑った。私達の間には、語らずとも打てば響くように通じ合うものがあったことも事実だったと言えるだろう。

ある日、私は思い余って、彼が親分との縁を持つに至った経緯について、それとなく尋ねた。すると、彼は私に対して一瞬厳しい視線を向けはしたが、静かに語ってくれた。

二人は元々、出身の中学校こそ違えど同じ地域で生まれ育ったという、いわば旧知の間柄だった。彼がまだ十代で荒んでいた頃、金も行くあてもなく夜の街をさ迷い、冬空の下で途方に暮れていた時に、たまたま繁華街で親分と会い、「こんな所でどうした。寒いだろう」と声を掛けられ、古いセダンの助手席に乗せられたのだという。

それから親分の用事に付き合い、その帰りに二人で寄ったラーメン屋で、普段から貧乏をしては常に金策で走り回っているという噂を見聞きしていた親分が、ズボンのポケットからしわくちゃになった千円札を取り出し、僅かばかりの所持金が露見したことを、ばつが悪そうに笑顔で隠しながらも支払いを済ませる姿を見て、なんとも言えない温もりと親しみを感じたと彼が懐かしそうに言った。親分の名前を口にする度に、彼の鋭い目が柔和に細められる。まるで遠くの人を慕うかのような表情を見せていた。

そして、彼はこうも言った。「周りの人達がうちの親分のことをどう言っているのか俺は知っている。でも、あの日の優しさは嘘じゃなかった。だから俺は、この人を男にしてやろうと思ったんや」。彼が、少年のような顔をして私に微笑んだ。

私は、その話を聞いて益々彼のことが好きになった。たった一杯のラーメンの恩義に男としての矜持を見出し、とことん他人のために尽くせる汚れなき生き様が羨しかった。私のそれは彼には遠く及ばない。自分の天地を思い知らされたような気がした。

彼が言うことは常に高く、その行いは常に清い。理非を弁え、情に厚く、私が知る限り彼ほど見識が豊かな人物は他にいない。それでいて、彼は理を以て生きることをしなかった。頑なまでに単純明快に生きようとする姿が、純真無垢な彼の心を表していた。彼の義道には徳が溢れ、私はその徳に触れる度に感化されていった。

だが、そんな臥竜鳳雛もついに表舞台に立つことはなかった。彼は自決という形でその短い生涯に幕を下ろしたのである。私は彼の死を告げられた時、闇夜の中で明かりを失ったような感傷に襲われた。あまりにも突然で、儚い最期だった。

まさか自殺するような男には見えなかったと、誰もが信じ難いといった顔をして様々な憶測を囁き合っていたが、彼が何事からも逃げるような男ではないということは、私が一番よく知っていた。

生前、彼は、武士道においてもっとも壮烈な死に様は、諫死《かんし》だと言っていた。自らの一命と引き換えに主君を諫める訳だから、それ以上に心ある幕引きはないだろうと、私に対して語ったことがある。

また、彼が死んだ時期と前後して、彼の親分はいくつかの問題を抱えていた。自らの若い衆の不始末が原因で、組織のトップにまで累が及んだにもかかわらず、その責任を直視しようともせず、酒を飲んでは賭博を繰り返し、いつ破門になってもおかしくない危うさの中にいたことも事実だった。

恐らく彼のことだ、私が知らないところでは親分に道を誤らせないために、あらゆる手を尽くしていたに違いない。その最後の手段として究極論を選択したのだろうか。もはや今となってはその真相すら確かめようがなくなってしまったが、私は、彼の死の原因がそんなところにあったのではないかと考えている。

結局、彼が身命を賭して尽くした親分は、それから間もなく破門になり、その街から姿を消していた。私は、彼に問いかけた。たったこれだけの人生で、本当によかったのか。彼が目の前にいたら、殴りとばしてやりたい心境だった。また、彼の親分を探し出し、殺してやろうかとさえ考えた。

しかしその一方では、私のようなくだらない男をこんな気持ちにさせる彼のことを、改めてすごい奴だと思った。

自分の本音をひた隠し、どこまでも男らしくやせ我慢に耐えながらも、ある面では常に清らかに潔く、そして誰よりも美しく貫いた彼の生き様は、まさに逆説の美学を体現する者の姿であったし、彼は本当に最後の侍だったのかもしれない。

そんな彼のような男と人生の早い時期に出逢えたことは、私の人生においてもっとも幸運なことだったと言えるだろう。彼の生き様こそが私の原点だ。その思いを背負い、彼がやり残したことを集大成することが、私なりの義道だと思っている。

友よ、心からありがとう。君と出逢えて本当によかった。君がいなければ、何もなかった……。

平成二十六年九月十一日から十三日にかけて、五代目工藤會の野村悟総裁と田上文雄会長が十六年前の殺人容疑で逮捕されるという悲劇は、我々にとってまさに青天の霹靂だった。

それでも逮捕当初は、私を含めほとんどの工藤會関係者が、ふた勾留ののちに不起訴で終わるという、いわゆる世間に対するお決まりのポーズを取っただけだろう、という程度の認識で楽観視していた。

ところが、その大方の予想を裏切る形で立件されたのをしきりに、翌十月には、総裁、会長、理事長以下、五代目田中組執行部の大半が、組織犯罪処罰法違反の容疑で検挙されるという事態にまで発展し、その後も新たな事件が公になっては、あれよあれよという間にその全容が明らかになってしまった。

工藤會は三代目時代より、見ざる、聞かざる、言わざる、の原則を根本に、警察当局との対決姿勢を鮮明にして、その強情で断固とした密室での態度は多くの捜査関係者を泣かせ、マスコミはそうした工藤會の体質を〝鉄の掟〟と報じていたほどである。

だが、その工藤會の、見ざる、聞かざる、言わざる、の徹底した方針も、〝思わざる〟ばかりはどうすることもできなかったのだろう。

そして、それぞれが思わざるを得なかった心の奥底で燻っていたものが、やがて迷いとなり、不信感となり、自らの将来に大きな不安を募らせ、ついには正直に供述するための言い訳へと化してしまったのが、脱落した人々の嘘偽らざる心情ではなかったかと私は思っている。

上司からの命令に対しては、どうやってやるのか、ということは考えても、なぜやるのか、と問えないのがヤクザ社会の不文律ではあるが、事件を実行する者の心理としては、何も告げられず、目隠しをされてわからないまま犯行に及ぶことほど後味の悪いことはない。まして、その相手が女性ともなればなおさらのことだったはずだ。

それらの事件に関与する命令系統がどのような手順で行われたのか、実際のところ私にはわかり兼ねる謎ではあったが、すでに判決が出ている一部の事件については、野村総裁の指揮下で実行された事件だという事実が認定されてしまった。

また、メディアでは社会で起こった事実をありのまま伝えることはできても、その本質まで伝えきれないという側面もあることから、世間一般の人達の中には、野村総裁が血も涙もない独裁者、狂気に満ちた大悪人、という印象を持っている人も少なくないだろう。

そこで本項では、それらの事件に関与する問題点を取り上げる前に、まずは私なりの野村総裁の人物像について、少しばかり触れさせていただきたいと思っている。

私と野村総裁との出逢いは、すでに述べている通り、会津小鉄時代の京都で、十八歳の頃だった。

当時、京都一の博徒と呼ばれていた馬場の親分は、馬場組事務所で大きな賭場を開帳することもしばしばだったが、ある時、野村総裁が馬場組の賭場でひと晩の間に三億円負けたという出来事があった。

私は野村総裁と初対面の時から、男振りのよい風貌とその所作に、男として惹かれるものを多分に感じていたが、九州の田舎ヤクザの親分が三億もの大金をどうやって収めるのだろうかと内心では心配していた。

というのも、極道社会ではそれなりに名を馳せて、よく話題に取り上げられているような親分でさえ、博打での借金が払えずに、居留守を使ったり、行方知れずになったりと、そうした醜態を随分と見ていたからだ。

ところが、野村総裁は約束の期日通りに現金で清算していた。さすがは九州最大組織の若頭だと感心したものだ。

私が野村総裁のそうした一面について思うことは、会津小鉄、工藤會時代を通して客観的に見てきた限り、お金にはきれいな人物だということは間違いないはずだ。

また、野村総裁は気配りの人でもあった。浄土宗の総本山・知恩院には、草野高明二代目の喉仏を供養していることもあり、野村総裁が京都に来られる時は、馬場の親分が京都駅まで出迎えに行き、そこから知恩院へと直行するのが常だった。

その知恩院へと通じる道は、実に運転手泣かせの狭い路地になっていて、運転手が境内への曲がり角の所で、親分のベントレーを壁や柱に二度ほどぶつけたことがあった。

二度目の時は私も助手席に同乗していたのだが、親分から、「お客さんが乗ってはるのに何してんねん」と言って怒鳴られたことを記憶している。

それ以来、野村総裁は知恩院での参拝を済ませてから事務所に連絡して来るようになった。運転手の苦労を思えばこその優しさであり、気遣いだったことは間違いない。

その時の運転手も野村総裁の大ファンではあったが、後日、その運転手が私に向かって、「お客さんに余計な気を遣わせてしまったのう」とこぼしていたことも、今となっては微笑ましい思い出の一つである。

平成五年三月、私が馬場組の組長付になって一番最初に同行した義理事が、五代目山口組顧問、伊豆組々長、伊豆健児親分の葬儀の時だった。

その本葬儀の時は、福岡県警が他団体の葬儀への参列を阻止したこともあり、四代目会津小鉄は、後日改めて伊豆組本家の方で焼香の栄誉を賜ることになっていた。

京都駅から新幹線に乗り、一路博多へと向かった。車窓の人は、四代目会津小鉄若頭・四代目中島会の図越利次会長と会長付の村田さんと貞山さん、それに馬場の親分と私を合わせた五名である。

当時は馬場の親分と野村総裁が兄弟付き合いをしていたこともあり、九州での義理事はすべて二代目工藤連合草野一家の案内でお世話になっていたのだが、この時も小倉駅からは野村総裁と天野義孝総長代行、林武男最高顧問、中村誠組長などが乗り込んで来て、博多駅では大勢の三代目田中組幹部から出迎えていただいた。

九州のドンと呼ばれていた伊豆健児親分の存在は、九州の不良の世界で生きて来た私にとって、少年の頃から憧れの人物の一人だった。その伊豆の親分の御霊前に立ち、供養させていただけるという栄誉は、その後のヤクザ人生に対する誓いにもなるはずだと万感を込めていた私ではあったが、いざ本家の前に到着してみると、とても私のような青二才が中に入って行けるような雰囲気ではなかった。

〝万事休す〟の思いで落胆していたところ、野村総裁は私の胸中を察してくれたのだろう。私の元に引き返して来て、「お客さんやから中に入ってもいいよ」と優しく招き入れてくれた。すごく嬉しかった。

本家にお邪魔すると、仏間には、その後に伊豆組の二代目を継承した青山千尋若頭をはじめ、福博会の親分衆など錚々たる顔ぶれがいて、座談会のごとき和やかさではあったが、その傍らで、私は伊豆健児親分の御霊に合掌し、あなたのような男になりたいと誓った。

伊豆組本家での弔問を終えた後、その足で佐賀県の嬉野温泉へと向かい、野村総裁から手厚い接待をしていただいた。

二代目工藤連合草野一家の最高幹部数名と、三代目田中組幹部など、総勢二十名近くいただろうか。

この二泊三日の滞在中には、食事のこと。親分が食後に飲んでいた薬のこと。我々付人の息抜きといった実に細やかなところまで気を配っていただき、伊豆組本家でのことといい、至れり尽くせりの野村総裁の心遣いだった。

私には、忘れられない思い出がある。

というのも、当時私は全身に刺青を彫り始めたばかりの頃で、人前で肌を見せるのに抵抗があったというか、気恥ずかしい思いでいたのだが、温泉に浸って馬場の親分と談笑していた野村総裁が、私の方を指差して、「いい若い衆ですね」と言った。

そして、野村総裁は、私の胸中を何もかも見透かしていたかのように私に向かって頷くと、優しく微笑んでくれた。私は、胸が熱くなった。男の世界には言葉などいらないということを肌で実感した。私は、この日を境に野村悟総裁に対して、特別な感情を抱くようになったと言えるだろう。

親方古本健二と野村総裁との出逢いや、親方がヤクザ社会の門を叩いた経緯については、すでに述べている通りだが、親方が最初に所属した組は、三代目田中組内木政組だった。

この木政組の木村政勝組長は、野村総裁が田中組内野村組々長だった若かりし頃に、野村組の若頭を務めていた人物で、いわば総裁唯一の子飼いの若い衆である。

ゆえに、私と親方との間では、田中組一門という意識よりも、野村組一門という矜持のほうが強かった。

事実、私が親方との縁を持ち、工藤會系組員として活動して来た中で、目指していたものはただ一つだけである。

それは、野村組を復活させて、親方が二代目野村組々長として工藤會の直参組長に昇進し、その二代目野村組を、筋金入りの組織に育て上げたいという思いだけだった。私の心を支配していたものは、それ以上でもなければそれ以下でなかったことも間違いない。

平成十六年、私が佐世保刑務所から社会復帰した時点での親方の肩書きは、四代目工藤會上席専務理事、四代目田中組若頭補佐、古本組々長になっていた。

ゆえに、出所後は古本組の組事務所を立ち上げて、組織としての体制を築くことになるのだが、そこでは私なりの葛藤があった。

というのも、すでに述べている通り、田中組一門には、直参に昇進した組の役職クラスが引き抜かれるという暗黙の了解が存在していたため、私は、親方が直参組長に昇進するまでは組織としての体制を築くべきではないと考えていた。

しかし、私が佐世保刑務所から社会復帰した時点で、親方は未だ直参には昇進していなかった。私の青写真では、二十代で直参に昇進するだろうと思っていた親方が、実際にはそれよりも十年遅れてしまったところに、すべての歯車を狂わせた大きな誤算があったと言えるだろう。

結局、私が連れていた連中を親方の子に改めて、古本組の事務所開きと親子盃を執り行ったのが、平成十六年十二月二十五日のことである。深夜の盃事だった。

古本組発足時の陣容は、組長古本健二、若頭花岡眞吾、本部長松本哲也、幹事長中田好信、若頭補佐平井淳一、加藤政範、唐﨑航也、事務局長伊東直樹、舎弟入江純一、参与廣田智久、井上昇喜、工藤龍馬。組事務所には、太州会理事、三代目飛竜会の安中英二若頭から寄贈していただいた「悟道」の文字を金箔で仕上げた高価な額を飾らせていただいた。この文字の中にこそ、古本組の方針があると私は信念していた。

親方は、組の運営には一切口を挟むこともなく、そのすべてを私に一任してくれるような度量の大きい人だったので、役職のことなども含め、たいがいのことは私が考えて親方に相談していた。

また、古本組の発足に関しては、他にも私の舎弟や近親者、準構成員の類がたくさん存在していたが、私自身が烏合の衆のごとき集団を嫌っていたこともあり、少数精鋭でスタートしたいという思いが強かった。

その点、古本組の役職クラスには、地元に帰れば、それぞれが頭を張れるような人材が揃っていたため、田中組一門の中では、どこの組にも負けない顔ぶれだったと私なりに自負している。

一方で、私が今刑の事件で逮捕されてからは、中田好信を古本組若頭代行、加藤政範を幹事長とする新体制を発足させた。

また、その人事と前後して、四代目田中組若頭に就任した菊池啓吾が、中田好信を若頭付の運転手として使うようになるのだが、今になって思えば、それがすべての悲劇の始まりだったのかもしれない。

五代目工藤會、野村悟総裁、田上文雄会長とする新体制を樹立した平成二十三年、古本親方は、晴れて工藤會の直参組長に昇進し、菊池啓吾は、五代目工藤會理事長・五代目田中組々長という破格の地位に抜擢された。

その菊池理事長からは、田中組の代替わりに際して、自分よりも下の世代にはこれといった人材がいないため、中田好信を次の六代目として育てたいという話があった。

とはいえ、私が親方との面会でその話を聞いた時にはすでに盃事が終わった後で、単なる事後報告という形でしかなかったが、三年後には、中田を五代目田中組若頭に据えるという菊池理事長の方針を聞いて、私としても悪い話ではないと思っていた。

また、工藤會の代替わりを特集した某雑誌の誌面において、菊池理事長が取材に応じた記事を拝見した限りでは、私が思っていたよりも頼もしいことを語っていたこともあり、理事長がそのような考え方でいるのであれば、応援してあげたいと思っていたことも事実だ。それだけに、その後の理解に苦しむ采配や、逮捕後の醜態があまりにも残念に思えてならない。

平成二十六年九月十一日、野村悟総裁の逮捕以降、野村総裁、田上会長、菊池理事長のトップスリーが、恐らくもう二度と社会の土を踏むことはないだろうという認識を、ほとんどの工藤會関係者が持つようになるまでに、さほど時間を要さなかった。ほんの二、三ヵ月程度で急速に深刻化したという印象を記憶している。

そうした観測が濃厚になってゆく最中、古本親方が、野村総裁の姐さんから、健ちゃんには堅気になって欲しい。堅気になった上で野村家のために尽くして欲しい、という思いを打ち明けられたということを、親方が私との面会の席で聞かせてくれた。

私は、それも一つの道じゃないですか、とすぐ様答えた。また、親方が本気で堅気になるのであれば自分も一緒に堅気になって、いよいよの時はヘルメットを被って現場で働くくらいの度胸は持っていますよ。どのような立場であれ、最後までしっかりと支えて見せますからとも言った。

以前、太州会若頭の原田久士組長からは、古本さんのような忠義者はもう二度と出て来ないだろう。あの生き様は誰にも真似できないと誉めていただいたことがある。私もまったく同じ思いでいただけに、右の原田組長の言葉を聞いた時は、すごく嬉しかった。

誰だったか、他者との関係の有り様が自分の存在を決めると言った人がいた。確かに、そうに違いない。ゆえに私は、野村総裁との関係性の中で、親方にしかできない生き方を見出して欲しいと常々願っていた。その親方にしかできない生き方とはどうあるべきか、私には明確な思いもあった。

というのも、野村総裁と姐さんとの間には一人息子がいる。K君。前途ある堅気の青年なので、実名で書くことは控えさせていただきたい。

親方は、そのＫ君が乳児の頃からミルクを飲ませたり、風呂に入れたり、実の親兄弟のごとき真情を以て接していたし、Ｋ君自身もまた、親方のことを実の兄のように慕っていた。私は、そんな二人の関係性とその絆の強さを、微笑ましくも羨しくも思いながら眺めていたものだ。

平成十六年の真夏のことだったと記憶している。自転車で遊んでいたＫ君が、友達と野村本家ガレージにある当番室へと駆け込んで来て、お兄ちゃんジュースちょうだいと言った。

私が冷蔵庫を開けると、中にはジュースが一本しか入っていなかったため、Ｋ君にそのことを告げて、今からジュースを買いに行くから何がいいかと尋ねたところ、Ｋ君は、買いに行かなくていいよと答え、その一本のジュースを友達に手渡すと、自分は水道の生ぬるい水を飲んでいた。

そして、汗びっしょりになったＫ君が、友達に向かって微笑んだ時、この子は六歳でこの分別ができるのかと、私は涙が出るほど嬉しくてならなかった。

この服役中、私は親方との面会の折に、事ある毎にＫ君の近況を尋ねていた。Ｋ君と私の娘とが同じ平成九年十一月生まれということもあり、私はＫ君の成長を知ることによって、会えない娘の姿を重ね見ようとしていたのかもしれない。

Ｋ君は、頭が低くて、礼儀正しくて、偉そうにしたところがまったくない。どこに出しても恥ずかしくない好青年に成長しとる。

Ｋ君のことを語る親方もまた、まるで我が子のことでも語るかのように嬉々とした表情をしていた。

父親は工藤會の頂点に立ち、幼少の頃から何不自由なく育てられたように思われているK君ではあるが〝野村の息子〟というレッテルを貼られたことで、この先不利益になるようなことはあっても、利益になるようなことはほとんどないはずだ。

そのK君もすでに成人しているが、将来野村総裁が人生の終焉を迎える時に、心残りなことがあるとするならば、それはK君の行く末を案じる思いではないだろうか。歳を取ってから授かった子であればこそ、そうした思いがなおさら強いはずだと私は思っている。

ゆえに親方には、K君の後見人となり、親子二代にわたって野村家のために尽くして欲しい。ヤクザ社会の名利も何もかもを捨て去って、損得抜きで尽くし切ることで、親方にしかできない忠孝を達観して欲しい。私は、その親方を全力で支えたいと思った。

しかし、その時の面会での親方は終始冴えない顔をしていた。恐らく、三十年近く部屋住み修行をして、野村本家の中だけで過ごして来たこともあり、ヤクザ人生をやり切った感がないのだろう。それはそれで無理もないことだと思った。

そして、親方がどのような決断をするにせよ、まだまだ時間がかかるだろう。しばらくの間はそっとしておいてあげようと思っていた私ではあったが、まさかその数ヵ月後には、私自身が人生の岐路に立たされることになろうとは思いもしなかった……。

私と中田好信との邂逅は、私が暴走族を引退した十七歳の頃だと記憶している。つまり、私の代で一番最後にチームに入って来たのが中田達の世代だった。

我々乱鬼龍の伝統として、新入りは歴代ＯＢの前で自己紹介の挨拶をさせられるのだが、当時遠賀中学校の三年生だった中田が、数名の仲間を引きつれて挨拶に訪れた日の思い出は、いくつになっても忘れられない。

私の同級生に三木佳寿人という親友がいる。隣町の遠賀南中学校のボスで、一本筋が通った一徹者ではあったが、イケイケドンドンの狂犬のような男でもあった。

少年時代、ヤクザのおっさんがピアスポーツの服を着ているのが生意気だと言って、喧嘩を売るような訳のわからないやりっ放しの気性をしていただけに、年下の後輩は誰もが三木のことを恐れていた。

その日、並いる先輩達を前にして、ただでさえ萎縮していた新入り中学生の前に三木佳寿人が立ちはだかった時、その子達の顔はなんとも言いようのない緊張感で硬張っていたが、中田だけは違っていた。

そして三木が、この中で喧嘩に自信がある奴は手を挙げれと尋ねると、中田一人が臆することもなく、誰に憚ることもなく手を挙げた。

さらに三木が、「ほう、どれくらい強いんか？」と問い返すと、中田は、自分が同年代の人間とタイマンを張って負けたなら、地球が引っくり返りますよ、と大きな声で豪語していた。

私はその傍らで、三木と中田とのやり取りを聞いているうちに、中田好信という男が一発で好きになった。

その後にも、中田が朝鮮学校に乗り込んで十数名を相手に、たった一人で堂々とやり合った武勇伝など、性根が据わっているところを随分と見せてもらったが、乱鬼龍、会津小鉄、工藤會時代を通して、中田以上に私のために尽くしてくれた弟分は他にいない。

その中田好信の人物像については、兄貴分の私が語ると手前味噌になってしまうが、義理堅くて誠実で、とにかく不良でありながらも真面目一辺倒の性格だった。また、礼節を重んじるという点においても、筋金入りのところがあったと言えるだろう。

その人格形成は、中田の父親が居合いの先生で厳格な人だったため、恐らく少年の頃から一貫した家庭教育の中で培われたものに違いない、と私なりに確信している。

私の母親や家族にしても、中田のことを私の実の弟のように信頼していたし、どこに出しても胸を張れる、本当に、私には過ぎた弟分だった。

一、福岡看護師襲撃事件。事件日・平成二十五年一月二十八日。逮捕日・平成二十六年十月一日。
二、歯科医殺人未遂事件。事件日・平成二十六年五月二十六日。逮捕日・平成二十七年二月十六日。
三、警察ＯＢ殺人未遂事件。事件日・平成二十四年四月十九日。逮捕日・平成二十七年七月五日。
近々五代目田中組若頭に就任することが決まっていた中田好信が、平成二十六年十月一日に、野村悟総裁、田上文雄会長、菊池啓吾理事長と連座して組織犯罪処罰法違反の容疑で逮捕され、その後、自らの容疑を全面的に認め、工藤會から離脱したことを私が知ったのは、中田が二つ目の事件で起訴されて間もない時期のことである。およそ信じ難い思いしかなかった。

中田が会を離脱してからというもの、中田シフトを敷いていた連中が掌を返したように変質漢と化し、中田を糾弾する者が次々と現れては、何もかもが中田のせいにされてゆくようで、人の世の醜いところしか見えて来ない。私は、そのようなやり切れない日々を過ごしていた。

無論、私とて、中田に対して言いたいことや思うところはたくさんあった。

何より、私は小倉で女性が切り付けられる事件が起きてからというもの、組の者に対しては、もしそのような仕事が回って来ても絶対に断われ。自分が歩んで来た道を振り返れないような行いをしてはいけない。例え上からの命令であっても、間違ったことは否と言える男であれ。責任は俺が取ってやる。とやかましく言っていた。にもかかわらず、なぜ？　という思いが強かった。

まして、次期五代目田中組若頭であったはずの立場でありながら、己の利害を優先させて我真っ先に離脱している訳だから、恥を知れ、と怒鳴り散らしてやりたい思いもあった。

とはいえ、少年時代からずっと一緒に生きて来た弟分を、恨んだり憎んだり、見放すという気持ちにはなれなかったことも事実だ。

そもそも、この工藤會による一連の事件の真相が、どのような経緯で捲《めく》れていったのかと言うと、これは後々になってわかったことではあるが、そのほとんどの事件は、犯行車両を用意した連中が、別件容疑などで逮捕され、警察に寝返ったところから捜査状況が急展開を迎えたと私は聞いている。

つまり、中田が二つ目の事件の容疑で再逮捕された時には、すでに三つ目の警察ＯＢ銃撃事件に関与する証言まで揃っていたらしく、中田をはじめ共犯者の誰某は、一つ目の事件では総裁、会長まで連座されていることもあり、どのように判断してよいのかわからずに、菊池理事長に対してお伺いを立てたそうだ。

その内容は、
一、全面的に否認するのか。
二、自分の容疑だけは認めてもよいのか。
三、それともすべてを自分が被るのか。
この三つの内のいずれかを指示して欲しいというもので、それに対する菊池理事長の反応は、中田に対しては黙殺し、別の者に対しては妙案が浮かばないと答えたという。

それで、菊池理事長から見捨てられたと受け取った中田は、五代目工藤會直参の丸本組長宛てに脱退届を送付した上で、自らの容疑を全面的に認める供述を始めた。恐らく、生まれて初めて警察から逮捕された中田は、今ならまだ有期刑で助かるかもしれないという結末に、一縷の望みを繋いだに違いない。

確かに、妙案が浮かばないと言い放った菊池理事長に対しては、私としても、あまりにも情けなくて、唯々呆れる思いしかなかったが、菊池理事長がその程度の小人物だということは始めからわかっていたことであり、それを離脱するための言い訳にするのは筋が違うだろう。

私が中田の立場なら、共犯者を助けるために罪を被ったり容疑を認めるようなことはしても、自らの量刑を軽減するために醜態を晒すような真似は絶対にしない。

損得抜きで己を捨てるのが男の美学であり、それを貫くのが自分の信条なんだということを、中田好信には若い頃から常々教えて来たつもりでいたが、結果として、私と中田の価値観は違っていた。つまりそれは、私自身が他人の価値観を変えるほどの生き様を見せられなかったということであり、そのことに気付いた時には、中田を責めるということよりも、自らの不甲斐なさを悔やむことしか私にはできなかった。

その後、工藤會の一連の事件に関与した逮捕者たちが、互いに足の引っ張り合いを始め、目も当てられない泥仕合を演じることになる。

相手がその手で来るなら、こっちはこの通り、とでも言わんばかりに、他人の秘密を暴露することをまるで兵法とでも勘違いしているらしく、次から次へと新事実が公になっていた。悲しいかな、それが五代目田中組幹部と呼ばれた人々の本性だった。

私が、それらの一連の事件を通してもっとも心を痛めて来たことは、やはり一つ目の女性襲撃事件に関与して、私の弟分である中田好信が重要な役割を果たしていたことである。

この女性襲撃事件については、五代目田中組若頭補佐の大石薫が実行犯で、中田好信が見届け役だった。

そして、その二人の供述によると、犯行直前に現場付近で五代目田中組本部長の中西正雄と会うまでは、二人共その標的が女性だということを知らされていなかったらしく、その事実を知った二人は一度は辞退しているが、その場で中西から、これは総裁の仕事なんだと恫喝されて、渋々犯行に及んだというのが真相のようだ。

また、その被害者の女性が襲撃されるに至った動機を聞かされた中田らが、そんなことのために人生を棒に振ったのかと言って嘆いていたことも、私は捜査関係者から聞かされて知っていた。恐らく、それが女性襲撃事件に関与した人々の、嘘偽りのない心情だったに違いない。

だが、私に言わせれば、とにかく罪もない女性を襲撃したことがいけないのであって、その動機を知って愚痴をこぼしたり、自らを擁護しようとすることなど愚の骨頂である。

そもそも、その女性を助けてあげたい、と心底から思っていたのであれば、二人で話を合わせ、わざと失敗して逃がしてあげるという選択肢もあったはずだ。にもかかわらず、それをやっておきながら誰彼が悪いと責任を転嫁してみたところで、なおさら虚しい思いをするだけではないだろうか。

一方で、この女性襲撃事件を立案し、黒幕であるはずの菊池啓吾理事長は、五代目田中組の田口義高若頭に、その罪と全責任をなすり付けようとして、逆に居直られて嫌悪な関係になっていた。

この事件で完全犯罪を目論んでいた菊池理事長は、それぞれの役割を細かく分担し、複雑な絵を描いた訳だが、それがかえって裏目に出てしまい、結局は大勢の逮捕者を出す破目になってしまう。

それらの事件に関与する命令系統がどのような手順で行われたのか、私にはわかり兼ねる謎ではあるが、菊池理事長が中西正雄に対して、「総裁の仕事」という名目で指示していることは明白であり、そこに見逃し難い前代未聞の大失態があったと言えるだろう。

にもかかわらず、なぜ彼は自らの責任を取ろうとしないのか。私が彼の立場なら、総裁、会長は関係ない。すべて私一人の責任でやらせた犯行だと供述している。大切なのは、そうした供述が通る通らないということではなく、要はその責任の取り方であり、どのような自分を演じるか、ということに尽きるだろう。

また、田上会長にしても、右の事件に触れて、「啓吾はなぜあんなにも大勢の人間を使ったんだろうね」と捜査員に対してこぼしていたそうだが、それは会長が言うべきセリフではあるまい。正しくは「うちの者が取り返しのつかない誤ちを犯してしまった」と謝罪すべきことであり、さらに私が田上会長に問いたいことは、もしそれが野村総裁の指示によるものだとするならば、なぜ総裁を諫めて止めなかったのか、ということである。

組織のトップとしての責任を軽視して、右のようなセリフが言えるということは、罪の意識をさほど感じていない証拠ではないだろうか。少なくとも私がその立場なら、田上会長のようなセリフは口が裂けても言えなかったはずだ。

今のままでは、それぞれの人生が無意味に終わってしまう。このまま恥を晒し続けていたのでは、工藤會には一人の侍もいないのか、と世の笑い者になってしまうだろう。

自分は違う。男気が枯れた現代ヤクザの社会にあって、古きもののふの道を真っ直ぐに踏みしめるような自分でありたい。小倉にもこんな男がいてるんや、というところを存分に見せてやりたい。そのために何を為すべきか、何をどんなに考えても、自分を納得させるほどの答えを見出すことはできなかった。

そうやって、尽きることのない葛藤と共に、やり切れない毎日を過ごしていた時期のことだったと記憶している。中田好信から私宛ての伝言が届いたのは……。

「以前、田上会長が、花岡が帰って来たら、花岡はお前よりも上の地位に置いてやる。お前もそのつもりで精進しろと約束してくれていた。自分も、兄貴には少しでも居心地のよい椅子に坐らせてあげたい一心で頑張って来たつもりだったけど、こんな恰好の悪い終わり方ですいません。迎えにも行けなくてごめんなさい」

私は、この時の中田からの伝言を聞いて一つ謎が解けたような思いがした。というのも、次期六代目として王道を歩んでいたはずの中田が、なぜ複数の事件に関与して、こんなにも無理をする必要があったのかと疑問を抱いていただけに、なるほどと思った。それと同時に、そんなつまらないことのために罪を犯し、人生を棒に振ったのか。中田の罪の半分は自分の罪だという自責の念を禁じ得なかった。

それからというもの、寝ても覚めても中田のことばかり考えていた。あれだけの事件に関与している訳だから、どっちに転んでも無期懲役の判決はまぬがれないだろう。あいつは獄中で人生を終えるのか。もう二度と会うことすら叶わないのだろうかと考えた時には、途方もなくやり切れない思いで一杯になった。

そして気付いた時には、私は中田好信の兄貴分として、その不始末に対する責任の取り方を模索するようになっていた。

とはいえ、中田を取り巻く境遇は極めて深刻だった。なぜなら、中田が自らの容疑を全面的に認めたことによって、総裁、会長、理事長を含め、複数の共犯者に多大なる不利益が生じていたからである。

中でも、田口若頭と中西正雄に至っては、死刑判決を受けることになるだろう。それを思うと、胸が苦しくてならなかった。

私と田口若頭との出逢いは、喧嘩乱闘騒ぎでやり合ったこともあり、決してよい出逢いだったとは言えないが、その後は互いに認め合い、男の付き合いをさせてもらっていた。つまり田口若頭は、私が田中組一門の中で、サムライと認めていた数少ない人物の中の一人だった。

それだけに、殊の外つらい思いをした。元より、菊池理事長からは中田に代わるまでのワンポイントの若頭と位置付けられ、酷使された挙げ句、自らの親分から切り捨てられそうになったにもかかわらず、健気にも潔く男の意地を貫こうとしている。

そうやって、哀れにも死刑になってゆく仲間のために、果たして自分に何ができるのか。結局私が導き出した答えは、自分らしく無頼の友情と男気とを贈り物にして、共に死んでやろうという思いだった。

元々、少年の頃から〝生きる〟ということにさしたる関心を持たなかった私は、逆に死に際の美学というものに病的なこだわりがあり、切腹願望を持っていた。ゆえに、死出の旅路への露払いとして、出所後に田中新太郎初代の墓前で腹を切る覚悟を決めていた。

ところが、平成二十九年十二月十五日、無期懲役を宣告されるはずの中田が、有期刑の判決だった。懲役三十年。未決通算日数を差し引けば二十八年足らずの刑だろうか。私が七十二歳前後まで生きていれば再会を果たせるかもしれない。中田は、この先何を思い、見知らぬ土地で孤独に耐えてゆくのだろう。そこからは人生最大の葛藤が始まった。

そんな中、獄中でのある人物との出逢いが、私の末路を意外な方向へと切り拓いてくれた。中田の判決から十日後の、クリスマスの日の出逢いだったと記憶している。

平成生まれの、私の息子と二学年しか年端の違わない青年ではあったが、祖父が日蓮宗の寺院に寺を建立して寄進したほど熱心な日蓮信者だったらしく、その僅か数ヵ月前に日蓮大聖人に帰命したばかりの私は、その出逢いを運命のいたずらのようにも感じていた。

私は、幼い頃から変な男だとは思われたくなかったが、他と同じことをするのも嫌いで、とにかく風変わりな性格だった。他人と同じ場所に立っていても、見ている景色がどこか違っている。私の人生には、私にしかわかり得ない世界観が存在していることも事実だ。

しかしその彼は、そんな私と同じ匂いがした。日蓮宗を信仰していることや、武士道を志していることもそうだったが、物事の好みにしろ、本を読んで感じるところや思うところなど、何から何まで共通していた。私は、生まれて初めて自分と同じ匂いがする人物と出逢い、不思議な思いがしてならなかった。

彼との対話は、互いの心を掴み取ろうとする考え方の兵法のようなもので、私達の間には二人にしかわかり得ない世界観があった。決して、人としての完成度を言っている訳ではない。自分にしか見えなかった景色を共有してくれる人物がいたことが、すごく新鮮で、嬉しくてならなかった。

彼は、日々夢を語り、希望を語り、男の浪漫を語って私に聞かせてくれた。そして、貴方の死に場所はそこではないと問われた時に、確かにそうかもしれないと思えるようにまでなっていた。

なぜなら、私は今日までの半生を通して、未だ何一つとして為し遂げていない、という現実を突き付けられたからである。いつでも死ねる。まずは、己が為すべきことを為し遂げよう。その上で、死ぬべき時に、死ぬべき場所できっちり死に様を見せてこそ、人は私の言葉に真摯に耳を傾けるはずだ。その足跡に魂が宿るはずだ。そう思った。

男が一度口にしたことは、何があっても必ず実行しなければならないという思いが一人歩きして、強烈な自分のルールの中で生きて来た私ではあったが、自分でも不思議なほどに素直にそう思えた。

彼は、他者が抱える苦悩に寄り添い、面倒を引き受け、時には汚れ役になって心を尽くすような生き方を私に望んでいたが、そのような生き方に魅力を感じたことも、私がそう思えるようになった理由の一つなのかもしれない。

詰まるところ、男の一生は、死所を求める旅路のようなものだと私は考えている。そこで大切なのは、いつ果てるか、ということではなく、いかに果てるか、ということであって、自分にふさわしい死に場所と巡り合わなければ、今まで待たせてばかりいた弟分の帰りを待ってあげるのもいい。そう思えるようにもなった。

もはや答えが出てしまった今、風向き次第で右往左往するような弱い自分であってはいけない。まして、言葉を飾り、真実を誤魔化すことなどなおさらあってはならないことだ。

私は、自分の運命を変えることが、結果として誰かのために役立つような余生であって欲しい。そのためには、罪と罰という難題と真摯に向き合いながらも、身命を惜しまずに断固として戦い抜き、道を正すことによって、工藤會と縁した人々の無念とやり場のない思いを慰めてゆきたいと覚悟している。

無頼の果て

巨木を倒すには、まず根を断ち、枝葉を切り落とし、枯れるのを待つ、と古来から言われているが、総裁、会長という大きな根を断たれ、数多くの枝葉の人々を失った五代目工藤會にとって、ただ枯れるのを待つことだけが男の本懐なのだろうか。そうではあるまい。

法律や条例が改正される度に離脱者が増えるというような組織体系に、未来などあるはずがないということは、最初からわかっていたことだ。

かつて、最後の博徒と呼ばれた波谷守之組長は、我々ヤクザ者は盗人以上で乞食以下だと語っていたが、お金がなくてめしが食えないから盗人以下に成り下がってしまったでは、言い訳にはならないだろう。

古き良き時代では、粋な振る舞いを〝ヤクザだね〟という言葉で表現していたが、今時それを言われて誉め言葉として受け取るヤクザ者なんかまずいないはずだ。それだけ、ヤクザ社会の概念や価値観は様変わりしたということである。

古代中国の有名な逸話で、商の紂王と周の武王の戦いを知っているだろうか。

『史記』によると、商の兵士が武器を逆様に持ち、周の軍勢に道を開けたと伝えられている。つまり、商兵は周軍と戦いつつも、心中では紂王が倒れることを望んでいたということだ。

工藤會本部会館の固定資産税を滞納していれば、国から差し押さえられることをわかっていながらも、五代目工藤會執行部はそれを許した。その一事のみならず、どこか捉え所もなく、さりとて非難しようのない言動の端々に、右の商兵のごとき心理を連想したのは私だけではあるまい。

まして、ある組の親分に至っては、田中組系列の組員への差入れを禁じていることなど、組織内の人間関係はなぜそれほどまでに歪んでしまったのか。その最大の要因として、体制から排除された人達に対するやり場のない思いだとか、そこから生じた様々な確執があるはずだと私は考えている。

私が前刑の服役中に、徳竜組の徳本竜吾組長が絶縁処分を受けた。

この処分の経緯は、徳本の叔父貴が素姓を知らずに旅行に連れて行った女性が野村総裁の女だったことを知り、慌てて断指した上で謝罪したものの、会議にかけられて、結果は絶縁。時の天野義孝会長代行がもっとも重い絶縁処分を主張して、断固として譲らなかったと私は聞いている。

確かに、徳本の叔父貴も迂闊だったとしか言いようがないが、素姓を明かさなかった女性にも非がある訳で、野村総裁が許すと言って寛大なところを見せていたならば、決して恥ずべき誤ちとして騒ぎ立てるほどのことではなかったはずだ。

徳竜組は、組織力があって知名度も高く、工藤會が誇るべき金看板の一つだった。ゆえに私としても、非常に残念な思いでいたし、工藤會関係者の多くが首を傾げ、腑に落ちない思いでいたことは間違いない。

徳本の叔父貴は、絶縁処分後も山口県でヤクザ的な生活を続けていたことから、結局は四代目田中組々員の佐野洋平によって殺害されている。

また、篠崎組の篠崎一雄組長の場合は、身内の者に対して貸し付けていた債権の取り立てが厳しいという理由で、野村総裁から何度か注意を受けていたにもかかわらず、それを聞かなかったとして処分されたのだという。

確かに、総裁の忠告を聞かなかった篠崎の叔父貴にも非はあるが、だからと言って、お金を貸していた方だけが処分の対象となり、借りていた方はお咎めなしと言うのでは、片手落ちの制裁だったと言えるのではないだろうか。

その篠崎の叔父貴も、処分後に篭縞組の小野朗若頭によって殺害されているが、殺害された理由については、溝下秀男三代目の葬儀の際に、篠崎の叔父貴が処分者の立場でありながら、白昼堂々と弔問に訪れたことが引き金になったと私は聞いている。

私はその真相を知り、やはり篠崎の叔父貴は男の中の男だと思った。私は、そういう型の人物が大好きだ。ゆえに私がその立場なら、篠崎の叔父貴と同じことをやっていたに違いない。

確かに、それによって野村総裁の面目を潰されている訳だから、組織としてもそれなりの制裁を検討する必要性があったことは認めるが、それでも武士の情として、寛大なところを見せて欲しかった。自らの一命を賭してまで弔問に訪れた篠崎の叔父貴を許すことが、亡き溝下の御大に対する供養にもなったはずだ。

一方で、二代目極政組の江藤允政組長は、服役中の高松刑務所で篠崎組長の訃報に接し、今田雄二若頭に宛てて、なぜ篠崎の兄弟がこんな目に遭わなければならないのか。という内容の手紙を認めたという。

ところが、その手紙の内容が野村総裁と田上会長の耳に入り、そのことが原因で処分されたのちに、何者かによって殺害されている。

この事件の真相は、未だ謎に包まれたままではあるが、恐らく工藤會関係者が殺ったことは間違いないだろう。

なぜ江藤の叔父貴を殺す必要があったのか。もし溝下の御大が生きていたなら、どのような理由があったにせよ。それを許さなかったはずだ。それがわかっているだけに、この時ばかりは途方もなくやり切れない思いがした。いや、そのような思いを抱いたのは、私だけではなかっただろう。

徳本組長、篠崎組長、江藤組長にしても、数多くの若者が憧れた筋金入りの極道で、その昔気質の個性と存在感は際立っていた。いわゆる工藤會におけるビッグネームであり、その存在があればこそ、組織としての凄味がましていたことも事実だ。

しかし、工藤會ではそのような功労者に対しても、情状酌量の余地はなく、うるさい者には蓋をして葬り去られてしまう。なぜそれほどまでに冷酷無情なのか。

私が思うに、工藤會における実力者の大半が野村総裁と同年代か年長者であったため、我々が菊池理事長に対して抱いていたような感情を、それぞれが持っていたのかもしれない。つまり、野村総裁に臣服できないという実態が随所に見え隠れして、罪を憎んで人を憎まずであるはずの物事を、逆転させるほどの、怒りや憎しみが生じていたのではないだろうか。

ゆえにこそ、二番手を生きる人物の働き方が重要だった。なぜなら、些細なことで処罰されてゆく弟たちを見殺しにしたのでは、長男としての役割を果たしているとは言えないからである。

そもそも、ヤクザ組織とは何ぞやという原点に立ち、改めてそうした問題と向き合ってみて欲しい。

例えば、精神分析学の世界的権威であるエーリッヒ・フロムは、愛という問題について「愛とは本質的に、意志に基づいた行為であるべきで、自らの全人生を相手の人生に賭けようという決断の行為であるべきだ」と言った。

以前、どの作家のどの著書から引用したのか忘れてしまったが、「愛は、決断、意志、能力に支えられた行為で、恋とは違って単なる感情ではない。感情というのは、自然発生的に生まれるものであり、一時的であって永続性は保証されない。したがって、あの時は好きだったけど今は好きじゃないと語っている時、私達は恋という感情を語っているに過ぎない」という文章と巡り合えた時には、なるほどと納得し、思わず膝を叩いて筆を手にしたことを、今でも鮮明に覚えている。

それと同時に、「愛が単なる感情に過ぎないのであれば、〝あなたを愛します〟という約束事は、何の根拠もないことになる。なぜなら、感情は生まれてはまた消えてゆくからだ」という件を眼にした時は、現代ヤクザのあり方を考えずにはいられなかったことも事実だ。

では、男女の関係が恋人同士から夫婦として成立する上で、もっとも大切なことは何だろうか。

例えば、男女が付き合い始めたばかりの頃に、一緒にいるだけで楽しくて、幸せで仕方ないというような経験をした人は、決して少なくはないはずだ。

だが、そのようにときめくような思いを永続的に維持することなど不可能であり、その後の人生では、うまくいかないことやよくない経験をすることのほうが圧倒的に多いに決まっている。

ゆえに、その関係性においてもっとも重要なことは、相手のことをどれだけ好きになって愛し合えるか、ということではなく、相手のことをどれだけ許すことができるか、ということに尽きるはずだと私は考えている。

それはまた、男女のことのみならず、友達との友情にしろ、ヤクザ組織の人間関係においても言えることではあるが、相手のいいところだけを見て好きになり、よくないところが見えたから嫌いになる。見放すというようなことであってはいけないはずだ。

そもそもヤクザ社会の盃事というものは、それほどまでに軽いものだったのか。決してそうではあるまい。自らが子分や弟分と認めた者であればこそ、なみなみと酒を注ぎ足した盃を与えるのであって、その盃を身命を賭して飲み干し、懐深く収めた時の感慨は、互いにとって単なる感情ではなく、揺るぎない覚悟が生じるものだ。

それぞれが社会の底辺で寄り添い合って、助け合い、支え合い生きてゆく中で、盃事に血縁を超える思いが集約してあればこそ、互いに認め合い、わかり合い、許し合えるのであって、僅かな誤ちを理由に切り捨ててしまったのでは、契約社会と何ら変わらない。

ヤクザ社会の盃事は、期待を裏切らなければ見捨てませんよ、というような担保や条件に基づく約束事ではなく、同じ境遇であればこそ、理解してあげられること。許してあげられること。そういう思いがなければ、この人のためにと覚悟して、自らの人生を棒に振ってまで長期刑に服することなどできないはずだ。

にもかかわらず、工藤會では、〝許す〟ということに関して、決して寛大ではなかった。むしろ偏狭で融通がきかない組織と表現した方が正しいのかもしれない。

その後に絶縁処分を受けた徳永の叔父貴にしろ、処分の対象になった西田の叔父貴にしても、獄中でその経緯を知った身内の全員が、あまりにもくだらな過ぎて失笑していたことも事実である。

その程度の些細なことで許せなくなってしまうような人物に、なぜ盃を与えたのか。盃を与えるということは、相手の人生を背負うということであり、そこにはそれ相応の覚悟と責任とが生じるものである。

無論、それは双方に対して言えることではあるが、つまりそれが単なる感情でしかなかったからこそ、偏狭で融通のきかない組織運営に陥ってしまったと考えるべきだろう。

元々、工藤組という片田舎のごく小さな所帯から出発した組織は、やがて工藤玄治初代と草野高明二代目のボタンの掛け違いから袂を分けて対立し、工藤会と草野一家による悪名高い熾烈な抗争を演じることになる。いわゆる親子喧嘩だった。

その後、組織はすでに述べている通り、昭和六十二年、工藤連合草野一家として劇的に合併する訳だが、配下の組員にとってはそう簡単に割り切れるようなことではなかったはずだ。なぜならその抗争事件によって、数多くの死傷者を出していたからである。

中でも、飛ぶ鳥を落とす勢いだった田中組は、稀代のカリスマ初代田中新太郎親分を殺害されていた。また、その事件の実行犯は、溝下秀男三代目率いる極政会組員で、のちに組織の直参に昇進する氷室守組長だった。

ゆえに、田中組系列の組員にとって、工藤連合草野一家発足時の体制、つまり、若頭・極政会々長溝下秀男、総本部長・三代目田中組々長、野村悟の位置付けは、受け入れ難い屈辱的なものでしかなかったに違いない。

だが、そうした気苦労も後々になって振り返ってみれば、田中組がこの世の春を満喫するための陣痛のようなものだったと言えるだろう。なぜなら、組織が代替わりして、野村総裁が若頭・理事長に就任してからのちに、時勢は田中組一強時代を迎え、名利を独占することになるからである。

それに対してその他の一門の人々は、当初こそ、田中組が初代親分を殺されていることもあり、多少のことは致し方ないと片目を瞑ってやり過ごすこともできただろうが、田中組の横暴は止まることを知らず、次第にやりたい放題の形勢を築き上げてゆく。

そうした田中組における浮世狂言は、身の程を知らない菊池啓吾を五代目工藤會理事長の地位に抜擢したことで、その極みへと達した。この時の人事ほど、多くの工藤會系組員に不信感を抱かせた出来事はなかったはずだ。

結果、その菊池理事長が導師となり、前代未聞の大失態を演じたことによって、組織は没落の一途を辿ることになる。

そうした目も当てられない愚かな惨状を目の当たりにして、工藤會と縁する人々の中に、ほれ見たことかと唾した人は、一体どれ位いたのだろうか。また、亡き溝下の御大が生きていればと嘆いた人は、一体どれ位いたのだろうか。事実、組織を破綻へと導いた最大の戦犯が五代目田中組だということは、火を見るよりも明らかである。

男の意地や信念の欠けらもない政治家でさえ、誤ちを犯せば自らの責任を取り、職を辞するものだが、菊池理事長はそれをしない。その他の一門の人々に対して謝罪しようともしない。それどころか、自分達に都合のいいことは、例え主義主張と違っても口を拭って済ませてしまう。そんな田中組一門が依然として政権を握っていたのでは、組織としての士気が上がらないのも当然である。

まして、体制から排除された人々の怨念や過去の問題など、永年心の奥底で燻っていた感情が表面化して、さらなる確執を生み出し、組織は、もはや魔術的な時勢収拾策でもなければ、引き際の始末すら付けられないところまで歪んでしまっている。

例えば、親分と食事に行って、親分がかけそばを食べている時に、隣で焼肉定食を注文するような若い衆がいるだろうか。ヤクザの世界では、親分が国産車に乗っているにもかかわらず、ベンツやベントレーを転がしているような若い衆はよく批判の対象になっていたが、今の工藤會はどうだ。

総裁、会長が拘禁生活を余儀なくされて、一抹の希望すら見えない日常を過ごしておられるにもかかわらず、美食を貪り、酒を飲み歩いては女を求め、旅行をしたり、道楽にうつつを抜かしているような人間は、留守を守るという言い訳に、低俗な人情を絡ませ、総裁と会長の存在を打算し、利用しているに過ぎない。目の前にいればできないことが陰ではできるということは、少なくとも、真の忠誠心があるとは言えないだろう。

そもそもヤクザ社会の忠誠心や義侠心というものは、決して空手形のようなものではないはずだ。己には男の意地も覚悟もないくせに、配下の者にそれを求めたり、筋道だの何だのと立派なことを言ってみたところで、失笑を買うのが関の山である。

五代目工藤會はいよいよ悲観の極、大病を患って苦痛に耐えているだけでは、病が治ったとは言えないだろう。それと同様で、ただ枯れるのを待つだけでは、誰人も幸せになんかなれやしない。それぞれが抱える不幸の根を断ってこそ、時代を革新する精神の息吹が生じるのであって、それぞれが主役となり、自らが望むべく道を、自分らしく粛々と歩むべきである。

私は、今でも野村悟総裁が好きだ。ゆえに、親方には野村の姐さんが望んでいる通り、堅気になった上で野村家のために尽くしてあげて欲しい。K君の後見人となり、親方にしかできない畢生の忠義を貫いて欲しい。極道古本健二とは、そういう人だと私は信じている。志高き人は多けれども退せずして真実の道に入る者は少なし。すべてヤクザ者の忠誠心、義侠心は多くの悪縁にたぶらかされ、事に触れて移りやすきものなり。

かつてオウム真理教の信者が、我々にとって伝統仏教は風景に過ぎなかったと言い放ったセリフは、当時の私にはすごく衝撃的で、今でも鮮明に記憶している。

だが、私にとってのヤクザ人生もまた、それと似たようなもので、その一切が、水に宿る月のようなものだった。何かを追い求めていてもそこには真実など存在しない。浮かんではまた消えてしまう。

それが現代ヤクザの実相であり、後生の教訓である。

最終章　悟達

上杉謙信、加藤清正、柳生宗矩、土方歳三、国定忠治、太公望……と、私の人生に多大なる影響を与えてくれた歴史上の人物は数多く存在しているが、私は、中でも幕末の剣客・山岡鉄舟を誰よりも尊敬している。

鉄舟は、幕末維新という激動の時代に数多の功績を遺していながらも、名利を断ち、権に媚びることもなく、常に清貧を旨として、飽くなき探求心のみを以て道を貫いた最後のサムライだった。

どの偉人のどこが好き、どの場面が凄いというのはよくある話だが、山岡鉄舟に限っては、何から何までそのすべてが私の目指すところであり、彼ほど己に厳正で、理想的な忠義を貫いたサムライは他にいない。

もっと言えば、武士は名を惜しむから不自由だ、などと考えていた一点だけを見ても、特筆に値する人物だと言えるだろう。

私は右のような歴史上の偉人と出逢い、そうした逸話に触れる度に、つくづく生まれて来る時代を間違えてしまった、と無性に悲しくなることがある。何より、男気が枯れた現代ヤクザの社会に虚しさを覚えて仕方なかったことも事実だ。やはり、武士の世の中に生まれてサムライとして生きてみたかったと、若い頃にはよく思っていた。

私が武士の世の中に憧れた一番の理由は、報恩のためなら命も惜しまぬ、という凜冽無比の生死観にある。

稀代の軍師・黒田官兵衛如水は、播磨の小領主に仕えた。主君の名は小寺政職。決して暗君ではなかったが、時流に疎く、乱世を生き抜くには器量が乏しい人物だった。西の強国毛利からは人質を入れるように迫られ、東の覇者織田の脅威にうろたえる日々である。

元より優柔不断で、先見の明や武士の誇りとは無縁の政職は、いつしか毛利派の意見に心を寄せるようになり、時流を看破し、織田と結ぶことの必要性を説く官兵衛の存在が疎ましくなったのだろう。そこに至り一世一代の卑怯に転じる。

彼は、荒木村重の元に官兵衛を使者として遣わせる訳だが、その時点では、すでに官兵衛を亡き者とすることを主従で打ち合わせ、別の使者を村重の元に走らせていた。

しかも、託した書簡には「当家の黒田官兵衛を使者として遣わせるが、この者がいる限り、毛利とも荒木との盟約も遂行し難い。ゆえに、この際なのでいっそそちらのほうで殺してはくれまいか」と、受け取った村重が目を剥くような内容を認めたのである。

当然、それとは知らぬ官兵衛は、村重の元で捕えられ、有岡城中の獄に投獄される。

官兵衛の命運ここに尽きたり。それから一年に及んだ幽閉生活は、凄惨を極め、官兵衛の父職隆でさえ、よもや生きて戻ることなどあるまいと、我が子の死を覚悟していた。

獄というよりは獣の檻に等しい狭い空間は、身を低く屈めていなければ立っていられないほどで、昼間は胡座をかいたままの状態で過ごし、夜は海老のように全身を曲げて臥せていなければならず、寝返りも打ちにくく、手足が伸ばせないために体の筋が凝りきってしまった。

加えて、日々の食事は死なない程度の僅かな量である。心身は衰弱し、深いひさしが陽をさえぎっていることで湿気が多く不衛生な密室では、頭から体中に得体のしれない腫物ができた。

もはや生きる屍と化した官兵衛は、このまま恥を晒してまで生に執着するべきか、それともいっそ死なんかと、この期に及んだ武士のあり方を懸命に探し求めるが、そんな中、格子越しに見上げた高窓の太いけやきの桟に、いとも優しい藤の若芽をつけた蔓を見付けたのである。この僅かな若蔓が、官兵衛の心を慰めた。

その翌日からは、朝起きるとすぐにそこを仰いだ。一寸、二寸と伸びてゆく若蔓に、勇気付けられる思いだった。そしていつしか、死のうと思えばいつでも死ねる。もう少し待て。この藤が、白藤か紫藤か花が咲くのを見ていよう。と、思い留まるのである。

ある日、藤が開いた。陽あたりがないせいか花が咲くのは遅かったが、確かに紫色の花が咲いた。官兵衛は、その美しさを見て、これは吉端だと胸を震わせた。獄中に藤の花が咲くなど有り得ないことだ。漢土の話にも日本でも聞いたことがない。死ぬなよ。待てば咲くぞ。という天の啓示だと。彼は心に希望を抱き、掌を合わせて藤の花を拝んだ。

事実、官兵衛は奇跡的に救出されることになる。織田軍の襲撃に合わせて、有岡城内の離反組が内応するという幸運も重なり、いや、決して運ばかりではない。主君を助け出すことを最後まで諦めなかった黒田家の決死組十名の忠節が、天意を閃めかせたのだろう。

黒田武士たちは、戦乱の有岡城内に忍び込み、他には目もくれずに駆けまわると、ついに官兵衛へと辿り着くのである。まさに九死に一生を得るなどという言葉では到底済ますことのできないほどに、驚天動地の救出劇だった。

だが、戸板に臥して運ばれて来た官兵衛は、その姿を仰ぎ見た誰もが、これが人かと言葉を失ったほどに凄惨な姿である。髪は抜け落ち、肉は削げ落ち、膝は骨と皮だけとなり、その姿は、夏の陽ざかりに道に干からびて転がっている昆虫の死骸のようで、多くの者が思わず目を背けた。特に、左足の負傷はひどく、足を引きずらなければ歩けないほどで、生涯にわたり癒えることはなかった。

その後、官兵衛は僅かな療養を経て、障害が残る我が身も忘れて秀吉の陣に参戦すると、三木城を落とし、ようやく生家である姫路城へと帰還するのである。

一方、御着の城は、この時にはすでに空になっていた。官兵衛が、揺るぎない忠諫を以てこの主家の動向を誤らせまいと努力したにもかかわらず、その官兵衛を荒木村重に売り、あらゆる盲動と醜態を世間に暴露してしまった。

まして、村重は滅ぼされ、頼りとする三木城も陥落し、俄然足元の危急に気付き出したところに、今度は、官兵衛が姫路へと帰って来た声が聞こえたのだ。元より、何の実力も信念も持たない小寺政職以下その重臣たちは、すわと怖れをなして、一夜のうちに御着の城を捨てて四散したのである。

それでも官兵衛は、そんな旧主を少しも恨むことをせず、それどころか、彼はしきりと、政職の行方をあらゆる知縁をたどり諸国を探し歩いた。

後日、政職が、すでにこの世に亡き者となっている事情を知ってからも、子息の氏職や奥方が生きているはずだと信じて諦めなかった。そして、ひどい路地裏の長屋住居で内職をして暮らす、あまりにも変わり果てた氏職と政職の妻と再会するのである。

二人は、官兵衛にはあわせる顔がないと穴にも入りたいとばかりに泣いて詫びたが、官兵衛は、旧悪のことなどおくびにも出さず、決して悪いようにはしないからと、旧主の夫人、遺子、その孫までを伴い御着の城に帰ると、信長に小寺家の存続を願い出た。

だが、信長はそれを許さなかった。普段は官兵衛の言葉には熱心に耳を傾ける秀吉でさえ、そのことには呆れて関心を示さない。なぜなら、小寺政職の離反がそれだけ悪質だったからである。

しかしなお旧恩を思う官兵衛は、氏職たちを離さなかった。自分の領地の一部を割いてこれを禄とし、以後、黒田家の客分として礼遇を落とさず、その子孫を世々養ってゆくこと官兵衛一代だけでなく、明治維新まで及んでいる。

また、官兵衛はその年に、黒田家の橘の家紋を藤巴に変えた。それを聞いた秀吉が、そのことに触れて、家紋は滅多に変えるべきものではないが、なぜ藤巴に変えたのかと訝し気に尋ねた折には、たまたま座に居合わせた家臣らを省みて、自分を救い出してくれたこれらの者の忠節を忘れぬためと、我が身においては喉元を過ぎると熱さも忘れるの例えから、心に驕りが生じた時にはすぐに有岡の獄を思い出すように願う心からだと。

そして、あの頃、日々仰ぎ見ては心に銘じた獄窓の藤花こそ、我が生涯の師であり、家の吉祥であると答えたという。

自らを殺害しようと企てた旧主の恩に報いたばかりでなく、獄中の藤花を師と仰ぎ、家臣の忠節を心に刻む。それが黒田官兵衛如水という人だった。もはやこれ以上の言葉は必要ないだろう。

論語の孔子は、周公旦と鄭の宰相子産の二人を特に尊敬したと言われている一方で、管仲については、その遺徳を認めながらも生涯にわたり糾弾した。

なぜなら、斉の後継者争いに際して公子糾を君主にしようと計画した管仲は、公子と共に魯国に亡命し、助力を得た。ところがその恩義があったにもかかわらず、後年、斉の宰相の地位を得た管仲は、魯を攻めた。つまり恩を仇で返したのである。魯国に生まれた孔子が心にわだかまりを残したのも無理はないだろう。

春秋時代を通して最高の名臣と称えられ、遥かのちには、諸葛孔明をはじめ数多くの偉人が管仲を敬慕し、師事していたことも伝えられているが、例えどんなに秀でた器量の持ち主であっても、受けた恩を仇で返すような人物を私は好きにはなれない。

そもそも恩に報いるということは、人倫の根本であり、人としてもっとも恥ずべきことは忘恩の徒に成り下がることだと私は思っている。

無論、恩には軽重があってもならない。どんなに些細な恩義でも、終生忘れることなく、もし恩に報いる時が訪れたなら、一命を賭して邁進する。時には自らの命と引き換えにしたところに、武士の世の美しさがあった。

先日、この項を書きながら、ある思い出が頭の中にふと浮かんだ。前述の親友マーテルには正義という弟がいる。私よりも二つ下の年代で一番のワルだった。当時は私にもよく懐いていたので、毎日のように行動を共にしては、二人でやんちゃばかりしていたものだ。

その後輩が、中学校の卒業式の日に、何を思ったのか可愛らしい髪型に変え、真面目一辺倒の学生服に着替えて卒業の式典へと出席した。恐らく三年間散々迷惑や心配ばかり掛けて来た先生方に対して、彼なりに感謝の思いを込めたのだろう。その姿を見た担任の教師は、涙を流して喜んだという。

実を言うと、我々の世代はまるで逆だった。それどころか、不良は恰好良くなければ意味がないとさえ信念していた。ゆえに、その話を聞いた時には、私は男として負けたという気持ちになり、その後輩が自分よりも数段大きな人物のように思えてならなかった。

今になって思えば、あの時後輩が恩返しという生き方を教えてくれなかったなら、私は、今よりもさらにくだらない人生を歩んでいたのかもしれない。

中国の故事で、ある国王が草むらで休んでいた時に、蛇にかまれそうになったところを、白い鳥がくちばしでつついて知らせたため、難を逃れることができた。

国王はその恩返しをしようと思い、白鳥を捜させるが見付からない。そこで賢臣が、白鳥の代わりに、すべての黒鳥に恩返しすれば、白鳥の恩に報いたことになると進言した話がある。

私は、以前に無期囚の友から〝償い〟に関する相談を受けたことがあった。彼曰く、もし自分が被害者の遺族の立場だったなら、私は加害者のことを絶対に許さないだろう。それどころか、叶うものなら殺してやりたい。極刑になって欲しいと心底から願っていたに違いない。それほど罪深き誤ちを犯している自分が、仮釈放での社会復帰を目指してよいのだろうか。いや、私はこの獄中で苦しみながら死んでゆくべき人間だ。それが私にできる唯一の償いだと思っている。

とはいえ、そうは思っていながらも、もっとお菓子が食べたいと思ったり、レクリエーションを楽しんでいたり、矛盾した自分がいることも事実であり、今の私にできる真の償いとは、いったいどういうものを言うのだろうか。と、良心の呵責に苦しんでいた。

正直、私にはその場で返すべき言葉を見出すことができなかった訳だが、そんな中、日蓮大聖人の「白鳥の恩をば黒鳥に報ずべし」との御遺文と出逢うことができた。

我が国でも、親孝行がしたい時には親はいないというような諺をよく耳にするが、両親が亡くなったから親孝行ができなくなった訳ではない。日蓮大聖人は、他者から受けた恩を人としての振る舞いの中で返してゆくということを説いている。

私はこの教えに触れた時に、恩返しと償いは同義だと思った。そもそも償いとは、ゴールのない道のようなものであり、どこまでやったら終わりで、許されるということではないはずだ。例え被害者からの許しを得たとしても、失われた命や時間が戻る訳ではない。自己満足でしかないという側面も多分にあるだろう。

ただ、私が思うことは、人を賞すると書いて償いと読む。誰から見ても文句の付けようがない人物へと自己変革してゆくことが、我々犯罪者が最低限に果たすべき罪滅ぼしではないだろうか。

現在、私は懲役十九年の刑で服役している。十九年とは言っても、LB刑務所では小便刑の類であり、ここでは、三十年、四十年、五十年前後服役している受刑者も珍しくない。

目指すべき満期日がある私には、そういった無期囚の苦しみの本質というものを理解してあげることができないのだが、客観的に思うことは、無期刑とは片道切符の旅のようなものだということである。

いつも帰り賃のことばかりを心配しながら、何を見て、何を食べたのかさえ覚えていないような旅をするのか。それとも行く先々で思い出をつくり、生きて来た証として遺すのか。私なら後者のような獄舎生活を過ごしたい。

どんなに罪深き人であったとしても、幸福を感じる権利はあるはずだ。大切なのは、やるべき時に、やるべき場所で、やるべきことを実践することだと思う。どこまでも人間臭く、喜怒哀楽を共有し、人としての振る舞いに透徹した真心の一念は、自らを奮い立たせ、行いを正し、不知恩の境涯を知恩報恩の境涯へと変革するものだと私は信じている。

獄中では皆が故郷を離れ、抱えている思いも様々ではあるが、この場所でやり直し、生きようとする思いは一つであり、そこには九州人も関西人も有期刑も無期刑もなく、ただ一つの心があるだけだ。

それでいて、それぞれ異なる生き方をして来た者同士が、渾然と見分けも付かずに隣り合っているところに、獄中の神秘があると言えるだろう。

そして、実の親兄弟、女房子供よりも濃密な時間を共有していながらも、そのほとんどがここだけの関係で終わってしまう。そういう虚しさを道づれに生きてゆくこともまた、償いの業なのかもしれない。

善学菩薩道

私は、生まれながらに無神論者である。神も仏も信じていない。が、神社や寺院といった建造物、あるいはそれにまつわる習慣や雰囲気などが好きで、そういう場所には人並み以上に足を運んでいた。そして、誰よりも祈った。

しかし、私の祈りは神仏に対する祈りではなく、神仏という鏡に宿る、己の心中にある仏心を拝んでいた。どんな時にも自分らしく貫いてください。なくてはならない人であってください。それが私なりの信仰だった。

そんな私が獄中で坐禅を取り組むようになり、善学菩薩道に目覚め、自分なりの思想を創り上げたいという思いから、傾倒するようになった。この項では、そこに至るまでのプロセスについて触れてみたいと思う。

平成二十四年、私にとって縁深き女性と、少年の頃から可愛がっていた地元の後輩が相次いで亡くなった。特に、後輩の方は惨い死に方をしていたのですごく辛い時期だった。

私は元々、その数年前より、神道から始まって、キリスト教、イスラム教、仏教の各宗派と、宗教学に興味を持ち始めた時期でもあったし、私が尊敬する山岡鉄舟の影響もあり、二人の一回忌が明けるまでは喪に服すという意味合いで始めた坐禅である。平成二十四年六月二十九日が初坐だった。

だが、その後に家庭の事情や様々な問題と直面することになる。というのも、私には長男の蓮、次男の慶次郎、長女の秋穂という三人の子供がいるのだが、秋穂が生まれる前後には、前妻とも事実上離縁していたし、私に逮捕状が出るという事情なども重なって、私の母が慶次郎一人を引き取り、以降、女手一つで育ててくれた。

その母が、平成二十五年一月に、心臓の発作で倒れたのである。その時の入院では、なんとか手術が成功し、心臓にペースメーカーを入れて退院することもできたのだが、容態は決して芳しくなかった。

母に慶次郎を預けてからというもの、私が娑婆にいたのは合計にして二年足らずのことで、母は借金を抱えていた上に、生活保護と内職で生計を立て、細々と暮らしていたそうだが、獄中の私には心配をかけまいと、何も言わなかった。

まして、高校に進学した慶次郎が、卒業後に専門学校を経て美容師になりたいという夢を抱くようになったらしく、到底その思いに応えてやれるような生活状況ではなかったにもかかわらず、やはり三歳の頃から女手一つで育てた孫がよほど可愛かったのだろう。借金の返済と学費の金策で走り回り、その過労のために倒れたというのが真相だった。

実のところ、今刑の未決の時分、田上文雄会長と菊池啓吾理事長が面会に訪れた際に、田上会長からは、わしがお袋と子供の面倒を見てやるから、何も心配せずに務めて来いと言っていただき、並々ならぬ御厚情をいただいていたのだが、母に対しては、損得など考えずに己を捨てるのが男の美学、それを貫くのが自分の信条なんだと。俺には俺の生き方があるので、そういう話があっても辞退して欲しいと言っていた。

ゆえに、母と息子には随分と苦労をさせてしまい、その日の食事もままならないほど惨めな時期もあったという。母は、退院後も金策のために走り回っていたそうだ。

私は、そうした事情をあとから聞かされて言葉を失った。自分の信念や生き様のために、これほどまでに苦労をさせてよかったのだろうか。なぜ社会にいた時に母子の生活を気に掛けてあげなかったのか。私は日々の坐禅を通して、いつしか自分自身と真剣に向き合い、人生を顧みるようになっていた。

そんな中、平成二十五年九月十八日、その母が帰らぬ人となったのである。

母が最後の面会に訪れたのは、七月二十四日のことだった。約三年ぶりに再会した母は随分と年老いていて、憔悴しているようにも見えた。用件は、九月中に慶次郎の学費を納めなければ退学になる。幼い頃からわがまま一つ言ったことがないあの子が、辞めたくないと言って泣いていた。とり敢えず、何時何時までにいくら欲しい。どうにかならないか、という相談だった。母も泣いていた。

当時は、オリンピックの開催地が東京に決まるか否かの瀬戸際で、東京五輪の誘致が決定すれば恐らく上がるだろうという株に、私は投資していた。

ゆえに、今売却するとかなり損をするからと、もう少しだけ期限を伸ばせないものかと相談したのだが、もはや猶予はないとのことだった。私は仕方なく、一応ギリギリのところまで引っ張った上で、株を手放すことにした。

そして、外の者が私の持ち株をすべて売却し、その全額を母の口座に振り込んだ後、母に連絡を入れたのが九月十二日のことだったと聞いている。

私は、その全額でそれ以外の分もすべて事足りるものと勘違いしていたのだが、実際にはそれでも五十万円前後不足していたらしく、母は、その九月を何とか乗り越えたとしても、また金策のために走り回らなければならないという現実に絶望し、途方に暮れたのだろう。

その連絡を受けた直後、母は買い物をしていたデパートで倒れ、搬送先の病院で緊急手術をしたものの、意識不明となり、その五日後に息を引き取った。享年六十五。

今日に至るまで、両親に対しては息子としての役目。子供達に対しては父親としての役目。その責任を少しも果たせずに、私が母を殺したと言われても致し方ないことだろう。

私が母の訃報に接したのは、九月二十一日のことだった。その日は免業日だったが、当所の幹部から処遇に呼ばれ、弟からの手紙を受け取った。

永年神奈川県で暮らしていた弟が、帰省後に伯母から母の財布を手渡され、中を開けると千円しかなかったと書いてあるのを読んだ時には、私もさすがに堪え切れなかった。母には本当にすまないことをしたと思い、現実を正視することさえできず、自責の念に苛まれる日々だった。

私が坐禅を始めた平成二十四年六月二十九日から母が亡くなるまでの日記を振り返ってみると、平成二十五年三月二十三日に、坐禅を出所するまで続けるという誓願を立ててはいるが、私に仏教徒としての生き方を覚醒させたのは、この時の母の死がきっかけだったことは間違いない。

私の禅修行は、普段は十八時三十分から就寝時間となる二十一時までの二時間半を坐り、盆、正月、ゴールデンウィーク、あるいはシルバーウィークのように、五日から十日前後の大型連休に至っては、起床してから就寝時間になるまで、朝昼晩の食事以外は一日中ずっと坐りっ放しの状態で、特に十二月三十一日の大晦日に限っては深夜〇時三十分まで起きていられるため、その日は十三時間以上坐っている。

また、坐禅を始めた日からテレビとラジオも視聴せず、その一切を断ち、普段の免業日にも、仏道修行と手紙、執筆活動以外のことは何もしていない。

坐禅を始めた日から出所日まで十二年と一ヵ月余り。日数にして四千四百二十九日。自らの決め事をいずれか一つでも、たった一回でも破った時は、その時点で命を断つ覚悟で続けてきた坐禅である。ゆえに、今日までインフルエンザで高熱を発した時も、胃けいれんを起こして朝まで一睡もできなかった時も、膝や腰を痛めて坐るのが困難だった時でさえ、一日たりとも欠かしたことはない。

いつだったか、以前に転勤した当所のある幹部からは、「日本中の刑務所を捜しても、君のような務め方をしている受刑者はいないだろう。見上げた精神力だ。君は熊刑名物だよ」と言われたことがあり、最後に会った時には、「君らしく貫け、負けるな」との激励の言葉までいただき、自分でも、ある時期まではいっぱしの修行をしているつもりでいたことも事実だ。

だが、そんな私が己の身の程を知ったのは、滋賀県の比叡山には千日回峰行や十二年籠山行といった、聞くに凄まじい修行があることを知った時である。

その道の人達は、自らの一命を賭し、真剣に、全身全霊を以て修行と向き合っている。その実態や経験談を調べてゆくうちに、私は全身が粟立つ思いがした。それと同時に、自分の日常がすごくちっぽけなもののように思えてならなかった。所詮私のそれは修行の真似事の、さらにその真似事のようなものでしかないのかもしれない。

それからというもの、寝ても覚めても仏教のことばかり考えるようになった。刻苦勉励し、宗教の意味を問い続け、今日までどれ程の仏書を繙いて来たことだろう。気付いた時には、私の無頼の心に信心の灯がともされていた。

私の家系は、父方も母方も浄土真宗だが、両親は無宗教で信仰心があった訳でもなく、私自身も我が家の先祖がそうだったからと言って、それをそのまま世襲しようという気持ちにはなれなかった。ゆえに、神道、キリスト教、イスラム教、仏教の各宗派と、自分なりの宗教を探求するようになる。

日本の仏教には様々な宗派があるが、もっとも大きな潮流は、親鸞が開いた浄土真宗だろう。浄土真宗は戦国末期には、今の大阪城がある場所に石山本願寺を築き、そこから全国に指令を出し、加賀一国を戦国大名に代わって支配するほどの勢力を誇っていた。

親鸞の教えは、他力本願と呼ばれるもので、端的に言えば、阿弥陀仏にすべてお任せするという考え方だ。

では、その念仏信仰というものがどういうものなのかと言うと、阿弥陀仏が法蔵菩薩という名の修行者であった頃に、四十八の順を樹てた。その中でもっとも重要とされているのが第十八願だと言われている。

すべての衆生が極楽浄土に生まれたいと願い、自分の名を呼んでくれたなら必ず往生することができる。もし往生できない人があれば、自らは仏にはならない。と、このような願をかけて法蔵菩薩は永く苦しい修行の末に悟りに到達し、阿弥陀仏となった。

そして、その救済方法は、阿弥陀仏の名を呼ぶというもので、「南無阿弥陀仏」すなわち念仏を唱えるだけという教義である。

浄土真宗は、自分で悟りが開けない人のための宗教だとも言われているが、解決がつかないものをそのままにして念仏三昧にやり過ごすという生き方は、自力が大好きな私にはどうしても合わない生き方だと思った。

そもそも私にとっての信仰とは、覚者としての人間的完成を目指し、己を信じ切るための修行であり、念仏浄土門のように、他力によって自らの救いを求めるためのものではない。

それからは消去法のような感覚で諸宗を学んでは、あれでもないこれでもないと机上の仏書と睨み合いながらも、最後の最後に巡り合えたのが、法華経信仰イコール日蓮宗だった。

仏教では、地獄界、餓鬼界、畜生界の三悪道に修羅界を加えた四悪趣と、人界、天界からなる六道。

さらには、声聞界、縁覚界、菩薩界、仏界からなる四聖を合わせた十界として、生命の境涯を表現している。

六道は、インド古来の世界観を仏教が用いたもので、元々は生命が生死を繰り返す世界を六つに分類したものだった。一方の四聖は、仏道修行によって得られる悟りの境涯をいう。

法華経以外の経典では、六道はそれぞれ固定化された往生観として捉えられていた。ゆえに、六道輪廻を信じて疑わないような人々にとっては、悪いことをすれば地獄に堕ちるという恐怖が、自らの行いを律する上での方便として役立つという側面も多分にあっただろう。しかし、法華経はそうした考え方を逆転した。

一念三千。つまり、人間の心の中にこそ、地獄から仏に至るまで一切の世界が具わっているという思想だ。

例えば、普段は安穏な人界の安らぎの中で生活していても、有頂天という言葉があるように、願いが叶ったり、欲望が満たされたりすると、天にも昇るほどの喜びの境涯に浸ることがある。それが天界である。

ところが、一度それらの条件が失われると、他人の物を奪わんとする餓鬼界の境涯に陥ったり、他人と争いごとを起こす修羅界、あるいは何もかもが嫌になって絶望する地獄界など、苦しみの境涯に転落してしまう。

それに対して四聖は、自らの外の条件に左右される六道の境涯を超え、環境や様々な条件に支配されない清浄なる日常を築くために、仏道修行によって得られる覚者としての境涯である。

その内の声聞界と縁覚界は、二つ合わせて二乗と呼ばれているが、この心の特徴を二乗根性という。また、二乗に共通していることは、自らと仏との間に超え難い一線を引いていて、仏の境涯を目指すことを断念し、自己の悟りにのみ執着していることである。他者を救おうとしない自己中心的な修行でしかないところに限界があるとも言えるだろう。

実を言うと、私自身もある時期までは、出所後に比叡山に登り、千日回峰行に挑戦してみようかと真剣に悩んでいた。

しかし山岳修行で個人の悟境を目指し、永い年月を費やすことよりも、現実社会の中で他者と同苦して、二乗根性を超越してみたいという思いの方がより強かった。

世のため、人のためという使命感を持ち、仏の悟りを得るために不断の努力を惜しまない行者のことを、仏教では〝菩薩〟と呼ぶ。すなわち、慈悲心に満ちた求道者としての境涯が菩薩界である。

作家の杉本苑子さんは、自著である『西国巡拝記』の中で、「淋しく、貧しい魂の群れは、いつの世も、覚者の前に跪くことを熱望しているのだ。衆愚の先達となり、光となっていただきたい」と、堕落した仏教界の僧侶に対して、菩薩であれと警鐘を鳴らしていた。私は慈悲心に満ちた地涌の菩薩となり、どこまでも仏の境涯を求道してゆきたい。

私にとっての成仏とは、決してあの世に逝くことを言うのではなく、自分がいるだけで皆がほっとする。自他共に満ち足りた思いでいられる。なくてはならぬ人。それが私なりの成仏観であり、仏界の境涯である。

仏は、自らを救うよりも人を救えと言った。念仏浄土門以外の諸宗派では、毎日の勤行の際に、大乗仏教を修行する者として忘れてはならない四項目の誓願文を称えている。

その誓いを「四弘誓願」と言い、

・衆生無辺誓願度
・煩悩無数誓願断
・法門無尽誓願知
・仏道無上誓願成

からなる四句で、限りなく他者を救わんとする願を樹てる。限りない煩悩を断ち切るという願を樹てる。限りない教えを学び尽くすという願を樹てる。限りなく無上の仏道を貫き通すという願を樹てる。という意味合いのものだが、中でも要の句は、「衆生無辺誓願度」の精神に他ならない。

そもそも仏法とは灯火のようなもので、明るさが智慧であるならば、温もりは慈悲だと言い換えることができるだろう。

私は、「南無妙法蓮華経」という未曽有の大法と巡り合えたことで、それを学んだ。苦悩が渦巻く現実社会の中で、目の前の一人を徹して大切にして、智慧と慈悲を展開しながらも真実の道へと先駆ける。法華経の行者たる者は、難を前にして逡巡は許されないのである。善学菩薩道とは、そういうものだ。

鎌倉時代、多くの僧侶が人生の無常観などを動機に出家してゆく中で、世相の矛盾を正すことを目的に一人立ち上がり、出家した日蓮大聖人は、「極楽百年の修行は穢土一日の功徳に及ばず」との言葉を遺した。

私の師匠は、この人しかいないと思った。私が法華経信仰に帰依し、日蓮の弟子となったのは、平成二十九年八月八日のことである。

宗教観・前編

かつて幕末の留学生たちが資本主義経済と共に西洋から学んできたものは、自由と平等など、社会的イデオロギーと博愛の精神だった。

ところが現代社会では、皮肉にもその副産物として持ち帰った競争、格差、個人主義の方が大きな影響を与えている。

一方、敗戦後の日本では、アメリカから押し付けられた民主主義を根本に、欧米に追い付け追い越せをスローガンに掲げ、一貫して物質的な豊かさを夢見るようになる。果たして、経済は発展し、衣食住は満たされ、金さえあれば欲しい物は何でも手に入るという社会が実現した。

にもかかわらず、その割には社会の闇は深く、何かに飢えていて、心が枯渇し、幸せの形が見えてこない。なぜなのか。そこに人生の不思議があり、矛盾点があると言えるのではないだろうか。

ともかくも、時代は大きく変わった。混迷の時代であればこそ、人も変わらなければならない。自分が追い求めていた何ものかに目覚め、生きてゆくための拠り所を見付ける。人はいつしか物質的なものよりも、精神的なものに価値を置くようになった。そこで問われるようになったのが、宗教のあり方である。

ある人は、「社会とは別のものさしがあるからこそ、人は救われる。世俗社会と同じ価値体系しか持たないのであれば、宗教の存在意義はない」と言った。確かにそうだろう。私もまったく同意見である。

とはいえ、人間は崇高な理想を持たなければならないが、現実とかけ離れていたのでは、そこからは何も生まれやしない。

今、宗教は時代の置き去りになっている。今時の若者は宗教になんか見向きもしない。そうした人々の宗教観というものは、仏教イコール葬式であり、彼らが仏教から連想するものは死後の世界でしかなく、生きるための仏法が、死する者への宗教へと変わってしまった。

その原因はどこにあるのか。まずは理想と現実の問題、あるいは矛盾点について追求してゆきたいと思う。

日本の仏教は、いくつもの宗派に分かれているが、その多くは鎌倉時代に誕生した。鎌倉仏教と呼ばれるもので、浄土宗、浄土真宗、曹洞宗、臨済宗、日蓮宗などがそれにあたる。

そこでまず注視すべきことは、その時代の人々と現代社会を生きる我々とでは、精神的風景が大きく異なるということだ。

例えば、天変地異にしても、現代ではそのメカニズムの全容が大方明らかになっているため、現代人はどんな変事にもある程度の心の備えはできているものだが、その昔の人々は、天地を揺るがすほどの地震が起きたり、火山が噴火したり、夜空に無数の星が流れていたりすると、天の祟りではないか。災いの前兆ではないかと本気で思っていたに違いない。神仏の存在を信じて疑わなかった人も少なくなかったはずである。

要するに、神仏を実際にあるものと信じて生きていた人々と、神仏など信じてはいないが、自らが正しく生きてゆくための方便として何ものかに置き換え、その道標にしようとしている現代人とでは、信仰に傾倒する力量が異なることは致し方ないことである。

ではあるが、現代社会で仏教を流布しようとする人々は、まず何よりもそうした相違観と向き合わなければ、見解の誤りや矛盾点を解明することはできないし、本当の意味で、多くの人々を信仰へと導くことなどできないだろう。

仏教には、カルマという考え方がある。一般的に業と呼ばれているが、業とは生きている間の行為のことで、人間的に思想し、感情し、行動することに約束付けられている。

そして、その善悪が原因となって、幸せになったり、地獄に堕ちたり、災いを招いたりと、つまり、前世、現世、来世へと通じる輪廻転生を繰り返すという思想だ。

確かに、自業自得、善悪業報因果という言葉があるように、宿業が過去に対する決定業であるという側面は認めることにしよう。

だが、多くの現代人は、人の一生は一代限りのものであり、生まれ変われるべきものではないと考えているに違いない。近代的ヒューマニズムにも相反する思想だと言える。

なぜなら、人生は必ずしも平等では有り得ないからだ。生まれながらに身体に障害を患っていたり、幸不幸、貧富の格差など、千差万別の運命が生じるものである。そうした割り切れない問題を前世における宿業の報いとして片付けるのは、あまりにも乱暴な考え方ではないだろうか。

ある人は、「現代科学が死後の世界はない。輪廻転生など有り得ないと主張するのであれば、それは学問的ではない。なぜなら、語る理論もないのに、根拠もなく述べるからである」と言った。

だが、その逆もまた真なり。いずれにしても、根拠のない、現代人には受け入れ難い価値観、人生観、世界観、宗教観であることは間違いない。

そもそも人類史とは、いつ、どこで、誰が、何をしたか。そうした事実群の累積によって成立している。人は何よりも事実を尊び、そのプロセスにおいてあらゆる世俗の作法が生まれた。

日本の仏教は、ある時期までは神道的思想を風土とする倭の地に、中国で完成されたものが、ただ海を渡って定着したものに過ぎなかったと言われている。

その後、文明や経済の発展と共に、日本人の知性は知識層において飛躍的に成熟し、釈尊が教示した仏教とは異なる、自分達にとって都合のよい世界観や体系、あるいは習慣を形成するようになった。

ある宗教哲学者は、「宗教とは、生きることは苦しみだということを否応なく見抜いてしまった、人間という、特別に不幸な生物が、その苦しみに耐えながらもなんとか生きてゆくために生み出した、生命の糧である。だからこそそれは、人間だけが持つ独自の精神活動である」と言った。

そして、多くの経典には、その苦しみの根源にあるものが煩悩だと説いているにもかかわらず、正月に初詣に行くと、諸宗派を問わず、どの寺院でも無病息災、家内案全、商売繁盛、大願成就等々と、人間の欲望の向くままにお守りやおみくじを販売し、祈祷に精を出している。なんという矛盾だろうか。

ちなみに、初詣の習慣が成立するのは鉄道が普及した明治以降のことで、鉄道会社が正月の乗客を増やすことを目的に宣伝したことから由来している。

つまり、仏教的な行事とは関係なく、教団関係者が世俗の流行に便乗し、適当に妥協した程度の習慣に過ぎない。

ただ、実に興味深いことは、普段は宗教になどまったく関心を持たない多くの若者が、その日に限っては、律儀にも判を押したように三社参りの労を執り、合掌して祈っていることである。私には、そういう姿にこそ、人の世の真実があるように思えてならない。

その現象は、今時の若者にしてみると、単なる儀式だったり、苦しい時の神頼み程度のものでしかないのかもしれないが、そうした振る舞いにどの程度の価値観があるにせよ、何かのために祈り、その祈りを根本に行動し、救われる何ものかがあるのであれば、決して間違った習慣だとは言えないはずだ。

法華経の譬喩品《ひゆほん》では、三界を火宅として表現している。すなわち、この世の中は様々な苦しみの炎が燃え盛る家のようなものであり、そこから真っ先に釈尊が脱出した。

そして、その火事に気付かず、火宅の中で遊び呆けている人々をいかなる手段を以て救済するか、というのが譬喩品のテーマだ。

その中で釈尊が説いた教えは、世俗の価値観に執着しないことである。ところが、現実社会において仏教を信仰している圧倒的多数の人々は、そうした教えを頭では理解していながらも、実際には精神的にも物質的にも豊かになりたいという願望を持っていて、現実主義から離れることができない。

その有り様を、火宅において消火活動をしているようなものだと言い放った人もいたが、その消火活動を大義に置き換えて起こった気運が、新興宗教のあり方だと言えるのではないだろうか。

ここで繰り返し述べるが、釈尊の教えとは、「火宅から速やかに離脱せよ」というものであり、釈尊の思想と新興宗教のあり方は明らかに相反するものである。

しかし、私はそのような教団の取り組みを、決して否定しない。人にしろ、物事にしろ、環境や習慣にしても、何ものかと巡り合い、どのように関わるか。その縁によって人生は劇的に変わる。

誰が言ったか忘れてしまったが、仏教において客観的理解というものは、ほとんど不可能だと言った人がいた。

いわく、哲学の構造上そうなっていて、論理と倫理が一つだからと結論付けていたが、私はそうは思わない。

格義仏教という言葉を知っているだろうか。仏教の思想や用語を解釈、翻訳する際に、儒学や道教、法家、老荘思想などの中国の伝統的な概念と援用することを格義という。客観的理解が本当に不可能なことだとするならば、そういう考え方も起こらないはずだ。

篤農家であり、農政家としても知られる二宮尊徳は、日本神道、儒教、仏教の三思想に通じ、自ら報徳教という思想を創立したように、どこまでも新時代に寄り添った宗教的概念を打ち樹てるには、個人的共感はもちろんのこと、哲学的思考、間接的言及、主体的啓発、社会的活用等々と、様々な尺度から、現実世界において仏法を生活の法則として展開し、社会貢献の道を模索する。それが、私が目指すところの宗教観であり、信心即生活の原理原則である。

敢えて例えるならば、信心即生活、仏法即社会の法理を根本に、普遍的な生き方を提示してきた創価学会などは、その最たる教団の一つだと言えるだろう。

私の身近にも、創価学会と聞けば眉をひそめ、露骨に嫌悪感を表す人も少なくないが、創価学会が永年積み重ねてきた取り組みは、実に素晴らしい社会貢献だと私は受け止めている。

確かに、日蓮正宗との確執や、公明党に関与する政界への介入。あるいは集金システムにしろ、強行な折伏姿勢にしても、何かしら違和感を覚える一面はあるものの、それはどのような組織体にも言えることであり、創価学会があらゆる分野で積極的に活動し、社会的な力を発揮してきたからこそ、厳しく批判されるのも世の常である。

しかし、新しき世を創造する上で、そういうプロセスも必要なことではないだろうか。

「いつの世にも変わらない苦しみがあり、その先を先人が歩んでくれている。この道をゆけば救われるという実感がある。それがとても大きい」と言った人がいた。

生き馬の目を抜くような世の中を見て、足がすくんでしまった時、失敗や挫折、あるいは大きな誤ちを犯していながらも、さらなる挑戦をして輝きを取り戻した人達の実証が、勇気となり、希望となり、後世の人々に安心感や幸福感をも与えてくれる。

私が法華経信仰に傾倒するようになったのも、篤信の日蓮信者であり、熱心な学会員の木村隆寿さんという友との出逢いがきっかけだった。

その木村さんからの勧めもあり、私は創価学会の機関紙である「大白蓮華」を定期的に購読している。その御陰で多くを共感することができたし、行学の二道を深めることもできた。

また、私は池田大作先生の言葉が大好きで、この執筆活動においても随所で引用したり、随分と役立たせていただいている。本当に、感謝の思いで一杯だ。

中でも、私が池田先生の考え方を通してすこぶる共感したものをいくつか挙げるなら、「何事においても、初めから〝達人〟にはなれない。様々な障壁を乗り越え、また乗り越え、進み続けてこそ、達人のごとき境涯が開けてゆく。信心も同じで、自分に負けず、願いが叶おうが、すぐに叶うまいが、疑うことなく、題目を唱え抜く。そうやって信心を持続した人は誉れの人である。信心さえ敗れなければ、乗り越えられない難など断じてない」。

この言葉は、私の信仰に対する思いそのものだった。

「誰しも宿命はある。しかし、宿命を真っ正面から見据えて、その本質の意味に立ち返れば、いかなる宿命も自身の人生を深めるためのものである。そして、宿命と戦う自分の姿が、万人の人生の鑑となっていく。すなわち、宿命を使命に変えた場合、その宿命は、悪から善へと役割を大きく変えていくことになる」

また、この言葉などは、まさに今の私が立ち向かうべき問題であり、私の余生に対して道筋を示してくれているように思えてならなかった。

古来より、日本人の宗教観は、あれもいいこれもいい、という重層信仰ではあるが、自らの拠り所とするものは、可能な限りシンプルな方が望ましいと私は思っている。

とはいえ、他人の信仰に対する姿勢についてとやかく言うつもりはない。信仰が欲望の裏返しでないならば、それぞれの思いと合致した対象を礼拝するべきだろう。

その点、日蓮宗の信徒の中には、創価学会が池田大作先生を生身の御本仏として定めたことに触れて、創価学会はもはや日蓮大聖人を信仰の対象としているのではなく、創価学会宗だと非難している人を見かけるが、創価学会が今日に至るまで、誰にでもわかりやすい明確な教義を根本に、他者救済の道筋を示し、かつ普遍的な幸福の方程式を実証してきたことは、疑いようのない事実である。

池田先生が若かりし日より、どこまでも大衆に寄り添って、共に生きる宗教者たらんと奔走した足跡は、伝道や教化への運動を重視する輝かしいものであり、宗教者史上類を見ないほど数多くの人々を蘇生させたと断じても過言ではないだろう。

私の創価学会に対する偏見は、独自の思想を持った活動家として、卓抜した指導者として異彩を放つ池田先生の功績を知るにつけ、次第に薄れてゆき、その見方が大きく変わっていった。今では同じく日蓮の一門として、創価学会の活動を心から応援してゆきたいと思っている。

いや、それは創価学会に限ったことではない。真如苑にしろ、幸福の科学にしろ、あらゆる仏教教団、その他の宗教団体にしても、善学菩薩道を志す人ならば、共に学び、共に語らい、他者救済の喜びを分かち合いたいと思っている。

「信仰の有無や立場などを問わず、同じ時代を生きる仲間として、現実の課題を見つめ、より良き社会の建設へ人間主義の連帯を築きゆくのだ」

その意味において池田先生の右の言葉は、まさに新時代の宗教のあり方を示唆したものだと言えるだろう。

故に法華経の第三にいわく、願わくは此の功徳を以て普ねく一切に及ぼし、我らと衆生と皆ともに仏道を成ぜん。

宗教観・後編

光陰矢のごとし。時は移ろい、どんなに惜しんでも、今という時が次から次へと過去になってしまう。変わりゆく天地のそのままが人間の春秋であり、この世の流相だ。

その今をどう生きるのかを、法華経を通して説いたのが日蓮大聖人だった。

日蓮宗の祖師・立正大師日蓮と言えば、超国家主義者、諸宗批判者など、そうした側面のみが一人歩きして、何かしら偏見を持っている人も少なくないようだが、この項ではそれらの誤解を解きつつも、私なりの日蓮観について少しばかり触れさせていただきたいと思っている。

約八百年前の鎌倉時代は、食糧不足、疫病の流行、天変地異など、国土には底なしの苦しみが波紋となって広がり、人が生きるのに極めて厳しい時代だった。そして、多くの人が今に絶望していた。

また、当時の仏教のあり方は、現実社会に対して否定的であり、中でも、国中が念仏の声でうまったと言われたほど念仏信仰が盛んだった。なぜなら、釈尊の悟りの教えによって成仏することは困難である、と断念する仏教の受け取り方が流行したためである。

久松博士は、「死後の悟りなど唐人の夢にしか過ぎぬ。現在の救いこそ大切である。その現在の救いとは、悟りを開くことだ」と言ったが、阿弥陀如来の名号を念じ、極楽浄土に往生するという思想は、今風に言えば現実逃避に過ぎない。

相次ぐ戦乱で田畑は荒れ、未曽有の大地震、大風、水害などの厄災によって家屋は倒壊し、それに付随する食糧不足や疫病の流行も深刻だった。路傍には数限りない遺骸が転がっていた。

にもかかわらず、民は廃虚で立ちすくみ、ただ念仏を唱えるばかりで田畑を耕そうとはしない。倒れた柱を立てようともしない。まして、そうした風習が下級武士にまで広がってゆく中、幕府の要人は取り締まりの意欲をなくし、自らは禅寺にこもって坐禅に耽っていた。

このままでは国が滅びる。そのように堕落した世情に対して怒りを覚えた日蓮大聖人は、正義感と使命感を持ち、社会的な広がりの中で絶望のない安穏な世の中を築くために、現世に対して努力によって救いを求める生き方を提示したのである。それが幕府に上奏した「立正安国論」の主題であり、日蓮大聖人の合掌の心と信仰の目的である。

一方、律宗は戒律と薬学、真言密教は修行と祈祷によって人々を救済しようとする宗派であり、個人の悟りを追及する禅宗や、極楽浄土に救いを求める念仏信仰とは違い、法華経救済の現実を切り拓こうとする日蓮大聖人の思想とも相通じるところがあった。

ゆえに、日蓮大聖人も当初は律宗と真言密教を強く批判することはなかったのだが、権威主義に走り、解脱を求めず己の安逸だけを貪る僧侶の実態を憂い、その思いはやがて、念仏無間、禅天魔、真言亡国、律国賊、というまでに激しいスローガンへと発展するのである。それを四箇格言という。

現代社会で例えるならば、ニートや引き籠もりに対して、社会に出て働きなさいと叱る母親のようなもので、現実から逃避しようとする人々にとって、現実社会に目を向けさせようとする日蓮大聖人の存在は、実に疎ましい存在であったことは容易に想像することができる。

しかも、時代が時代なだけにそのすべての行動が命懸けだった。それでも、自己の利益など少しも顧みない信仰姿勢、安易な妥協を許さない生活態度、そして法華経の行者としての精神闘争を貫き通した信念の人であればこそ、右のように過激な四箇格言を豪語することができたのだろう。

余談だが、日蓮信者には改革志向が強い人が多いと言われている。昭和の人物を見ても、石橋湛山、土光敏夫、武見太郎などの生き様に改革の精神が脈々と息づいている。

また、精神や文学、芸術の面においても、江戸時代の本阿弥光悦をはじめ、葛飾北斎、尾形光琳、宮澤賢治など、独特の世界観を表現した人物が多く、美空ひばり、いかりや長介といった芸能人にしろ、双葉山、力道山、ジャイアント馬場といった格闘家にしろ、一時代を築き、強烈な個性を発揮した人物が多かったところにも、日蓮信者の特徴があると言えるだろう。

古くは、加藤清正である。清正は猛将として知られているが、題目の旗をひるがえして戦場におもむいたと言われるほど信仰心が篤く、何より彼がもっとも称讃されるべき美点は、武将としての資質よりも、むしろ熊本城下で治水事業に専念したように、民権を主体とした政治的手腕にあったと私は思っている。

つまり、日蓮信者に改革志向や、社会貢献の意識が強い人物が多いのは、日蓮大聖人の破邪顕正の立正安国の精神を継承しているからに他ならない。

話は前後するが、今日ではいずれの仏教教団も現実的な救いを求める傾向にあるように、もし日蓮大聖人が現代社会に実在したならば、右のような激しいスローガンを口にすることはないだろう。

事実、日蓮大聖人の御書には「桜梅桃李」という言葉がある。花の種類によって個性が違うように、人それぞれの異なる可能性を信じ、他者の尊厳を何よりも大切にしていた。つまり、生き方の多様性である。

例えば一神教の思想というものは、極めて深刻な社会悪だと言えるだろう。なぜなら、逸脱を許さない全体主義が人々の苦悩を増幅するからだ。自分が信じた神以外は信じないという姿勢からは、個人的な見解も生まれない。いつまでも変わらない世の中で、限られた可能性を探求するだけの人生である。

人は、それぞれに考え方や持って生まれた資質、環境、条件、人生の目的なども異なり、幸福の定義も違う。ゆえに、個人が求める宗教が違うのも当然のことだ。

とはいえ、頑なに宗派主義に囚われていたのでは、日本の宗教に未来がないことも事実である。もっと自由に、互いの考え方や生き方を認め合い、相互理解の絆を深めることも必要ではないだろうか。

私にとっての妙法とは、調和の法である。私のように歪んだ価値観の中で生きて来た筋金入りの一徹者が、現実社会の中で拠り所を見付け、他者との関係性を夢や希望へと飛躍させるには、思考の変化を支える支点が必要だった。それが私にとっての妙法の意義である。

一方、日蓮宗では、折伏を主眼とし、対立する者の打破を重視しているが、私は日蓮宗の信徒でありながらも、折伏という考え方を持っていない。折伏とは、仏道に導き入れる方法として、悪人を挫き、屈服させることをいう。

では、私がなぜ折伏という考え方を持たないのかと言うと、自分が信仰する宗派以外は悪だと決め付ける概念を持っていないからだ。

私の場合は、さしたる信仰心もなく、なんとなく宗教に関心があって自分の家の宗教を信仰している程度の人に対しては、日蓮宗イコール法華経信仰の素晴らしさを伝え、一緒に題目を唱えてみないかと勧めるようなことはあったとしても、それなりの考え方を持って取り組んでいる人に対しては敬意を払い、尊重したいと思っている。

他力本願で救われる人がいるのであれば、それはそれで素晴らしいことだと思っているし、世の中には様々な宗教の形と生き方があった方がいい。その分、救われる人も多いはずだ。

実のところ、法華経には阿弥陀信仰や禅の極意である般若、密教の陀羅尼が説かれているように、教主釈尊は、聴く人の素質に合わせて法を説いた。それを待機説法という。

それは、医者が患者の病状に合わせて薬を投与するのと同様で、子供には子供レベルの教えがあり、我々のような低俗な輩にも、その階級に応じた教えがあることを示し、人に与える教えは臨機応変、千差万別でなければならないということも認めている。

ゆえに、法華経に反撥する相手に無理矢理法華経を押し付けるのではなく、そのような相手には、釈尊が説いた他の教え、つまり、念仏でも密教でもいいんだよと。そして、迷いし衆生に示・教・利・喜せよ、というのが、釈尊が目指すところの布教の態度だった。

昔、日蓮宗の大本山・池上本門寺では、若い日蓮宗の僧侶の指導者を他宗派に派遣し、その宗派の修行や学問を研修させ、自己研鑽させるということを行っていたと聞いている。

現在の第五十四代日蓮宗管長にして、大本山池上本門寺貫主・菅野日彰猊下も若かりし日にそれを体験した一人で、曹洞宗の大本山・永平寺で参禅する機会に恵まれたそうだ。

その折に、臨済宗の大家である松原泰道禅師から、永平寺に行くと、日蓮さんに会えるよという謎かけのような言葉をかけられたらしく、その言葉の真意を理解できないまま、永平寺に向かったのだという。

ところが、その一ヵ月の坐禅研修中、道元禅師の「正法眼蔵」の講義を通して、道元禅師の法華経観と日蓮大聖人の法華経観とを比較したことで、今まで気付かなかった日蓮大聖人の法華経観をさらに深く学び直すことができたと語っていた。

また、当時の永平寺貫主・佐藤泰舜禅師からは、「法華の僧侶が永平寺に来ても、題目を唱えきれていないと、坐りきれないよ」と言われ、強い警策を受けたことがあったらしく、私にはこの言葉がすごく印象に残っている。

菅野日彰猊下は、この時の経験を通して、改めて、仏道に入る根本は〝信〟という思いに至り、「唱えきる。坐りきる。は、〝信じきる〟ことによって初めて〝成りきる〟のだと受け止めた」と言っているが、そこには仏道修行の一つの境地があると言えるだろう。

私が右の体験談から学んだことは、相手の立場に立つからこそ、自分自身とより深く向き合えるようになるし、真実の世界が見えるのではないか、という思いだった。

私は、仏法の「随方毘尼《ずいほうびに》」という思想も大好きだ。随方とはそれぞれの地域のことで、毘尼とは戒律の意味である。

つまり、教義において譲れないこと、曲げられないことを違わない限り、その土地の風俗や習慣、気候、風土、あるいは時代の風習を尊重し、規則を改革することを認めた教えのことをいう。

人間社会には、それぞれの地域で培われた知恵、創意工夫から生じた文化の歴史が息づいていて、日蓮大聖人も文化の多様性を認め、民間との約束事を大切にしていた。

弘法大師空海は、儒学は世俗の作法に過ぎないと断じたそうだが、現代社会における仏教のあり方もまた、神頼み的な作法のようなもので、形骸化し、儀式化した感は否めないだろう。

例えば、キリスト教や中国、インドの仏教では、死後に天国や極楽浄土へと旅立つための救済方法を説いているが、葬式仏教の観念は、死者の霊がそこら辺の草葉の陰から見守っていて、お盆には里帰りをするというおかしさを込めている。

ひと昔前に、〝私のお墓の前で泣かないでください。そこに私はいません。眠ってなんかいません〟の歌詞で始まる「千の風になって」という歌が流行っていたが、あのフレーズには、葬式仏教に対する皮肉を込めているのだろうかと思ったことを、今でも覚えている。

元々、先祖供養という習慣は、人間に備わる精神性の弱さや、現実社会で消化できない不安を克服するために、心の拠り所を求める方便として重視するようになった。

特に、日本の場合は仏教的な土壌が豊かな文化圏だからこそ、日々の暮らしの中で仏教的な生活様式や思考傾向に触れる機会が多く、それが当たり前だと信じている人も少なくないだろう。

しかし、私はそのような仏教のあり方を間違ったものだとは少しも考えていない。確かに、仏教を儀式として捉えるには受け入れ難い思いを持っているが、その時代時代に応じた柔軟な姿勢がなければ、強靭で、普遍的な生き方を実証することなどできないはずだ。

死者の問題にしても、その霊がそこら辺の草葉の陰にいて、自分を見守ってくれていると信じることで安心感を得たり、前向きな人生へと役立つのであれば、死者の霊はそれぞれが望んでいる場所にいた方がいい。故人との思い出の場所だってあるだろう。

実を言うと、私は日蓮宗に帰依するにあたり、日蓮宗の僧侶が坐禅の修行をしないところに小さな迷いが生じたのだが、例え日蓮宗には坐禅の行がなかったとしても、自分のためになることであれば、獄中で立てた誓願通りに最後まで坐禅を貫くことに決めた。

以前、在家の仏道修行をしている若者が、毎年のイベントの中でクリスマスの日が何よりも楽しみだと語っていたことに対して、不信感と疑問符を投げかけた人もいたが、そのような偏狭な捉え方は愚の骨頂としか言いようがない。

つまり、信仰において大切なことは、守るべきところをしっかり守りながらも、型に縛られず、真実を立証することであり、自他共の幸福を追求することである。

私は人生の目標の一つとして、四国八十八カ所霊場を歩き遍路したい、と思っている。だが、各寺院で般若心経を唱えるつもりはない。

我々日蓮宗の信徒にとっては、南無妙法蓮華経の題目こそが生命線であり、その祈りは仏の本願にすがる神頼み的な信仰とは違い、強い意志の表明である。

ゆえに、神社や他宗の寺院を見学しても参詣はしないというのが私なりのこだわりではあるが、一応はよそ様の境内なので迷惑にならないように、心の中で静かに南無妙法蓮華経の題目を唱えるつもりだ。

一切の神仏を敬い奉る始めの句には、「南無」という文字を用いる。南無とは元々、天竺の言葉で、漢土や日本では「帰命」という。帰命とは、我が命を仏に奉ることを意味している。

ついでながら、私が日蓮大聖人に帰命した理由は、およそ次の通りだった。
・私が思うところの生命の本質と、法華経の生死観が同じであること。
・日蓮仏法が、現実世界から出発して現実世界に帰着していること。
・日蓮宗が報恩の宗教であること。
・法華経が釈尊の思想を詩的に表現しているという点において、他の経にはない魅力を感じたこと。
そして、生涯に四度の法難に遭い、二度の流罪になったにもかかわらず、最後まで戦い抜いた日蓮大聖人の生き様に武士道を見たというのが、今思えば一番の理由だったのかもしれない。

山岡鉄舟の武士道に対する考え方は、仏教の理より汲んだもので、その教理が真に人としての道を教え尽くしているからだと語ったそうだが、私も仏教徒としての道を歩みつつも、随所ではサムライのごとき自分でありたいと思っている。

その点、日蓮大聖人が京都という政治、文化の中心ではなく、鎌倉という矛盾に満ちた武家社会の中で立ち上がったところに、「義を見てせざるは勇なきなり」の武士道精神を見出したのは私だけだろうか。

「師厳導尊」は、日蓮宗の根幹とも言うべき言葉だと言われている。師匠は厳かにして、仏法の道は尊くかつ厳しい。

創価学会の池田大作先生は、「師弟不二とは、師の心を我が心として生きることであり、いつ、いかなる時も、己心に厳として師匠がいることから始まる。いくら師弟の道を叫んでいても、自分の心に師匠がいなければ、もはや、仏法ではない。師匠を、自分の心の外にいる存在と捉えれば、師の振る舞いも、指導も、自身の内面的な規範とはならない」と言った。

さらには、「師匠は、常に先覚の道を不惜身命の決意で魁けておられる。ならば弟子もまた、その道を恐れなく続いてこそ弟子である。師が開かれた道に続くことは、弟子もまた先覚の道を歩ませていただくということに他ならない。偉大な師匠を持つことほど誇り高き栄光はない」とも語っている。

すごく共感した。

ゆえに、師弟不二の大道を志す私は、他者から尊敬する人物を問われても、山岡鉄舟と答えて、立正大師日蓮とは言わない。それが私なりの日蓮観であり、法華経の行者としての覚悟である。

花岡流禅風

私の禅は我流で、いわゆる禅宗で言うところの体系とはその性質を異にしている。

なぜなら、私のそれは生死観のみを根本とした行だからだ。日々の公案やその時々の己心と向き合うことによって、生を実感し、いかによく生き、よく死ぬるかという、人生における最大の奥義を求道するところに私流の禅の極意がある。

さらに見方を変えるなら、私の禅は鍛錬という意味合いよりも、むしろ己に対する信心行と表現した方が正しいのかもしれない。

例えば、今の獄中においても、私を含め多くの受刑者が、何らかの決め事をつくったり、誓願を立てたり、何かしら修行の真似事のようなことをしているものだが、とはいえ、獄中でできる努力なんてたかが知れている。所詮は小さなことばかりだ。

当然、そこから生じる悪魔のささやきみたいなものも、テレビが見たいとか、横になりたいとか、些細なことでしかない。

その程度の小さな誘惑に負けてしまうような人間が、人生のぎりぎりの場面で自らの出処進退や、他者の人生に大きく関わるような難題に直面した時に、果たして、人を裏切らずに〝信〟を貫き通すことができるのか。

私はそういう思いから、己心が折れそうになった時には、くだらない男に成り下がりたいのかと、自問自答を繰り返すようにしている。すると、答えは一つである。

男が一度口にしたことは、できるできないは問題ではない。ただやり抜くだけのことだ。でなければ、私は自分という人間を信じることができなくなるだろう。己を信じることができない人間は、他人のことを信じることもできないはずだ。そんな人生に価値などあるはずがない。

だからこそ、私は自分が決めたことをいずれか一つでも、たった一日でも欠かした場合には、その時点で自らの命を断つ覚悟をしている。その一つが禅修行であり、禅は余生に対する私の誓いである。

確かに、坐禅というものは長い時間坐ったからいいというものではない。では、なぜ長い時間坐るのかと言うと、それは、厳しさの中にこそ見えてくるものがあるからだ。自分がぎりぎりに追い詰められた時にどうするのか、禅は心中の葛藤を表している。

そもそも、日本人は精神イコール強さ、という文化を大切にしてきた民族だが、私が目指している強さとは、ただひたすらに強いという畜生の兵法ではなく、自らの弱さや、至らなさ、悪性を自覚した上で、それらを克服することによって生じる慈悲心に満ちた強さである。

親鸞聖人は、悪人正機という考え方を示し、善人ですら往生を遂げるのに、悪人が成仏できないはずがないということを説いている。実に有名な教えだ。

この意味を、悪人こそが救われると誤った解釈をしている現代人が多分にいるようだが、決してそうではない。

人は、誰にでも善悪の両面が具わっていて、縁に触れて善にも悪にも転じるものだが、自分は善人だと思い込んでいる傲慢な人でさえ救われているのに、自分は悪人だと自覚している謙虚な人が救われない筈がないというのが本意である。つまり、徹底した悪の自覚が必要ということだ。

それと同様で、自らの弱さや至らなさ、あるいは悪性を自覚していない強さとは、本物の強さだとは言えない。

無論、禅にも人それぞれの型と心があるべきだ。型は心の発動であり、心の主題の中心を貫く概念とは何か。それが揺るぎないものであるならば、型は臨機応変であったほうがいい。

古代の中国で、あるがままに身を任せ、無為自然にこだわりなく生きることを理想とする道教と、仏教が結びついたのが禅思想だと言われている。

いつの時代だったか、思慮分別の入る隙のない境地を、平常心と説いた禅僧がいた。また、ある禅僧に至っては、坐禅に悟りを求めるべきものではないと言い、坐禅をすると精神が落ち着くとか、健康になるとか、度胸がつくとか、そのような打算の修行で得られる功徳など、所詮打算の悟りでしかなく、迷える凡夫の行でしかないとまで言い放っている。

果たして、本当にそうだろうか。

私が坐禅をしていると知った人達からは、「無になれますか」とよく聞かれることがある。また、何も考えないことが無だと勘違いしている人も少なくない。いや、そのほとんどの人がそのような捉え方をしていると言っても過言ではないだろう。

確かに、道元禅師がただ坐れと言ったように、曹洞宗の禅には公案がない。只管打坐と言い、ただひたすらに坐ることで、釈尊と一つになるという境地を目指している。

そういう私自身も、日々の坐禅を通して時折知らず知らずのうちにそのような境地に浸っていることもあるのだが、私はそのような〝無〟という境地に少しも価値観を見出すことができなかった。なぜなら、私にとっての〝無〟とは、一念と同義であるべきものだからだ。

例えば、風邪を引いて鼻が詰まっていた時に、何を食べても味がしなかったという経験をしたことがないだろうか。この場合、味がないのではなく、しないのであって、あるものをないものとして捉えることに一体どれほどの意義があるのか。全開で回転しているプロペラが見えないのと同じ理屈である。

仏教は、人生とは苦しみだというところから出発したと言われている。しかし、苦しみがない人生を願うのではなく、いかに苦しみ、克服するか。それを工夫するのが真の仏教徒であり、そこにこそ人生の意義があるはずだ。

私の経験上、長い時間坐禅をしていると、足がしびれたり、膝や腰が痛くなったり、眠気に襲われたりと、辛くて仕方ない時がある。そのような時に〝無〟になろうと思ったところでそんなに簡単になれるものではない。道元禅師のように達観した人ならば、なんでもないことなのかもしれないが、我々のような凡夫には至難の技である。だが、雑念を一念に凝縮させることなら、誰にでもできることではないだろうか。

我々日蓮宗の信徒は、唱題行をする。唱題行とは、南無妙法蓮華経の題目を連続して唱える行のことで、十回、百回、千回と、一念になって繰り返してゆくうちに、清浄なる聖域に足を踏み入れたような心境になり、いつの間にか身体の苦痛が消えている。

それと同様で、何かに対して一念になって取り組んでいるうちに、気が付けば雑念が消え、ついつい夢中になっていたという経験は誰にでもあるはずだ。

私は第三章で、「勇を極めて無に帰す」という境地について触れてはいるが、小さな悟りは数知れず、迷いの数だけ悟りがあると昔から言われているように、自我に対する無明、煩悩、つまり迷いと真剣に向き合い、それを滅した時に生じるものが悟りであり、一念が極まり完成したものが、本当の意味での〝無〟の境地だと私は思っている。そのためには、その時々を一念になって完全燃焼することが肝要である。

ゆえに、思慮分別の入る隙のない境地を平常心と言うのではなく、この道を行けば死ぬかもしれないと、それをわかっていながらも平然としていられる。それが真の平常心と言うものだろう。無論、その奥底にあるものは、自らの意志を貫くためならば、死をも厭わないという一念の覚悟に他ならない。

格闘家やスポーツ選手などは、〝無心〟という言葉を好んでよく使っているが、それが仏教の奥義だとするならば、信行学の研鑽は私にとって虚しいものでしかなく、教義としての説明がつかなくなってしまう。

そもそも禅修行とは、自己究明の道であり、真実の自分とは何者かということを課題に始めるべきものだ。坐して瞑想するだけで満たされるほど、人生は単純なものではない。他者の苦悩に寄り添い、抜苦与楽の使命に立ってこその仏である。

達磨大師によってインドから中国に伝えられた禅宗は、やがて日本へと渡来し、様々に展開した。その宗派は、大きく分類して、明菴栄西の臨済宗と希玄道元の曹洞宗に分かれる。

その後、江戸時代には、臨済宗中興の祖・白隠慧鶴が、正当な祖師禅とは異なる公案禅の体系化を確立し、新時代を迎えた。つまり、具体的な修行法のプロセスとして流行したのである。

「布施や持戒などの諸善行はみな禅定に帰する」とは、昔の禅者の言葉だが、釈尊に始まる仏教は禅定を重んじた。しかしそれは、清浄なる瞑想をするための方法としてだけでなく、秀でた智慧を開発するための手段でもあった。

衆生済度の悟りの境地に至るために、菩薩は六波羅密の修行をする。その六種の徳目とは、布施、持戒、忍辱、精進、禅定、智慧のことで、善学菩薩道を志す者ならば、これらの諸善行がなぜこの順で並べられているのかを考え、秀でた智慧の開発に情熱を傾けながらも、さらなる利他行へと転換しなければならない。ゆえに、公案という方便を用いるようになったと受け止めるべきだろう。

とはいえ、禅者の公案は、実にややこしく、わかりにくいことも事実だ。大悟十八度、小悟数を知らずと語った白隠禅師が、法華経を読んでいた時にたまたまコオロギの鳴く声を聞き、その真理を大悟したという逸話などは、私のような愚者にはばかばかしくて笑いしかでない境地だとしか言いようがない。

例えば、ヒンズー教と習合した密教には、そのレベルに達した人でなければ教えませんよ、といった閉ざされた世界観がある。つまりそれは、素人に達人レベルの教えを示したところで、誤って解釈する危険性があり、そこから生じる負の連鎖を防ぐための教育上のたしなみでもあった。どの世界でも、極意のところを秘伝にしてきたのは、そのような配慮があるのかもしれない。

実のところ、私個人としては、厳しい修行を経て達観した人や、参学を極めた人にしか悟り得ない境地、あるいは為し得ない人生というものに大きな魅力を感じていたことは事実だが、現実社会の中で仏教がより浸透し、社会的な感化力を取り戻すには、何よりもわかりやすいことが肝要である。

にもかかわらず、坐禅をすると、落ち着くとか、健康になるとか、度胸がつくとか、そのような打算の修行で得られる功徳など、迷える凡夫の行でしかないと切り捨ててしまっては、素人階級の人達にとって取りつく島がなくなってしまうだろう。

近年では、アップルの創業者スティーブ・ジョブズが精神集中のスキルとして坐禅をしていたことで知られているように、坐禅イコールマインドフルネス、さらには呼吸法の組み合わせが、素人階級の間で流行して久しい。

人は、人生のプロセスも一様ではないし、幸福の定義も違うということはすでに述べているが、坐禅の功能がそれぞれの分野で役立つのであれば、大いに活用すべきだ。

その上で、最初は自己実現を目的とした打算の修行でもいいと思う。釈尊の修行にしても、菩提樹の下で悟りの成道に至るまでは、自らの悟りにのみ執着する小乗仏教の範囲でしかなかった。ところが利己主義者だった釈尊も、梵天勧請により、布教への道を歩み始めたと伝えられる。

宗教を信仰する上でもっとも大切な要諦は、何を信じるのか、いかに信じるのか、ということではあるが、それよりも以前に、まずは自分自身を信じ切ることがより肝要である。

なぜなら、自分を信じ切ることによって、自分が信じたものを守るという戒律が生じるからだ。ゆえに、そのための内観修養の道であり、常に人生の意味を問い続けなければならない。

そして、そこから導き出した答えのことを禅宗では「見性成仏」と言う。つまり、自分の本性を悟り、歩むべき人生を徹見するということである。

私の場合は、曹洞宗の名僧・澤木興道禅師の「人は食うために働くのか、働くために食うのか」という問いに出逢えた御陰で、一つ悟らせていただいた。

というのも、自らが悟ることだけに眼目を置くのではなく、自らが修めた善根や功徳を回向して、人心の済度を果てしなく実践したいという、社会貢献の使命感に到達したからである。余生への選択と転生は、その覚悟によって劇的に決したと言えるだろう。

永年、歪んだ価値観の中で生きて来た劣等感や、幼い頃から抱え込んでいた無明を、独房に坐して初めて克服できそうな気がした。

昔の禅者は、師が弟子に、書物を捨てろと教え、歩くことを勧めていた。その姿が行雲流水のような漂泊の旅であることから、雲水と呼称したように、澤木興道禅師もまた「宿なし興道」と呼ばれ、自らの寺を持つこともなく、命尽きるまで苦難の旅路を求めた。

孤高の行者はその生涯で、一体何を思い、どれほどの道程を歩んで来たのだろう。曹洞宗の禅には公案がないと言われてはいるが、澤木禅師にとって、日々の行脚そのものが公案のようであったのかもしれない。

事実、公案には古則公案と現成公案の二通りがあり、端的に言うと、参禅を通して、師が弟子の、社会的な対応力を身に付けさせるために取り組む行のことを古則公案という。

一方の現成公案とは、日々の暮らしの中にこそ公案があるという捉え方である。

創価学会の池田大作先生も「信心と生活は一体である。日々の生活は、そのまま仏道修行の場であり、この現実世界は自身の生命変革の舞台である」と常々言っておられるように、日常こそが教科書である。

遊びたい時には大いに遊ぶといい。学びたい時には寸暇を惜しみ、刻苦勉励すればいい。楽しい時もあれば苦しい時もあるだろう。人を助け、助けられ、ある時は争い、ある時は和する。人は、そういうことを繰り返すことによって、他者との距離感を掴み、人生の勘どころみたいなものが成熟するものだ。

一度失敗や挫折の辛酸を味わった者は、その先僅かなつまずきからも学ぶことができる。ところが、そうした経験がない者は、失敗したことを、失敗したと気付かないことがある。美食を極めた贅沢者が、獄中の食事に不満を抱くのは、それを裏返した真理だと言えるだろう。ゆえに、善い時も悪い時も本当にこれでいいのかと、常に問い掛けなければならない。

仕事のこと、家族のこと、恋愛のこと、健康のこと、お金のこと、対人関係等々と、この世の中にはありとあらゆる苦悩が渦巻いている筈だ。迷いの数だけ人生があり、人生の数だけ悟りがある。

無論、一つを悟ったところでさらなる迷いが生じることだろう。しかし、生きるということは、そういうことではないのか。常に無心でいられる人の人生は、私にとって敗北でしかない。

詰まるところ、迷いとは挑戦である。ゆえに、常に人生の意味を問い続け、自分のことで悩んでいなくても、誰かのために悩むといい。他者への思いやりに注意を払ってこその仏教である。

近年流行しているマインドフルネスは、アメリカ人が日本の禅に注目し、仏教色を取り除いて逆輸入されたもので、ストレス軽減法に特化して、急速に広まった。仏教の瞑想法すなわち心の観察法のことを言う。

私の経験上、この心の観察法を通してもっとも懸念すべきことは、時に自身を過大に評価したり、過信するところにあると言えるだろう。仏教ではそれを「魔鏡」と呼ぶ。

我々ヤクザ者の生き様にしても、ヤクザ社会の義理人情を正当化して、自らがやるべきこと、やってはならないことを明確に分別できなかったからこそ、現実社会に立脚したあり方を見失っていた。

時代と人間の裸の姿を凝視する上で、喜怒哀楽の中で生きている自分の心に深く問いかけ、心の眼を開くことによって、思考や感情に囚われない心の持ち方や存在の有り様を確立するのが、マインドフルネスの目的の一つである。

とはいえ、それがなかなか難しい。なぜなら、私は憎しみや怒りといった感情を処理する能力が極めて未熟だからだ。

その原因もまた、心の貧しさから起因する劣等感なのかもしれないが、憎しみや怒りといったフィルターを通すと、心の眼が曇り、普段は当たり前にわかるようなことでさえ、まったく見えなくなってしまう。実に情けない話だが、それが私という人間の本質なのだろう。

私が、そのように自分ではコントロールすることのできない、にっちもさっちもいかない状況に陥った時は、いつも他者との関係性の中で感情を緩和することに努め、乗り越えるようにしていた。そこで大切に思うようになったのが、人生の呼吸法である。

人間が亡くなる時に〝息をひきとる〟と表現するように、生きるということは息をすることであり、息という字は自らの心と書く。深い呼吸をすることが、心を豊かにすることに結びつくとも言えるだろう。

その極意は、まず吐き出す。スポイトの原理と同様で、五体に溜まっている空気も邪念もすべて吐き尽くす。すると、わざわざ胸を張らずとも次の息は一瞬の内に満たされてゆく。

人の生き方もこれと同様で、惜しみなく、喜んで与えられる人であればこそ、他人の真心が自然と帰ってくるものだ。そこにこそ、人の世の真実があると言えるだろう。

臨済宗の名僧・山本玄峰禅師は、人に親切、自分に辛切、法に深切の、「三つのしんせつ」を人に勧めた。いつまでたっても自分の欠点を克服することのできない未熟な私ではあるが、独房に坐し、己心に「三つのしんせつ」を問いかけることによって、いつの日か、人類史の舞台を旭日のごとく照らしゆく、心の殿堂を築き上げたいと思っている。

生と死について

私が子供の頃には、「人生に絶対はない。絶対という言葉を使うな」と言われていた記憶が残っているが、確かに理想と現実の問題は、常に不安定、不確定といったものと表裏していることは間違いないだろう。

ところが、人生には一つだけ絶対の真実がある。それは、生きとし生けるものは等しく死を迎えるという厳然たる事実だ。

つまり、人生というものは、この世に生を享けたその日から、生老病死の重荷を背負い、死へと向かう一本道である。

私が若かった頃は、論語や菜根譚が好きで、儒学に傾倒していた時期もあったが、ある時、儒学には生死観がない。いや、少なくとも死が視野に入っていないということに気付いた。私はそこに、儒学の限界を見たような思いがしてならなかった。

生というものがいかなるものかわかってもいないのに、経験もしていない死がどういうものなのか、それを知ることなどできるはずがないというのが孔子の立場である。

現代社会では、圧倒的多数の人々が科学的世界観の中で生きていて、それ以外の世界観を必要としない。説明がつかないものには価値がないと思う人が多くなってしまった。

だが、人は生きて来たようにしか死ねないということもまた、疑いようのない真実ではないだろうか。

「人の寿命は無常なり。出る息は入る息を待つことなし。風の前の露、なお譬えにあらず。賢きも、はかなきも、老いたるも、若きも、定めなき習いなり。されば、まず臨終のことを習うて後に佗事を習うべし」とは、日蓮大聖人のご遺文だが、「生を明らめ、死を明らめるは、仏家一大事の因縁なり」という言葉もあるように、いかによく生き、よく死ぬるか、ということは、仏教徒にとって一番の課題であり、一大眼目である。その生死の問題を明らかにせずして、何のための一生かと私は思っている。

仏教の祖である釈尊とキリスト教のイエス・キリストは、体制に対する批判者であり、布教をしながら旅をしたという点においては共通の生き方をしているが、その生死観は対極である。

なぜなら、キリスト教は敗北の美学から出発した宗教と言われているように、イエスが十字架に磔にされ、処刑された悲劇から復活したというところに重きが置かれている。

つまり、死イコール敗北という訳だが、釈尊の死の場合は涅槃と呼ばれ、それは完成を意味する。どちらの死の方が望ましいのかは、考えるまでもないだろう。

自分が生きていたという事実が、その死によって輝きを放つような生き方がしたいと思っていた私にとって、死イコール完成という世界観は実に魅力的だった。それが、私が仏教徒としての道を志すようになった理由の一つであったことも事実だ。

では、私にとっての死イコール完成とは何ぞやと言うと、例えば、皆さんがこの世に生まれた時のことを想像してみて欲しい。自分一人が泣いて、周りのみんなが喜んでくれたはずである。

無論、私の時もそうだった。しかし死ぬ時はその逆で、自分一人が笑って、周りの誰もが泣いてくれるような自分でなければならない。そのために、いかにして生きてゆくべきか。

私は、死という観点から生を凝視し、そこから逆算して生きるという生き方を選択した。それが私なりの人生観であり、仏教徒としての原点である。

禅の第一人者にして剣の達人でもある大森曹玄禅師は、昔から言われた生・老・病・死の四苦の内、生の問題は主として政治の分野で解決すべきであり、老の問題は社会福祉の分野で、そして病は医学の世界でと、今やそれぞれ分化した。宗教で解決すべきものは死の問題だけだと語っているが、私はそうは思わない。

なぜなら人生の三大目的は、自己究明、生死解決、他者救済を追求することであり、それぞれの分野で解決できないことの救済方法として、宗教は心の拠り所とすべきものだからだ。

いつの時代でも求められてきたものは、人生とは何ぞや、ということに関して明確な答えを提示することだったと思う。

私は、明日死ぬつもりで精一杯に生きて、永遠に生きるつもりで貪欲に学びたい。人生の、死出の旅路へ従うものは、所詮自らが積み重ねてきた善悪の業でしかないはずだ。であればこそ、悪行よりも多くの善行を心掛けたほうがいい。

紅蓮院臥龍日眞居士。

私は日蓮大聖人に帰命した際に、自らの法名を定めた。その法名とは、右の通りである。

泥土の中にありながらも、決して環境に染まることなく、美しく咲き誇る蓮華のごとき生き様を貫くこと。燃え立つ太陽のごとき存在であること。紅蓮院の院号には、そのような思いを込めさせていただいた。

余談だが、私は幼い頃からなぜか龍が大好きだった。また、隠れて世に知られていない傑物という意味合いの「臥龍」という表現も好きだ。ゆえに、決して表舞台には立たずとも、目立たない場所で誰よりも輝きを放つ自分でありたいという思いもあった。

ちなみに、日蓮宗では戒名のことを法名と呼び、日号に自らの名前の一字を用いることが一般的である。

私は、故人の戒名に接した際の他者の反応に、失望したり違和感を覚えることが多かった。この人は、立派な人だったんですね。お金持ちですね。などという言葉を聞く度に、こんなもので人の一生が左右されてたまるかと、よく思ったものだ。

本来、戒名というものは、仏の弟子としての名前のことをいう。出家する際に師から弟子へと授与されるもので、生前に受けなければ意味がないものだった。

その後、明治維新の廃仏毀釈の政策により、徹底的に仏教が弾圧されて、西欧風の生活様式が流行し、仏教が廃れてゆく中で、僧侶が生計を立てるのが困難になり、形式的な葬式仏教へと移行せざるを得なくなった寺院側の事情と、死後の名誉を欲望する檀家側の思いとが合致したところに、今日の戒名制度が生まれた。

また、近年では寺檀関係が希薄になっていることから、大抵の場合は、葬儀の際に、僧侶が遺族に対して故人の人柄や生前の功績などを尋ね、そこから得た僅かな情報を元に、即席で考えた程度の戒名を、その位に応じた金品と引き換えに授与するようになった。

悲しいかな、寄進の額によって信徒の待遇が違うというのでは、仏教に明日はない。私は、そんなありがたくもない死後の名誉を金品と引き換えに欲求することよりも、自らが生きてゆくための戒めや道標として、生前に法名を定めた上で、それに恥じない生き方を貫きたいと思った。ゆえに、右の法名は、私の余生に対する誓いだと言える。

ついでながら、戒名には諸宗派によって型はあるものの、厳密なルールというものは存在しない。

例えば、作家の山田風太郎さんのように「風々院風々風々居士」というような戒名でも有りだということだ。

ゆえに、死後に貧富の差によって自らの一生を決められることよりも、自分はこういう人物でありたかったという思いを戒名にして子孫に伝えることの方が、より現実的で、時代相応のあり方だと言えるのではないだろうか。

私はそのような思いから、それぞれにふさわしい戒名を、生前に、自らの意志で選ぶことを人に勧めている。仮に、他者に依頼した戒名であったとしても、納得がいかなければ受取るべきではないというのが、私なりの持論だ。

話が逸れてしまったが、私が服役しているLB熊本刑務所は、右を向いても左を向いても殺人犯ばかりである。その内の約百五十名近くが無期刑で、中には服役してから三十年も四十年以上も経過している受刑者も珍しくない。

私は、その彼らがどのように生きて来たのかを知らない。だが、どのような思いで過ごしているのかは、知りたいと思っている。満期日という目指すべきゴールがある我々には、到底察することのできない苦しみを伴っていることだろう。

日本民族は、元々あった訳ではなく、様々な国で差別されたり、居場所がなくなった人達が故郷から追い払われて列島に亡命した。がために、基本的に劣等感、非差別感情、被害者意識が強く、他者からどう思われているか、という世間体を気にする民族だと言われている。それが獄中で服役している犯罪者の心理ともなれば、なおさらのことなのかもしれない。

人は、これまでがどうだったにしろ、これからもそうだとは限らない。一人一人の可能性を心から信じて、苦楽寝食を共有することに喜びを分かち合いたい。そして、獄中であれ、どのような罪を犯して来た人であれ、誰人も幸せを実感して欲しい。今というこの一瞬を全力で生き抜いて欲しい。

仏教では、人の一生を生・老・病・死の四苦で総括する。また、人生は苦しみだ。というところから出発したとも言われているが、そもそもその捉え方自体どうなのだろうか。

もし、人生が苦しみの連続だとするならば、子を産むことは罪であり、生まれることは災難になってしまう。決してそうではないだろう。

では、人生の本質とはどういうことなのかと言うと、詰まるところ、私はアイデンティティーを証明することだと思っている。

例えば、記憶喪失になった自分を想像してみて欲しい。過去の思い出も、人生の目的や信念も、自分の性格さえも覚えていない。そのように本来の自分とは異なる人格に変わってしまった場合、その後の余生を、自分の人生と思うことができるだろうか。私には絶対にできない。

無論、それは当事者意識としての見解であり、客観的な道徳性において論ずるならば、この発言によって多くのお叱りを受けることは覚悟している。だが、自分が自分でなくなった後の人生に価値があるとは思えないというのが、私の正直な思いである。

つまり、私にとって人が生きてゆく上で重要なことは、人生という物語を通して、自分がどのような人物であったのか。あるいは、どのように生きたか、何を為したか、ということであり、寿命の長短など問うところではない。

とはいえ、時間を疎かに考えてはならないことも事実である。いつの時代でも、大業を為す者がもっとも恐れてきたものは、時だった。人間社会には、〝出る杭は打たれる〟というような卑しき文化があるように、時の魔力は、個々の実力や幸福さえも摩耗するほどの険しさを秘めている。

では、過去、現在、未来の時間軸について考えた場合、過去から現在に至るまでのプロセスと、現在から未来に至るまでのプロセスとでは、どちらの方が価値があるだろうか。無論、答えは後者である。なぜなら、過去がすでに失われた時間であるということに対して、未来はまだ失われていない。つまり、未来には希望がある。人生が提供してくれるものを経験できるという喜びが待っている。しかしその喜びは、過去の経験があればこそ得られる喜びであり、その意味で人生は、過去によって成立するものだと言えるのかもしれない。

確かに、過去は変えられない。執着すべきでない。と主張する人達の言い分にも一理あることは私も認めているが、過去に対する思いがなければ今現在を変えることもできないはずだ。ゆえに私は、過去を大切にして、折に触れて振り返るようにしている。

私の場合は、人生の無常を知り、自らが辿った運命があまりにもちっぽけで、胸を張って誇れるほどのものではなかったことを如実に悟った時に、他者救済という宗教的価値観に目覚め、そうした経験を通して、人間的完成を求道したいと思うようになった。

私の宗教観は、あくまでも人の生命は一代限りのものであり、死ねば一巻の終わりということを前提にしているが、自らが何を為し得たかによって、その精神の不滅性を獲得することはできるのではないだろうか。

私がこうやって文章を書いていることにしても、自らの足跡が、私が死んだ後の社会で誰かのために役立つかもしれないということに、大いなる希望を見出したからに他ならない。恐らく、宗教者として覚醒していなければ、そういう思いには至らなかっただろう。

宗教とは、知識や理論ではなく、生き方であり、道であり、普遍的な生活の法則である。また、宗教者にとってもっとも意義のある人生は、誰かのために役立ったか。どれだけ多くの人に喜んでもらえたか、ということに尽きるだろう。宗教のために人生があるのではなく、人生のために宗教があるのだと私は思っている。

人類が抱える深刻な問題の一つとして、自分にあとどれだけ時間が残されているのかわからないということもまた、見逃がし難い真実だと言えるだろう。

日本人で初めてノーベル賞を受賞した湯川秀樹は、「一日生きることは一歩前進することでありたい」と言ったが、人生が一代限りの稀少な資源であればこそ、その一足に、万感を込めて踏みしめるべきだ。

花は散る支度をしている時が、花の一生の内でもっとも美しいと言われている。それを人の一生に置き換えるのは、少しばかり大胆な主張なのかもしれない。だが、人の一生もそうあるべきだと私は思っている。

禅語には「生死事大。無常迅速」という教えがあるのを知っているだろうか。昔の禅者は、いつでも死ねる用意をして、日々を生きよ。やせ我慢でもいいから見苦しい生き方をするな、と言った。

また、日蓮大聖人にしても、よくよく心して強盛の大信力を起こして、南無妙法蓮華経、臨終正念と祈念しなさいという教えを遺している。臨終正念とは、いつ死んでも悔いはないと思えるほどの境地のことをいう。

そうした死との向き合い方は、男が男として生きてゆく上で、大丈夫たる者が当然身に付けるべきたしなみの一つだと言えるだろう。

明日死ぬつもりで精一杯に生きていればこそ、花のように美しい生き方がしたいと思えるはずだ。永遠に生きるつもりで貪欲に学んでいればこそ、それを実現するための気力が宿るはずだ。

ヤクザ社会の義理人情の題目が敗れ、社会の底辺で挫折を繰り返し、辛酸の限りを嘗め尽くしていた私が、法華経信仰の義と出逢い、蘇生したことによって、社会貢献の舞台に立ちたいと思えるようにまでなった。

まして、二度の流罪に遭いながらも、身命を惜しまずに、立正安国の精神で他者救済の生涯を貫き通した日蓮の弟子である私が、手ぬるい行者であるはずがない。

ゆえに私は、明日死ぬつもりで精一杯に生きて、永遠に生きるつもりで貪欲に学びながらも、菩薩の道を弛むことなく歩んでゆくつもりだ。

妙法人を制す

任俠人を制す。

私がヤクザ修行の駆け出しの頃は、会津小鉄本部会館に飾られていた、図越利一総裁の右の言葉が大好きだった。が、今では「妙法人を制す」である。

僧侶によっては、妙を死、法を生として捉えている人もいるそうだが、日蓮大聖人は、「妙とは蘇生の義なり。蘇生と申すはよみがえる義なり」と言った。

この場合の蘇生とは、決して生まれ変わるという意味合いのものではなく、人を活かすという概念で受け止めて欲しい。

つまり、失敗や挫折、あるいは大きな誤ちを犯した人達が、現実社会の中で仏法イコール智慧と慈悲を展開しながらも、人を活かし、我を活かし、社会建設のために立ち上がる。

そこにこそ、調和の法としての真髄があり、日蓮宗が七転び八起きの宗教と呼ばれている所以だと言えるだろう。

吉田松陰の中心思想は「草莽崛起」というものだった。草莽崛起とは、有志の人が大望を抱き、七転び八起きの精神で立ち上がるなら、この世の中を改革することができるという思想である。松陰はこれを日蓮大聖人から学び、多くの志ある人、至誠の人を育てたという。

自らの志に情熱を傾ける人の生き様には、力強さがあり、潔さがある。いつの時代でも、日輪のごとき大信念の人がいたからこそ、人を動かし、時代を動かし、様々な歴史を築き上げたと言えるだろう。

とはいえ、社会建設のために立ち上がり、情熱を傾けるのも志なら、オレオレ詐欺に成り下がり、億万長者たらんと夢見るのも志に違いない。だからこそ、正見、見性というものを常に意識する心が大切である。

法華経の欲令衆は、「諸仏世尊は、衆生をして、仏知見を開かしめ、清浄なることを得せしめんと欲するが故に、世に出現したもう」の一節から始まる。

この仏知見とは、仏の智慧のことをいう。普段我々が見ている世界は現実世界に過ぎないが、仏の眼は常に真実の世界を見ている。

では、その真実の世界とはいかなるものかと言うと、例えば、牛乳瓶に入った牛乳を形が異なる容器で、兄弟二人が平等に、喧嘩にならないように分け合うには、どのようにして分け合うべきかを考えてみて欲しい。

ある人は、兄の方に分けさせた上で、弟に選ばせるべきだと言った。なるほど、兄は納得がゆくまで均等に分け、弟は量が多いと思った方を選ぶ訳だから、確かに喧嘩にはならないだろう。だが、それが現実の世界である。

以前、私がこの話をした時に、私の弟分の家庭では、ピノという名柄のアイスクリームを父親が一つだけ食べて、残りを敢えて奇数にした上で兄弟二人で分けさせたという話を聞いた。結果は、兄の方が少ない数を食べて、弟に多い数を与えたのだという。それこそが真実の世界である。

牛乳の場合もそれと同様で、兄が明らかに量が多いと思った方を弟に与え、今度はその兄の優しさに気付いた弟が、牛乳を少しだけ飲み、お兄ちゃんもう少し飲んでと言って差し返す。私は、そのような真実の世界に大きな志を打ち樹ててみたい。

禅語には、「随所に主と作れば立処皆真なり」との言葉がある。自分から進んで事にあたるなら、自分のいるところ、どこでも真実が微笑む、という教えだ。

私は、この服役中に故郷を顧みることもなく、父を失い、母を亡くし、我々の誇りであったはずの組織は見る影もない犯罪集団へと成り下がってしまった。

両親の恩愛をよいことにして、私は何を学び、何を報いたのか。また、多くの若者の兄貴分として、何を与えたのか。そして今日までのヤクザ人生において、一体何を残すことができたと言うのだろうか。悪事の他には何も為し得た覚えがない。

私は、少年の頃から数限りないほど警察の世話になってきた。逮捕状が出て、逃亡していた時期も実に多かった。だが、今になって振り返ってみると、自らに迫り寄る影に怯えていた訳ではなく、そのようなものを連れて歩かなければならない自分の宿命から逃げたかったからこそ、さらなる犯罪を繰り返していたのかもしれない。

私は、幼い頃から目の前に人参をぶら下げられると、意地でも走らないような偏屈なところがあった。どこまでも損な方へと道を選んでしまう。男とはそういうものだと頑なに決め付けていた生き方は、端から見れば迷惑千万なものでしかなかっただろう。

すべてが終わったと思い、一度は腹を切る覚悟を決めた私ではあったが、結局は生きる道を選択した。そして、同じ生きるのであれば、多数派よりも信念の側で生きたいと思った。

また、信念とは、自分が正しいと信じて行動するだけでなく、誰もが正しいと信じてくれるような行動を取ることではあるまいか、と思うようにもなった。

では、ヤクザ人生と決別した後の、自らの余生を一番星のごとく輝かせる大信念とは何か、と考えた時に、私が導き出した答えは、仏侠学を極めるという思いだった。

私にとっての宗教とは、単なる仏教ではなく、仏道、士道、侠道を三位一体にした〝仏侠〟であり、その生き様の中心を貫く概念は、無論、善学菩薩道に他ならない。

かつて、維新前後には、官軍を呼号する殺人鬼の集団が、各地で残忍卑劣な戦闘を繰り返し、路傍には冷酷無情にもなぶり殺しにされた、いわゆる賊軍の汚名を着せられた人々の亡骸が獣同然に転がっていた。維新元年に起きた咸臨丸事件もまた、その一例に過ぎなかった。

そうした非人道的でやりたい放題の虐殺が、名目上天皇の命令で実行されている訳だから、明治維新の正統性に償い難い汚点を残したと言えるだろう。

ある者は首を落とされ、ある者は全身を試し斬りにされ、死体に鞭打つどころか、辱め、まるで犬畜生か虫けらのように惨殺された人々を目の当たりにして、世人は不憫には思いながらも、その亡骸を手厚く葬ってやることすら叶わなかった。

なぜなら、そうした温情を見せることによって、自らも逆賊と同罪に扱われ、お咎めを受けるからである。それも、本人は極刑、家族は入牢、財産は没収というほど苛酷なものだった。

そんな中、一人男を上げたのが、侠客清水の次郎長こと山本長五郎である。

咸臨丸事件で惨殺されて、清水港に浮かぶ旗本たちの死体を見捨てておくことは、次郎長の任侠が許さなかった。

彼は、子分と共に小舟に乗って死体を収容し、向島の松の樹の下を掘って埋葬した。ところが、その詳細が子分の口から漏れて、旗本たちの耳に入ったのである。

それでも次郎長は、「死んでしまえば誰もが仏だ。仏に敵味方もない。魚の餌食にするには忍びない。それがいけないと言うのであれば、お咎めを受けよう」と言って、潔い侠気を見せた。

後日、その心意気に打たれた山岡鉄舟が、次郎長の志を嘉して、碑を建て、壮士墓と名付けたことは有名な逸話だ。老松が壮士の松と呼ばれるようになった所以である。

右の逸話からも察せられるように、士道にしろ、侠道にしても、それは、私心のない一筋の狂気を示唆する生き方だった。悲しいほどまでに純粋で、自分が信じたもののためならば死をも厭わない。そのやせ我慢を支えていたものは、仏道に通じる慈悲心であり、仏道、士道、侠道は、同じ香りを放つ生き方でなければならないというのが、私なりの大信念である。

人生の飛躍とは、決して広さや量的なことではなく、深さであり、質を変えるということであり、そこには社会的価値と個人的意考を同列に置いた創造力がなければならないと言えるだろう。

「動くだけでは物足りない。(人偏の)イを付けて初めて事の役に立つ、魅力ある生き方ができる」と言った人がいた。確かに、そうに違いない。

また、唐代禅僧の百丈懐海は、「一日作さざれば一日食わず」とも言った。

そもそも労働の労の字には、疲れるという意味合いの他に、ねぎらう、いたわるという意味もある。働いて疲れたら、ねぎらい、いたわり合うという、人としてもっとも大切で、至極当たり前の生き方を教えてくれる。

永年ヤクザ社会の矛盾した価値観の中で、世の中を逆様に見て、生と死、善と悪、迷と悟と綱渡りのような人生を歩んで来た私にとって、もっとも欠けていたことだと言えるだろう。

人は何のために生まれるのか。あるいは、何のために生きるのか、と問われても、若い頃の私は明確な答えを持たなかった。

いつ死んでも悔いがないと言い切れるほど、満ち足りた人生を歩んで来た訳ではなかったが、長生きなんかしてどうするという思いもあった。一応はこの世の側にいるだけで、さしたる望みも持たず、消化試合のような毎日を過ごしている人は、多数派ではなくても案外いるのではないだろうか。

だが、今の私は違う。なぜなら、日蓮大聖人の教えに背き、汚れや歪みに片眼を瞑って生きていたのでは、生を盗むようなものだと気付いたからだ。ゆえに、今何のために生きるのかと問われたならば、私は迷わずに、「この世の中に不幸な人がいるからだ」と答えたい。

現代ヤクザの世界のように、他者の幸せを踏みにじり、男の意地も節操もない犯罪集団に成り下がってしまったのでは、野に生きる獣と変わりはしない。

何一つとして思い通りにはならない四苦八苦の娑婆世界の中で、堪え難きを堪え、忍び難きを忍び、刻苦精励して、不幸な隣人を救うため、己を省みない大慈悲こそが真の仏俠である。

かつて、博徒を辞めた清水の次郎長が、刑務所の囚人を集め、富士山の麓を開拓して名を残したように、世間様のために役立つ人物へと己を高めてゆくことの中に、人生の意味を見出したいとも私は思っている。

ごく最近のことだが、四国高松市の山腹、瀬戸内海国立公園内の五色台という標高が四百メートルの地に、みどりの中の禅道場こと〝喝破《かっぱ》道場〟という施設があることを知った。

不登校・ニート・引き籠もりと言われる若者を、喝破道場で受け入れ、禅の精神に基づいて社会的に自立することを教える活動を行っているそうだ。

私がやりたいことは、まさにこういうことだとすごく共鳴した。とはいえ、ただ漠然とそう思っているだけで、何をどうやって始めればよいのかすらわからない現状ではあるが、仏侠学の研鑽を通して社会貢献を志す人の生き様には、前進があり、成長があり、希望があり、歓喜があるはずだ。

過去の常識や経験則では測れない、若者の多様化や心の闇とどう向き合うか。永年にわたり獄舎生活を繰り返し、社会の底辺で生きて来た経験があればこそ、私にしかできない役割や、寄り添えるところがきっとあるはずだと今は信じたい。

私は今刑を務め上げて社会復帰したら、将来福岡県内の〝不良の殿堂〟を立ち上げたいと考えている。無論、私一人の力で実現できることではないが、様々な人達に呼びかけて、具体的な計画を温めてゆきたい。

暴走族にしろ、ヤクザにしろ、半グレにしろ、少年の頃から筋金入りの不良として名を馳せた人物が、実社会の中で立派に更生して、しかも社会貢献している人物にだけ与えられる栄誉ということでどうだろうか。

私が生まれ育った北九州・筑豊地区には、筋金入りの不良と呼べる人物は掃いて捨てるほど存在している。ただやりっ放しに悪いというだけなら誰にでもできることだが、実社会で立派に更生して、しかも社会貢献している人物ともなるとそうはいないはずだ。

そして、年に一度どこかの会場を借りて、各年代の不良を集め、何かしらのイベントでもやればいい。そこで、メジャーリーグの殿堂のように投票をする。殿堂入りした人物が、その後に事件を起こして刑務所に服役するようなことになってしまったのでは、殿堂の値打ちが下がる訳だから、福岡県警からの一票がなければ殿堂入りできないという基準を設けるなど、その辺の審査も厳正にすべきだと私は思っている。

ヤクザや不良の世界で名を馳せたところで、今となっては何の自慢にもならないが、不良の殿堂を志すことによって、自らの子供や家族にも見せられる後姿になるはずだ。

ヤクザ稼業を続けることで、自前の銀行口座すら持てず、給食料金を滞納して、我が子に肩身の狭い思いをさせている父親に、人生を語る資格はないだろう。

昔、やんちゃしていた人達が、善なる連帯感を高め、社会貢献の舞台で男気を競い合い、慈悲心を種子とする生き方を展開する。

江戸時代の十手持ちのように、見逃してもらう代わりに協力したり便宜を図ったり、お上の犬になるのではなく、正々堂々と新しい世の中の形を創造すればいい。

殿堂入りの表彰式にしても、県庁や県警本部で公的な行事として開催できるなら、全国的なモデルケースとなり、歴史を変えるほどの風が吹くかもしれない。

新時代では皆が主役だ。それぞれの戦野で、一人一人が自分らしく、自らの光を放ち、自らの花を咲かす。

私は、この拙書の出版を契機として、極道花岡眞吾としての歩みに終止符を打ち、人生の最終章を、私にしか為し得ないような善学菩薩道を邁進したい。

そしていつの日か、妙法の名将と呼ばれるほどの人物となり、一人でも多くの人を救済し、一人でも多くの人を幸せにしたい。

「汝、早く生き方の寸心を改めて、速やかに実乗の一善に帰せよ」。慈悲心を種子とする人としての振る舞いの中にこそ、仏侠の、人間開眼の結論がある。仰ぎ見て、また先駆けん菩薩道、天晴れぬれば、地明らかなり。

あとがき

独房に坐し、自分とは何ぞやという命題と向き合っている内に、いつしか、この本書を遺言代わりにしようと思うようになっていた。

私が書籍出版を夢見るようになった契機についてはすでに述べている通りだが、執筆を開始してから随分と年月を重ねたこともあり、その間に、私を取り巻く環境が大きく変わってしまった。

ゆえに、当初は私流の人生哲学のつもりで筆を執った本書ではあったが、移りゆく時代を顧みて変わらないものを描写したいと思うようになり、評論、自伝など、様々に展開しながらも、私が信じてやまないものを、思うところのすべてを書き尽くした。

とはいえ、私は古今の識者から言葉や知恵を借りなければ、自分が言わんとすることを正しく表現できなかったことも事実だ。

がために、それを口さがない読者の皆さんに言わしめると、盗作だの何だのと手厳しいお叱りを受けることになるのかもしれない。

だが、韓非子を解説したある識者が「古今の学問、史話、逸話等に精通していた。もし、彼の著作にそれらの多彩な引用がなかったら、説得力もかなり失せる」と評しているように、たいした創造力もない私のような素人の物書きが、激動の世の中で大衆の耳目をそばだたせるには、先人が遺してくれた言葉や知恵が必要だったということを理解していただきたい。

何はともあれ、ささやかな夢への挑戦を支えてくれた人達の御陰で本書を上梓することができ、自ら追い求めていたものを再確認できたことは、私にとって素晴らしく有意義なことであり、幸いなことであった。私に多くの自由と希望を与えてくれた一人ひとりに対して、この紙面を借りて深く御礼を申し上げたいと思う。

私の青春が所属した平成初期の日本は、いわゆるバブルと呼ばれた時代ではあったが、私が社会人を自覚した時にはすでにバブルも弾けていたし、その後の失われた二十年では、天地を揺るがすほどの震災が二度も起こり、百年に一度の不景気だの何だのと、俗に言う、〝栄光の時代〟とは無縁の人生を歩んでいながらも、過ぎ去った時代の豊かさに憧れを抱き、経済活動あるいは物質的価値観が中心の社会で努力さえしていれば、一応なんとかなるだろうという甘ったれた人生観を秘めて生きてきたのが、我々の世代だと言えるのかもしれない。

そうした真偽の見分けがつきにくい、浮き沈みの激しい世情を顧みて、私が心酔した生き方は、痩せ我慢の思想と刎頸の交わりを結ぶことだった。つまりそれは、献身と犠牲、さらには死を前提とした、精神美の世界へ向かって生きることを言う。

室町時代に活躍した能の伝導師・世阿弥は、自らが著した能楽書『風姿花伝』において、次のような一節を示している。

「秘すれば花なり、秘せずば花なるべからず」この精神もまた、私の人生の核となる思想の一つではあるが、ヤクザ社会の〝自切り〟という行為にも、それに通じる精神があるはずだと若かりし頃の私は信じていた。

確かに、ヤクザ社会の歪んだ価値観の中で、親分のため、組織のためと胸を張ってみたところで罪を犯したという結末に、普遍的な正統性というものは証明できないだろう。

ではあるが、自らが信じてやまないもののために、すべてを捨て切って、悲しいほど愚かなまでに捧げ尽くした人の生き様は、偉大であり　壮絶であり、例えそれが、世間から見て眉をひそめるようなことであったとしても、私には十分美しく尊いものに見え、殉ずる価値のあるものに見えた。

ところが、現代ヤクザの社会では、時代の功利に流される生き方が主流となり、恐怖感と終末的な概念を突きつけて、強制的に自転車操業のごとき日常を繰り返している。

当然、そうした物質主義の体制を支持する人々は、純粋性の欠けらもない、革命的冒険心とはおよそ無縁の臆病者ばかりである。理を説き、言い訳をする道は知っていても、新しい世の中を創造しようとする度胸は持ち合わせていない。

結果、精神美を貫くという思想が廃れ、現代ヤクザの多くが、回帰すべき心の故郷を喪失したと言えるだろう。

私は、そうやって過去の時代に置き去りにされようとしている精神美の概念を、次世代に甦らせることを畢生の使命にしたいと思うようになってから、止み難い思想的関心が芽生え、この本書を通してそれを完成させるつもりでいたのだが、項が進むにつれて何を以て人生を集大成すべきかわからなくなってしまった。そんな中、私に救いの手を差し延べてくれたのが釈迦尊者である。

釈尊の在世当時、溺愛していた我が子を亡くし、その事実を受け入れることができず、悲嘆に暮れる女性がいた。

彼女は死んだ我が子をどうにかして助けたいと思い、遺体を抱きかかえたまま半ば狂乱のような状態で助けてくれる人を必死に探し求め、やがて釈尊と出逢った。

どうかこの子を助けてくださいと泣き叫び、懇願する母親に対して、釈尊は、死者を甦らせることなどできないとは言わなかった。

無論、イエスとも言わなかったが、そのためには芥子の実が必要なので集めて来て欲しいと。ただしその芥子の実は、これまで死者を一人も出したことのない家からしか集めてはならないという、一つの方便を授けるのである。

芥子の実を集めれば我が子を助けることができると思った彼女は、狂喜して町中の家々を訪ねては芥子の実を分けてもらえないかと頭を下げた。

どの家にも芥子の実はあった。分けてあげると申し出てくれる人も大勢いた。ところが、死者を出したことのない家など、町中探しても一軒もなかった。当然のことだろう。人は、誰もが等しく死を迎える。親、配偶者、兄弟、子供。どの家でも例外なく親類縁者を亡くしているのが世の常である。

どんなことをしてでも愛しい我が子を助けたいと願っていた彼女ではあったが、肝心の芥子の実を手に入れることができず、絶望した。しかしその絶望の果てで、自分だけが特別辛い目に遭っている訳じゃないということに気付き、人生には避け難い苦しみがあるのだという、諦めの念が生じてきた。

自分と同じ悲しみを多くの人々が同じように背負っていることを知った彼女は、我が子の死を受け入れ、心の落ち着きを少しずつ取り戻してゆく。そして釈尊の元に戻ると、出家を申し出て弟子となり、生死の苦しみから離れる生き方、すなわち仏道を歩むようになった。という逸話がある。

子供を助けて欲しいと泣き叫び、懇願する母親に対して、釈尊が示したのは、同じ苦悩を持つ人に寄り添うことだった。この逸話から、ある識者は、「プロセスという答え」と題して、次のような見解を示している。

「ブッダが答えではなくプロセスを示したことに、人を救うことの本質を見る思いがする。ブッダはどうすればこの母親が苦しみから離れることができるのか、真実を受け入れることができるのか、そのための方法を説いたのであって、答えは何も示していない。示す必要がなかったのかもしれないし、そもそも答えを示すことなどできないのかもしれない。そして彼女はブッダが示したプロセスに沿って行動することで、自分自身で答えを見つけた。我が子の死を受け入れるという答えと、仏道を歩むという答えである。」

私が描写したかったものは、これだと思った。人が成功するための哲学ではなく、人生の挫折であり、心の葛藤であり、それに立ち向かう魂の慟哭である。そして、自らが貫き通した思いが、その死によって輝きを放つような生き方ができたなら、私は、自らの死を以て人生を集大成することができたと言えるだろう。ゆえに、この本書をとある人生の一つのプロセスとして、読者の皆さんと語り合いたいと願っている。

ある歴史評論家は、日本史と中国史とを比較して、日本人は変わらないことに美質を見出し、中国人は変わることに価値観を見出したという見解を示していた。無論それは、どちらの方が優れているかという主旨の話ではなく、単なる国民性の特徴を解説しただけの話ではあったが、当然人間社会には移りゆくものと、変わらざるものがあることは言うまでもない。

その中で〝人の心〟すなわち、喜怒哀楽は人類の共通財産として永遠に残りうるものであり、いつの時代でも、他人の優しさや真心に触れると、笑顔であったり感謝の念が生じたはずだ。

それと同様で、知的文化にしろ、人間社会を取り巻く風習、思考癖、倫理的習慣などにしても、この世の中には変わらざるものがたくさん存在している。

そしてその根本は、事実為し得たかどうかは別にして、少なくとも自らが信じてやまないものを貫き通すことに懸命な姿勢を示すことであった。同時に、その姿勢があったからこそ、人類はあり余るほどの心を生産してきたのだ。そうした普遍的なプロセスを通して、私が描写する一言一行が次の世代に及ぶのであれば、それに勝る喜びはないだろう。

遠くても空は一つ。

右の言葉は、我々不良グループの間での合言葉だった。どんなに離れていても、空は一つしかない。同じ大空の下で、それぞれの道を支え合い、それぞれの境遇を励まし合った言葉である。

澄み切った青空を見上げては、野に咲く大輪の花々を眺めては〝美しい〟という思いは誰の心にも差異はない。どんなに時を超えても変わることのない感動がそこにある。なぜ変わらないのか。それは、この世の中になくてはならないものだからだ。ならばこそ、そういうものを軸にした人生観を創造すればいい。

真の変革とは、単に何かを変えることを言うのではなく、なくてはならないものに転換させる力であり、それを為し遂げてこその栄光である。そして、それらが結実した姿こそが、時代を超える生き方というものである。

令和四年十二月二十五日　　筆者記す

参考文献

山岡荘八時代小説全般
吉川英治時代小説全般
司馬遼太郎時代小説全般
宮城谷昌光時代小説全般
『忠臣蔵』（森村誠一著、朝日新聞社）
『最強の孫子・戦いの真髄』（守屋淳著、日本実業出版）
『言志四録を読む』（井原隆一著、プレジデント社）
『史記』（中国古典文学大系、平凡社）
『中国の歴史』（陳舜臣著、講談社）
『思考は現実化する』（ナポレオン・ヒル著、田中孝顕訳、きこ書房）
『求心力　人を動かす10の鉄則、圧倒的に人を引きつける人になれ』（ジョン・C・マクスウェル著、齋藤孝訳、三笠書房）
『「戦う自分」をつくる13の戦略』（ジョン・C・マクスウェル著、渡邉美樹訳、三笠書房）
『これだけで「組織」は強くなる』（渡邉美樹・野村克也著、角川書店、角川グループパブリッシング）

『リンカーン』（ドリス・カーンズ・グッドウィン著、中央公論新社）
『戦国武将の美学』（北影雄幸著、勉誠出版）
『人間の器量』（童門冬二著、三笠書房）
『国定忠治』（平井晩村著、日本図書刊行会）
『法華経の真実』（ひろさちや著、佼成出版社）
『出家的生き方のすすめ』（佐々木閑著、集英社新書）
『日蓮聖人のことば「ご遺文」にきく真実の生き方』（菅野日彰著、大法輪閣）
『日蓮』（三田誠広著、作品社）
『禅談』（澤木興道著、大法輪閣）
『再来──山本玄峰伝』（帯金充利著、大法輪閣）
『白隠伝』（横田喬著、大法輪閣）
『比較宗教学』（阿部美哉著、大法輪閣）
『子どもを変える禅道場～ニート・不登校児のために』（野田大燈著、大法輪閣）
『禅の発想』（大森曹玄著、大法輪閣）
『山岡鉄舟』（大森曹玄著、春秋社）
『命もいらず名もいらず』（山本兼一著、ＮＨＫ出版）

『大法輪』不明号（大法輪閣）
『大白蓮華』不明号（聖教新聞社）

筆者プロフィール

本名・花岡眞吾。昭和四十八年二月三日、北九州市門司区生まれ。

中学生の頃より、筑豊の鞍手町で育つ。いわゆる川筋者。B型。

最終学歴・中卒。日蓮宗行者。仏俠学思想家。雅号・紅雪。法名・紅蓮院臥龍日眞居士。

現在は、懲役十九年の刑で服役中。

時代を超える生き方

発　行　2023年4月15日　第1版発行
著　者　花岡眞吾
発行者　田中康俊
発行所　株式会社　湘南社　https://shonansya.com
神奈川県藤沢市片瀬海岸3－24－10－108
TEL　0466－26－0068
発売所　株式会社　星雲社（共同出版社・流通責任出版社）
東京都文京区水道1－3－30
TEL　03－3868－3275
印刷所　モリモト印刷株式会社

ISBN978－4－434－31977－8　C0095